Credoau'r Cymry

Credoau'r Cymry

*Ymddiddanion Dychmygol ac
Adlewyrchiadau Athronyddol*

Huw Lloyd Williams

Gwasg Prifysgol Cymru
2016

www.gwasgprifysgolcymru.org

Mae cofnod catalogio'r gyfrol hon ar gael gan y Llyfrgell Brydeinig.

ISBN   978-1-78316-880-4
e-ISBN   978-1-78316-881-1

Coleg
Cymraeg
Cenedlaethol

Ariennir y cyhoeddiad hwn yn rhannol gan y Coleg Cymraeg Cenedlaethol.

CYMYSGEDD
O ffynonellau
cyfrifol
FSC® C013604

Cysodwyd yng Nghymru gan Eira Fenn Gaunt, Caerdydd
Argraffwyd gan CPI Antony Rowe, Melksham

I Rhiannon

Cynnwys

Diolchiadau

Hoffwn ddiolch i'r amryw bersonau sydd wedi cyfrannu at y gyfrol hon. Y pwysicaf wrth reswm yw'r teulu, sydd wedi fy nghefnogi ac annog o'r cychwyn cyntaf. Diolchaf yn arbennig felly i fy nhad a mam, fy mrodyr, a mwy na neb fy ngwraig, Rhiannon, sydd wedi gwrando ar fy nghwyno a'm syniadau gyda'r un amynedd, cynnig adborth a chynnal y cartref, a hyn oll wrth fagu plentyn a meithrin creadigaeth o fath arall, ei doethuriaeth. Diolchaf i Melangell am f'atgoffa'n ddyddiol bod yna bethau pwysicach a mwy anhygoel i'w gwerthfawrogi yn y bywyd yma nag athroniaeth, hyd yn oed.

O ran fy ngwaith rhaid imi ddiolch yn gyntaf i aelodau Adran Athronyddol Urdd y Graddedigion Prifysgol Cymru am eu hymdrechion diflino wrth gynnal y pwnc yn y Gymraeg, a hefyd am sicrhau'r swydd gyda'r Coleg Cymraeg Cenedlaethol rwyf yn ddeiliad ohoni. Er mawr dristwch inni gyd, collasom ein Llywydd am Oes, Merêd, y flwyddyn ddiwethaf. Gallaf ond gobeithio fod yna rhywbeth yn y gyfrol hon byddai wedi'i blesio. Diolchaf yn ogystal i Walford Gealy – fy athro athroniaeth cyntaf, trwy gydddigwyddiad – am ei annogaeth a'i gymorth a sgyrsiau heb eu hail am athroniaeth yng Nghymru. Yn fwy na neb rhaid imi gydnabod fy nyled i Gwynn Matthews, cyfaill athronyddol o'r radd flaenaf.

O ran y Coleg, sydd wedi bod mor hael yn cefnogi'r cyhoeddiad yma ac sydd yn ariannu a chynnal fy swydd, diolchaf i Dr Dylan Phillips sydd wedi bod yn gefn imi gan ddangos cryn amynedd yn ogystal. Hoffwn ddiolch i'r Athro Damian Walford Davies, pennaeth fy adran ym Mhrifysgol Caerdydd sydd wedi cefnogi fy ymdrechion yn ddi-ffael. Diolchaf hefyd i Dr Peter Sedgwick am ei gymorth ac am ei barodrwydd i wrando. Diolch iti hefyd am y cwestiwn.

Mae yna sawl un sydd wedi bod o gymorth mawr wrth gynnig adborth ar ddarnau o'r ysgrif a chynnig syniadau a chefnogaeth gwerthfawr dros ben, yn ogystal â'm hannog i gadw fy ffydd yn y gwaith. Hoffwn ddiolch yn arbennig yn hynny o beth i Simon Brooks, Rhiannon Marks, Lisa Sheppard, Daniel Williams, Rhiannon fy ngwraig, a fy nhad. Rhaid diolch yn arbennig i staff Gwasg Prifysgol Cymru am eu holl waith cynllunio a mireinio – ac am sicrhau nawdd i'r llyfr – ac i Llion Wigley yn fwy na neb am ei frwdfrydedd ac amynedd di-ben-draw. Gennyf ddyled yn ogystal i ysgolheigion niferus a'u gweithiau gwych rwyf wedi benthyg ohonynt yn helaeth, yn eu plith Brinley Rees, R. F. Evans, Dafydd Jenkins, J. Graham Jones, R. R. Davies, D. O. Thomas, fy nhad (eto) a Dafydd Tudur. Diolch yn arbennig i Leah Jenkins am iddi wneud y gorau gyda fy Nghymraeg anghymen, ac i'r darllenydd anhysbys am adborth amhrisiadwy. Fi sydd yn gyfrifol am y camgymeriadau sy'n weddill.

Yn olaf, wrth ymchwilio, trafod a dychmygu'r gwaith hwn, yn ddi-os rwyf yn fwyaf dyledus i'r myfyrwyr bûm yn ddigon ffodus i'w haddysgu dros y tair blynedd diwethaf. Y nhw sydd wedi fy ysbrydoli a fy mhrofi, a heb eu cyfraniadau gwerthfawr a'u meddyliau gwreiddiol ni fyddai'r gyfrol wedi gweld golau dydd. Diolchaf yn ddiffuant i chwi.

Nodyn ar ddarllen y testun hwn

Crewyd yr ymddiddanion yma gyda'r bwriad o fod yn sgyrsiau sydd yn sefyll ar eu pen eu hunain. Ffrwyth fy nychymig ydynt: nid oes unrhyw uchelgais fan hyn i geisio efelychu yn gywir yr hyn rwy'n credu y byddai'r cymeriadau yn eu dweud. Yn hytrach lleisio fy nehongliad i o'u syniadau a'u cyd-destun a wnaf. Serch hynny rwy'n gobeithio bod modd ichi ymgolli ynddynt yn ddigonol i deimlo eich bod chi wedi cwrdd â'r cymeriadau a rhoi gwrandawiad iddynt. I'r sawl sydd am gyflwyniad byr i'r prif ddadleuwyr, cyn mynd i'r afael â'r ymgomion, ceir bywgraffiadau byrion yng nghefn y llyfr. Os oes awydd cymryd golwg dadansoddiadol ac athron-yddol ar gynnwys syniadaethol y sgyrsiau, yna darllenwch y trafodaethau sydd yn eu dilyn. Os yr hoffech chi ddeall natur yr ysgrif yn ei chyfanrwydd, a myfyrio ar y dadleuon cyfannol a'r honiadau mwy cyffredinol, dyma a geir yn y bennod gyntaf a'r olaf. I'r perwyl hwn, rwyf yn gobeithio y bydd y testun yn un all fod o ddiddordeb i'r darllenydd lleyg ac o ddefnydd fel teclyn addysgu, wrth gynnig syniadau a safbwyntiau sydd yn gyfraniad at y drafodaeth academaidd ehangach.

Lluniau

(trwy ganiatâd Llyfrgell Genedlaethol Cymru)

.

1

Gosod yr Olygfa

Syllodd y dyn ifanc ar y rhes o wynebau o'i flaen. Wynebau digon cyfeillgar ar un olwg – ond ar yr union funud hon roedd y gwenu disgwylgar yn mennu dim ar awyrgylch yr ystafell. Roedd y cyflwyniad wedi bod yn weddol lwyddiannus, teimlai (er, doedd dim dal pa feddylu oedd yn mynd ymlaen tu ôl i'r wynebau). Yna, un neu ddau gwestiwn digon penagored a hawdd i'w dilyn. Teimlai mai'r gamp yn y munudau agoriadol yna oedd peidio â dweud gormod – *paid rhoi rhesymau iddynt dy ddiystyru* – ond eto dweud digon er mwyn sicrhau bod ganddynt reswm i wrando ar barablu di-baid yr hanner awr drachefn. Wel, doedd neb yn cysgu, a dim un ystum o ddryswch neu anobaith – eto.

Teimlai bron ei fod yn ymlacio, ond roedd awgrym o dyndra a gwyliadwriaeth yn hofran yn yr awyr. Yna daeth y cwestiwn a'i hoeliodd i'r unfan. Gwgodd yn ddiarwybod ar y wyneb a'i ofynodd, a gofyn mewn modd braidd yn ddi-hid iddo esbonio'n union yr hyn roedd yn ei holi. Hen ystryw, wrth gwrs, er mwyn ennill ychydig o amser, ond yn yr achos hwn roedd wir arno eisiau gwybod beth oedd y tu ôl i'r cwestiwn, rhag iddo ateb mewn rhigymau.

'Beth yw ystyr y cwestiwn? Wel, dydy e ddim yn un cymhleth o gwbl,' meddai'r wyneb yn chwareus, fel petai wedi gofyn iddo am ei dair hoff gân o Gwm-Rhyd-y-Rhosyn.

'Am wybod ydw i beth yw dy farn di ar athroniaeth yn y Gymraeg. Beth y mae'r cysyniad yna'n awgrymu iti? Hynny yw, petai ti'n ysgrifennu, neu'n bwysicach, *addysgu* athroniaeth yn y Gymraeg, pa fath o bethau buaset ti'n ystyried yn bwysig, a sut byddai'n wahanol i athroniaeth yn y Saesneg, neu unrhyw iaith arall yn hynny o beth? Does dim angen ateb hir a myfyriol, dim ond dy argraff di ar y mater.'

Ddim yn gymhleth? Heb angen ateb hir a myfyriol? Mae'n rhaid bod y wyneb yma yn eistedd yn y cyfweliad anghywir i awgrymu'r fath beth – byddai angen o leiaf pythefnos i baratoi am gwestiwn felly. Ond doedd yna ddim golwg aros ar y wynebau, felly rhaid byddai gwneud ei orau. Trwy gyd-ddigwydiad digwydd iddo hel ychydig o amser yn myfyrio ar y cwestiynau yma'n ddiweddar . . .

* * *

I raddau helaeth dyma'r union gwestiwn – natur athroniaeth yn y Gymraeg – sydd wedi sbarduno'r gyfrol hon. Nid wyf yn ceisio ateb cynhwysfawr rhwng y ddau glawr yma ychwaith, ond rwyf wedi, mi gredaf, roi cais ar gynnig un fath o ddehongliad a modd o ymateb i'r cwestiwn. Gobeithio imi hefyd gynnig rhywbeth amgenach – yn yr ystyr bod y testun yn ennyn chwilfrydedd a thrafodaeth ar bynciau, hanesion a ffigyrau adnabyddus sydd yn ganolog i'n diwylliant, ac sydd yn parhau (i raddau gwahanol) yn bwysig i'n dealltwriaeth ohonom ni ein hunain fel cenedl. Yn wir, o ystyried bod y genedl honno yn y broses o feithrin egin-gwladwriaeth – ac yn dioddef ei siâr o wyniau tyfiant – mae cloddio ein gorffennol am ddealltwriaeth, ysbrydoliaeth ac arweiniad yn un o'r gweithgareddau hynny sy'n hollbwysig o safbwynt cyfoethogi'r cyhoeddfa (*public sphere* – bathwyd y term Cymraeg gan Dr Huw Rees).

Mae hyn yn arbennig o wir mewn cenedl sydd am resymau amrywiol yn gymharol anwybodus am ei hanes hi. Yn wir, wrth ddechrau ar yr addysgu sydd wedi bod yn gynsail i'r gyfrol hon, deuthum yn boenus o ymwybodol o'm hanwybodaeth fi fy hun, a'r modd rydym fel pobl wedi ein hamddifadu o hunanddealltwriaeth mewn modd trwyadl strwythurol. Erbyn hyn, o leiaf, rwyf wedi cyrraedd cyflwr priodol yr athronydd – sef y sylweddoliad o gyn lleied mae rhywun yn ei wybod. Nid ymgais mo hon i geisio gwneud yr amhosib a chyfannu'r holl waith ymchwil nodedig sydd wedi bod yn y gorffennol a chynnig trosolwg hollwybodus. Yn hytrach ymgais ydyw i edrych ar bynciau cyfarwydd â llygad anghyfarwydd, a'u harchwilio am gynhwysion

syniadaethol sydd yn cynnig eu hunain i ddadansoddiad athron-
yddol.

Arddull

Cyn ymhelaethu yn fyr ar amcanion y llyfr, hoffwn gynnig gair
sydyn am ffurf y llyfr. Bydd yn adlewyrchu patrwm yr adran
agoriadol hon, sef hanesyn ar ffurf ymddiddan wedi'i ddilyn
gan ddadansoddiad – er mi fydd yr hanesion yn hirach a'r dadan-
soddi'n gymharol fyrrach yn y penodau sydd i ddod. Cyflwynaf
felly ffigyrau o bwys hanesyddol a'u syniadau, trwy eu dychmygu
mewn trafodaethau gydag eraill. Yna byddaf yn tynnu sylw at yr
hyn rwyf yn eu hystyried fel yr agweddau a'r cysyniadau sydd
fwyaf diddorol a sylweddol, eu gosod yn eu cyd-destun hanes-
yddol, ac yn adlewyrchu arnynt o safbwynt athronyddol.

Un bwriad sydd i'r ymdriniaeth hon yw cyflwyno elfennau ar
syniadaeth o'n hanes mewn modd sydd, rwy'n gobeithio, ychydig
yn fwy hygyrch a gafaelgar na'r arddull mwy ysgolheigaidd sydd
yn arferol mewn testunau ag arlliw athronyddol. Yn hynny o beth
rwy'n gobeithio apelio at gynulleidfa ehangach, nad sydd o reid-
rwydd â diddordeb mewn athroniaeth neu hanes deallusol, ond
sydd yn chwilfrydig ynglŷn â hanes ein cenedl, ac yn arbennig y
syniadau yna sy'n bywiocáu'r safbwyntiau sydd yn rhan ganolog
o'r trafodaethau cyfarwydd am Gymru. Trwy hynny, rwyf yn
ymwrthod â'r tueddiad i ystyried athroniaeth fel pwnc ffurfiol,
academaidd sydd heb le iddo yn ein bywydau pob dydd.

Mae yna draddodiad parchus i'r arddull o gyflwyno syniadau
trwy ymddiddan, wrth gwrs, ac mae athroniaeth ei hunan yn cyn-
nig enghraifft amlwg. Os awn yn ôl at y bobl hynny a sefydlodd
athroniaeth fel disgyblaeth yn y gorllewin, y Groegiaid gynt, cofiwn
fod y mwyaf disglair ohonynt, Platon, wedi cyflwyno nifer helaeth
o'i syniadau ar ffurf ymddiddan yn y deialogau Socrataidd, a'i
hen athro Socrates yn chwarae rhan yr arwr. Yn achos Platon, wrth
gwrs, nid oedd yr arddull yn fodd o symleiddio ei syniadau (fel
mae fy myfyrwyr eisoes yn gwybod!), ond does dim dwywaith
bod y broses o ddychmygu Socrates yn trafod, ac yn lladd ar y

grymoedd roedd yn ystyried mor andwyol i'w Athen, yn bywiocáu athroniaeth i'r darllenydd ac yn ei ganiatáu i'w werthfawrogi yn ei rôl gymdeithasol.

Rwyf yn betrusgar braidd am gyflwyno ffigyrau Cymreig mor adnabyddus yn ôl y dull hwn, ond mae'r pryderon wedi'u lleddfu'n rhannol gan ambell ganfyddiad diweddar. Yn gyntaf o beth roedd yn bleser cael cyfrannu yn ddiweddar at gyfrol yn dwyn y teitl *The Return of the Theorists*, a'r golygyddion wedi taro ar syniad tebyg. Bwriad y gyfrol honno yw cyflwyno rhai o feddylwyr mawr athronyddol maes gwleidyddiaeth wleidyddol, trwy wahodd cyfranwyr i ysgrifennu deialogau dychmygol gyda'r personau yna – a minnau'n cael cyfle i gyfansoddi ymddiddan gyda fy newis athronydd, John Rawls. Trwy'r gyfrol honno darganfûm draddodiad o'r math destunau ac un enw'n adnabyddus iawn, Walter Savage Landor. Dyma awdur casgliad yr *Imaginary Conversations*, am ffigyrau sylweddol yr henfyd Roegaidd a Rhufeinig yn arbennig, sydd yn ffon fesur i unrhyw un sydd yn dilyn yn ei ôl traed. Gwn am o leiaf dau destun cyfredol sydd yn ceisio gwneud hynny, felly! Ymhellach, mae arbrofion diweddar awduron megis Rhiannon Marks a Tudur Hallam gyda ffurf eu gwaith academaidd yn gwroli rhywun i lynnu at y weledigaeth wreiddiol.

Prif amcan arall wrth gyflwyno'r cymeriadau a'u syniadau yn y gyfrol hon yw ceisio eu gosod o fewn tueddiadau deallusol ehangach eu hoes. Mae trafod a dadansoddi'r syniadau athronyddol, diwinyddol a gwleidyddol nodedig yn ein hanes yn hollbwysig, ond nid oes modd eu llawn gwerthfawrogi heb ystyried sut maent yn perthnasu gyda syniadau a datblygiadau tu hwnt i Glawdd Offa, ac yn cael eu gweu mewn i'r clytwaith syniadaethol Ewropeaidd. Gwerth pwysleisio yn ogystal nad perthynas unffordd oedd hon o reidrwydd, gyda datblygiadau deallusol o Gymru yn cymell datblygiadau yn ogystal. Mewn ambell achos, yn ogystal, roedd y Cymry dan ystyriaeth eu hunain wedi ymsefydlu mewn tiroedd estron ac yn rhan o drafodaethau rhyngwladol blaenllaw eu dydd.

At ei gilydd, felly, dyma bwysleisio y dylem bob tro ystyried y syniadau mawr yna sy'n britho ein hanes ac yn trwytho ein presennol fel rhan o wareiddiad ehangach. Yn wir, mae'n arbennig o bwysig heddiw, am fod cymaint mwy o gyfleoedd i ni'r Cymry gymryd ysbrydoliaeth a swcr o brofiadau a safbwyntiau pobloedd o bedwar ban byd sydd â rhywbeth i ddysgu inni – heb anghofio bod ein profiad unigryw ni yn gallu cynnig cynhorthwy i eraill. Bellach mae bydolygon, cysyniadau ac athroniaethau estron (ond weithiau'n rhyfedd o gyfarwydd) yn agored inni gyda chlic y llygoden.

Athroniaeth Gymraeg?

Dyma ein harwain yn ôl at y cwestiwn lletchwith yna ynghylch natur athroniaeth yn y Gymraeg. I raddau helaeth mae ein perthynas â phriflif athroniaeth orllewinol yn adlewyrchu ein sefyllfa ddaearyddol. Ymhell o'r tarddle, ar gyrion Ewrop, nid yw dylanwad athroniaeth fel disgyblaeth wedi bod yn rymus o safbwynt ein diwylliant.

Un o'r prif resymau am hyn yw'r ffaith bod athroniaeth, i raddau helaeth, wedi bod yn faes sydd yn fwy ynghlwm â'r brifysgol na nifer o'r dyniaethau, a heb y sefydliadau yma tan yn ddiweddar yn y bedwaredd ganrif ar bymtheg nid oedd modd i'r pwnc fwrw gwreiddiau sylweddol yma. Ffactor arall oedd, wrth reswm, gafael crefydd ac o ganlyniad diwinyddiaeth ar y genedl, ac i'r cyfeiriad hwn yr anelwyd cryn dipyn o'n hegni deallusol fel pobl. Wrth i'r drafodaeth ddiwinyddol ddatblygu ac ehangu daeth athroniaeth a rhai athronwyr yn rhan bwysicach o'n gorwelion deallusol. Erbyn 1933 roedd Adran Athronyddol Urdd y Graddedigion Prifysgol Cymru wedi'i ffurfio, a esgorodd ar draddodiad bychan, ond grymus, o athronyddu yn y Gymraeg. Ar yr un pryd mae'n bosib gweld bod dylanwadau athronyddol y priflif yn gadael eu hôl ar waith academyddion mewn meysydd eraill – ac yn wir mae gwaith i'w wneud i olrhain y dylanwadau hyn, yn enwedig ym maes llenyddiaeth. O safbwynt y dylanwadau hynny a oedd bwysicaf ym myd athroniaeth mae'n briodol cyfeirio at yr athroniaeth Wittgensteinaidd a ymgododd i gydnabyddiaeth fyd-eang yn Abertawe, ynghyd ag empeiriaeth Brydeinig a drwythwyd ffigyrau megis R. I. Aaron, H. D. Lewis a Meredydd Evans ynddynt, ac yna Farcsiaeth, a ymledodd ei dylanwad i nifer o bynciau eraill.

Tu hwnt i'r tri thraddodiad yma, weddol o denau yw presen-
oldeb athroniaeth yr academi o fewn ein diwylliant, ond o dan yr
amodau nid yw hynny'n syndod. Nid oes modd hawlio athroniaeth
Gymreig neu Gymraeg yn yr un modd a, dyweder, athroniaeth
Albaneg sydd â gwreiddiau gwydn yn yr Ymoleuad, empeiriaeth
ac athronyddu 'synnwyr cyffredin'. Ond pe bai rhywun yn dewis
dehongli athroniaeth mewn modd amgen, heb ei chyfyngu i athron-
iaeth 'bur' neu'r mudiadau deallusol sydd wedi ennill eu plwyf o
fewn y prifysgolion, yna agorir cil y drws i'r posibilrwydd o
draddodiad athronyddol amgen. O'r safbwynt yma fe welir cyfran-
iadau 'athronyddol' ar draws ein byd o syniadau, o'r ymarferol
gwleidyddol a diwylliannol i'r gwybyddol ac ysbrydol. Yn gryno,
unrhyw ymgais i fynd at, neu greu, craidd syniadaethol i'r amryfal
orchwylion sydd yn ffurfio ein bywydau, ein perthynas a mar-
wolaeth, a'n perthynas â'r byd annynol.

Un enghraifft felly byddai gwaith Pennar Davies ar lenyddiaeth
y Canol Oesoedd. Yn y testun *Rhwng Chwedl a Chredo* mae'n trafod
agweddau ar destunau megis y Mabinogi, ac yn dadlau eu bod yn
adlewyrchu bydolwg nodweddiadol y Cymry, yn gyfuniad o Grist-
nogaeth a phaganiaeth. Dyma ymgais amlwg i ddatgelu egwydd-
orion gwaelodol sydd wrth wraidd ymagwedd nodweddiadol
Gymreig. I bob pwrpas, felly, rwyf am awgrymu yn y llyfr hwn
bod yr hyn sydd gennym o safbwynt traddodiad athronyddol
ymhlyg gymaint yn ein bywydau ymarferol ag ydyw'n allblyg yn
hanes astudiaeth ffurfiol o'r pwnc. Yn sicr, mae modd dadlau dros
fodolaeth yr elfennau athronyddol i syniadaeth Gymreig dros y
canrifoedd, hyd yn oed os nad ydy'r ddadl dros draddodiad
athronyddol gwahanfodol yn tycio.

Y bwriad felly, yn achos pob pennod, yw cyflwyno'r prif syniad-
au mewn modd hygyrch ond sydd eto'n ceisio gwneud cyfiawnder
ohonynt fel 'system' (pa fodd bynnag mor llac) o syniadau sy'n
adlewyrchu agwedd athronyddol. I mi dyma fodd o feddwl sydd
yn ymgeisio at feddylu trefnus, rhesymegol a rhesymol sydd yn
ymdrin â hanfodion pwnc neu wrthrych. Bydd yr un ymagwedd
ar waith wrth imi gynnig rhai sylwadau dadansoddol a beirniadol
drachefn. Rwyf wedi mynd ati i adnabod y syniadau rheini sydd
yn eiddo i rai o ffigyrau mwyaf adnabyddus ein hanes ac sydd

iddynt arlliw athronyddol – a cheisio eu crynhoi, dadansoddi a'u gosod o fewn cyd-destun syniadaethol ehangach. Dim ond un ffigwr all gyfrif fel athronydd o'r iawn ryw, fel petai, a hwnnw yw Richard Price – er nad oedd y Gweinidog Undodaidd yma, a oedd yn gyfranwr brwd i foeseg a gwleidyddiaeth ei ddydd, yn rhan o'r sefydliad academaidd fel y cyfryw.

Cychwynnaf gyda'r Brython bron chwedlonol o'r henfyd, sef Pelagius (neu Morgan, i roddi iddo ei enw Cymraeg), pengelyn Awstin Sant, na fyddai – fel ei wrthwynebydd – yn adnabod unrhyw wir fwlch rhwng y diwinyddol a'r athronyddol. Ynghlwm yn eu trafodaeth o'r pechod gwreiddiol mae trafodaeth o anthropoleg athronyddol (hynny yw, y natur ddynol) sydd wedi bod yn gwbl allweddol i ddatblygiad y gorllewin. Yna, rhoddaf sylw i Gyfraith Hywel a gweledigaeth Glyndŵr o'r wladwriaeth Gymreig, gan awgrymu ar sail cyfraniadau eraill bod yna safbwyntiau athronyddol pendant ymlyg ynddynt, sydd yn ddealladwy yn nhermau athroniaeth y gyfraith ac athroniaeth wleidyddol heddiw.

Yn achos athroniaeth foesol a gwleidyddol Price nid yw'n gofyn amlygu'r elfennau athronyddol, wrth gwrs, am ei fod yn cyflwyno'i syniadau oddi mewn i'r traddodiad deallusol prif ffrwd. Nid anodd ychwaith yw mynd i'r afael ag athrawiaeth gymdeithasol a gwleidyddol Robert Owen o safbwynt athronyddol, oherwydd y modd y'u hadeiladir ar gysyniad athronyddol allweddol o natur ddynol. Yn ei ddydd roedd syniadau Owen yn cael eu trafod gan athronwyr adnabyddus fel John Stuart Mill, ac yn wir mae conglfaen ei weledigaeth – penderfyniaeth – yn parhau i fod yn un o bynciau mwyaf di-ildio athroniaeth hyd heddiw. Gyda Henry Richard a David Davies cawn drafodaeth ar y llwybr cywir at gyflwr o heddwch tragwyddol, ac er eu hymarferoldeb mae yna ddigon i gnoi cil arno yn eu gweledigaethau yng nghyswllt traddodiad o 'athroniaethau heddwch'.

Yn y ddau nesaf trof at ddwy athroniaeth wleidyddol sydd wedi derbyn cryn dipyn o sylw negyddol yn ddiweddar. Yn wir, mae'r modd y mae sosialaeth a chenedlaetholdeb yn cael eu trafod bellach yn awgrymu mai ideolegau disylwedd ydynt, y naill wedi'i bwrw i ebargofiant, a'r llall yn annatod beryglus. Nid felly mohono, wrth gwrs, gydag ill dau yn tarddu o athroniaethau anrhydeddus, ac yma mentraf ymgodymi â nhw o safbwynt penodol Gymreig. Aneurin Bevan a Raymond Williams yw'r ddeuawd sy'n cynnig trafodaeth (swreal braidd, cyfaddefaf) ar ffurfiau cyffredinol sosial- aeth a'u perthnasedd i Gymru, tra bod Arglwyddes Llanofer, Michael D. Jones a J. R. Jones yn rhan o'r sgwrs gychwynol am genedlaetholdeb Cymreig modern.

At ei gilydd rwyf o'r farn bod y ffigyrau a'r syniadau dan sylw yn cynnig corff o feddwl sydd yn bwysig o safbwynt adnabod traddodiad deallusol Cymreig, ac yn arddangos nad yw ystyr- iaethau athronyddol wedi bod yn gwbl absennol ynddo. Dichon nad ydynt y math a fyddai'n gynwysedig mewn rhan fwyaf o fodiwlau athronyddol o fewn y brifysgol, yng Nghymru na thu hwnt, ond nid yw hynny'n reswm i'w gwrthod fel cyfraniadau athronyddol. Yn wir, mae yna ddatblygiadau ar droed mewn athroniaeth sydd bellach yn awgrymu ymlediad agweddau a syniadau sydd yn gwthio ffiniau'r maes. Maent yn ymdrechu i ddarganfod lle i draddodiadau amgen y tu hwnt i'r canon gor- llewinol canolog, a'r ddwy brif ffrwd 'Cyfandirol' ac 'Eingl- Americanaidd' a ddatblygodd yn yr ugeinfed ganrif (ac mae'r rhwyg diwylliannol ac ieithyddol hwn, gyda llaw, yn ei hun yn brawf o'r ffaith nad yw'n bosib cyfyngu athroniaeth i safbwynt cyffredinol, trosgynnol). Bellach caiff athroniaeth Tsieineaidd, Indiaidd, America Ladinaidd ac Affricanaidd sylw fel meysydd yn yr academi. Yn bwysicach inni yng Nghymru, efallai, yw'r lleisiau amgen sydd yn codi o fewn y traddodiad gorllewinol ei hunan, gan gynnwys athroniaeth ffeministaidd ac athroniaeth ddu.

Yn wir, rwyf eisoes wedi gwneud yr achos dros ystyried Athron- iaeth Gymraeg, nid yn unig fel arfer sydd ag un troed yn y tradd- odiad cyffredinol mae'n rhan ohoni, ond hefyd fel yr hyn a adwaenir gan Kristie Dotson fel 'diwylliant o arfer'. Hynny yw, fe all Athron- yddu Cymraeg (a Chymreig?) gynnig troedle breintiedig lle rydym yn rhan o'r priflif gorllewinol ond yn ogystal yn magu athroniaeth sydd yn benodol berthnasol i'n bywyd cyfunol – gan ganolbwyntio ar y pynciau, problemau a chwestiynau sydd yn flaenoriaeth i'r bywyd hwnnw. Gobeithiaf fod y gyfrol hon yn arddangos bod y math yma o ddiwylliant o arfer wedi bodoli erioed, a bod gwahanol ffigyrau yn dod o wahanol gefndiroedd deallusol i ymgodymi â chwestiynau sydd yn ganolog i'n bywydau, ac sydd yn eu hanfod yn rhai athronyddol.

Athroniaeth Fyw?

Wedi adlewyrchu rhywfaint ar y cwestiynau athronyddol, dychwelwn felly at yr elfennau diriaethol, ehangach a grybwyllais tua dechrau'r bennod hon. Fel bachgen yn fy arddegau, ymddiddorais mewn athroniaeth oherwydd fy ngobaith y byddai'n gymorth i ddeall ac ymdrin â dryswch bywyd, a meithrin dealltwriaeth o broblemau ein cymdeithas. Nid wyf wedi gwyro o'r safbwynt hwn mewn gwirionedd, er imi ddarganfod yn fuan nad dyma yw hanfod athroniaeth i lawer. Yn hynny o beth, mae ymagwedd athronwyr fel Dotson yn ddeniadol tu hwnt oherwydd iddynt ystyried athroniaeth yn yr ysbryd hwn. A'r ysbryd hwn yn y pen draw sydd yn ein galluogi i weld athroniaeth fel rhywbeth gwerthfawr i'r gymdeithas trwyddi draw, ac sy'n galluogi inni ddwys ystyried ein sefyllfa gyfredol.

Mae yna angen dirfawr inni ganiatáu i Socrates gerdded yn ein plith, i aralleirio Dewi Z. Phillips. Rydym fel Cymry yn hoff iawn o drin a thrafod, siarad a chynnig barn, fel y mae allbwn Radio Cymru neu Radio Wales yn ei awgrymu, ac yn sicr ein hagwedd ar y tîm rygbi cenedlaethol (ac o hyn ymlaen, y tîm pêl droed yn ogystal). Pawb a'i farn, ac yn hynny o beth mae gennym y potensial i fod yn genedl o athronwyr. Ar un wedd, ymgais yw'r gyfrol hon i ddangos nad arfer academaidd yn bell o'n gafael sydd raid – mae athronyddu yn yr ystyr ehangach yn edefyn sydd yn rhan annatod o'n gwead cymdeithasol erioed, ac nid ydym yn wahanol i unrhyw genedl arall yn hynny o beth.

Cyn troi at Pelagius, rhaid nodi un pwynt terfynol. Ymhlyg yn y gorchwyl hwn mae yna awgrym o ryw fath o ganon Cymreig. Ni fyddai'n briodol ei alw'n ganon athronyddol am nad yw'r cyfranwyr yn athronwyr yn gyntaf oll. Serch hynny, mae yna ryw fath o draddodiad syniadaethol Cymreig yn cael eu hawgrymu.

Dyma gysyniad sy'n ddigon hawdd ei gymhathu o fewn maes
sydd â pherthynas agos iawn ag athroniaeth, sef hanes syniadau
neu hanes deallusol. Yn wir, mae'r ffin rhwng hanes syniadau ac
athroniaeth wleidyddol yn denau iawn, oherwydd bod hanes
syniadau yn aml yn canolbwyntio ar y syniadau gwleidyddol
mawr. Fodd bynnag, os wyf am awgrymu'r fath draddodiad neu
ganon – hyd yn oed mewn modd petrusgar – anghenraid ydyw
cydnabod mai un fersiwn cyfyng a darniog o hanes deallusol
Cymreig sydd yn gyflwynedig fan hyn.

I raddau, mae fy newis yn adlewyrchu tueddiad hanes deallusol
i glosio at athroniaeth wleidyddol, a hynny mae'n siŵr oherwydd
fy niddordebau academaidd, yn ogystal â'r penderfyniad i drafod
rhai o'n hunigolion mwyaf adnabyddus. Ond ceir pob math o
ffigyrau eraill, wrth reswm, a allai fod yn deilwng o gael eu cyn-
nwys. Dichon y byddai gwarcheidwaid ein llên a drama yn gwneud
yr achos dros sawl cyfrannydd hollbwysig; mae'n sicr y byddai
ffeministiaid am danseilio'r canon honedig hwn a chodi cwestiynau
amgenach am ragdybiaethau gwrywaidd hanes deallusol; rwy'n
hyderus y byddai rhai o fyd gwleidyddiaeth am wrthwynebu'r
darlun o syniadaeth wleidyddol Gymreig sydd fan hyn; gresynwn
pe na bai'r diwinyddion am wneud achos dros ffigyrau blaenllaw
eu maes. Yn wir, buaswn innau hefyd ag awydd ymdrin â ffigyrau
megis Elaine Morgan, Waldo Williams, Cranogwen, Herbert Lloyd
a Morgan Llwyd, i enwi ond rhai. Ond rhaid gwahaniaethu, gan
gydnabod fy nghyfyngiadau fy hun, wrth gwrs.

Yn wir, byddaf wedi siomi os na fyddaf yn ennyn ymateb
beirniadol felly, oherwydd y mae trafodaeth frwd o'r hyn yw'r
traddodiad, neu draddodiadau deallusol Cymreig, yn gynhenid
werthfawr, a hefyd yn rhan bwysig o'r broses yna o ddodrefnu'r
gyhoeddfa sydd yn anheddu ein bywyd cyfunol. I'r perwyl hwn,
mae cyfraniad diweddar Simon Brooks – sydd yn ei hanfod yn
awgrymu fod ceidwadaeth wedi cael eu hesgeuluso fel rhan o'n
cynhysgaeth gymdeithasol cenedlatholgar – yn esiampl wych o'r
math o drafodaeth athronyddol, ymarferol sydd ei angen arnom.

Mae'n debyg y byddai'r ôl-fodernydd yn ein rhybuddio yn erbyn
saernïo'r totemau gwneuthuredig hyn sydd yn arallu ac yn llethu
arwahanrwydd. Ond i'm meddwl i, moddion neu foethusrwydd

i gymdeithasau dirywiaethol yw'r ymagwedd ôl-fodern – un sydd wedi diflasu gan, neu'n ffieiddio at, fethiannau eu harchadroddiannau. Rydym ni'r Cymry mewn sefyllfa i greu yn hytrach na dadadeiladu, i ryddfreinio yn hytrach na dianc – safle cyffrous o allu gweithio tuag at gymdeithas ddinesig o'r newydd, gan ddysgu o gamgymeriadau eraill, a sicrhau, hyd yn oed yn ein hymgais i wneud synnwyr o'r hyn yr ydym, o le a ddaethom, ac i le yr awn, nad ydym yn gwneud hynny ar draul amrywiaeth. Cytunaf yn hynny o beth gyda Daniel Williams, a'i gred bod yna batrymau a dilyniannau lluosog a all fywiocau ein bywyd deallusol Cymreig. Gobeithiaf fod y gyfrol hon yn gyfraniad at y plethiad hwnnw.[1]

Darllen Pellach

Kristie Dotson, 2012. 'How is this paper philosophy?', *Comparative Philosophy*, 3 (1), 3–29.

W. T. Pennar Davies, 1966. *Rhwng Chwedl a Chredo* (Caerdydd, Gwasg Prifysgol Cymru).

Walford L. Gealy, 2007. 'Braslun o hanes athroniaeth yng Nghymru ac asesiad byr o gyfraniad D. Z. Phillips i athroniaeth', *Y Traethodydd*, CLXIII (681), Ionawr.

W. J. Rees (gol.), 1995. *Y Meddwl Cymreig* (Caerdydd: Gwasg Prifysgol Cymru).

Huw L. Williams, 2015. 'Law yn llaw: athroniaeth a'r Gymraeg', yn E. Gwynn Matthews (gol.), *Astudiaethau Athronyddol 4: Y Drwg a'r Da a'r Duwiol* (Talybont, Y Lolfa).

2

Y Natur Ddynol
Pelagius (354–?)

Glannau Môr y Canoldir, Palesteina, 419 OC

Wyddwn i ddim y byddai'r tristwch cynddrwg. Gallaf deimlo fy enaid yn dolurio. Dylwn i fod wedi ei ragweld, a pharatoi am yr ergyd. Mae'r diwrnod hwn wedi bod ar ddod ers blynyddoedd lawer, wedi'r cyfan.

Heddiw mae fy meistr a'm cyfaill yn fy ngadael. Nid fy ngadael i, deallwch. Nid myfi – yr hen Anianus – ei was a sgrifellwr ffyddlon, sy'n gyfrifol am ei ymadawiad annhymig. Nerthoedd y fall sydd wedi'i erlid ers talm ac yn awr mae'r ddihangfa ar ben. Rhaid i'r daith ddarfod. Mae tangnefedd iddo yn y bywyd tragwyddol wedi'i hen warantu, ond mae hyd yn oed sant o ddyn yn haeddu byw ei flynyddoedd olaf ar wyneb daear mewn cysur a llonyddwch, heb boeni am ei ddiogelwch a'i fywyd. Mae wedi brwydro, wedi ceisio rhoi'r bobl ar ben ffordd tua'r goleuni, ond gwell bod ei weledigaeth yn dianc gydag ef, a chymryd arni arlliw o dragwyddoldeb na chael ei llusgo ohono a'i sathru dan draed – a'i ddifa o hanes, dim ond un bennod anffodus arall. O leiaf fel hyn gall ei gred barhau, a phwy a ŵyr, efallai rhyw ddydd bydd y bobl yn barod i frwydro drosto.

Gwyddwn mai dyn neilltuol oedd hwn y tro cyntaf inni gwrdd. Roedd hi'n ddiwedd ar un o ddyddiau hir o haf yn Rhufain, a'r strydoedd prysur yn dechrau ymlacio a gwres y dydd yn cilio. Yno ar gyrion y farchnad gyferbyn y Colisëwm eisteddai Morgan, fel y cyflwynodd ei hunan, yn chwys diferu, ei gorpws helaeth yn ei gasog dwym a'i wynt yn ei ddwrn. Wrth i'r stondinau gau euthum draw i gynnig diod iddo a gwirio'i gyflwr. Edrychodd arna i wrth imi gynnig dŵr gyda llygaid diolchgar a oedd yn datgelu ei anhwylustod. Ac eto roedd yna deimlad arall yn tywynnu ohonynt – rhyw fath ar lonyddwch a fradychai ei anghysur corfforol ac awgrymai iddo ddisgwyl y cynnig o gymorth o rywle.

Daethom i siarad, ac yn ei Ladin cywir ond arteithiol braidd, esboniasai'r daith hir o bellafion yr ymerodraeth. Yn wir, ni wyddwn y peth cyntaf am yr ynys wlyb, dymherus a ffrwythlon honno. Dim, ond iddo fodoli ar ffiniau gwareidd-dra a bod sïon am yr arweinydd Rhufeinig Macsen, fel y'i gelwir gan y brodorion, a'i fwriad o gipio'r ymerodraeth oddi yno. Cenhadaeth dra gwahanol oedd gan Morgan mewn golwg, fodd bynnag, ond yr un mor uchelgeisiol ac anhebygol, tybiwn i.

Byrlymai gyda'i ffydd Gristnogol, a'r gobaith o adfer Rhufain. Roedd wedi clywed am drafferth a thrybini ein dinas a chwymp ei thrigolion i fywyd o loddesta a chyfeddach. Taerai bod crychdonnau'r cwymp yma'n lledaenu ar draws yr Ymerodraeth ac nad oedd gobaith i wareiddiad oni bai fod ffynhonnell y drygioni yma'n cael ei phuro. Pa obaith oedd i ddeiliaid yr Ymerodraeth mewn gwledydd pell os oedd ei chraidd llywodraethol a moesol yn malurio a chwympo'n deilchion? Adroddai hyn oll gyda chymaint o ddiffuantrwydd a gwyleidd-dra roedd yn amhosib peidio â chreu argraff. Wn i ddim ai tosturi, cydymdeimlad neu edmygedd – neu gyfuniad o'r tri – a berodd imi gynnig cymorth iddo, ond cyn imi gael cyfle i feddwl eilwaith, roeddwn wedi ei hebrwng i'r abaty lleol i gwrdd â'm cefnder a cheisio lloches yno.

Y tro nesaf imi gwrdd ag ef, roeddwn ar fy ffordd adref pan sylwais ar grŵp anarferol o bobl wedi ymgasglu ar gornel stryd, fel pe baent yn gynulleidfa mewn amffitheatr fechan, a'u llygaid wedi hoelio ar y sioe. Dynion mewn cwthwm o oedran, plant afreolus y stryd, ambell ddynes, hyd yn oed, yn sefyll yno yn gwrando ar Morgan fel petaent wedi'u hudo ganddo. Llefarai'n araf ond yn eglur, gan drafod natur pechod, ond rwy'n ddigon bodlon cyfaddef nad ei eiriau a'm cyfareddodd, ond yn hytrach yr effaith hudol a gafodd ar ei gynulleidfa. Anodd ydyw esbonio'r effaith – gallwn ond meddwl bod y bobl yma wedi'u synnu'n dwp gan y dyn dysgedig, duwiol yma oedd am roi o'i amser i'w haddysgu.

Arhosais yno nes iddo ddistewi ac fe anelodd yn syth amdanaf wrth fy ysbïo ar gyrion y cynulliad.

'Anianus fy ffrind,' meddai, 'mae'r gwaith wedi dechrau'.

Mae'n debyg iddo symud ymaith o'r abaty wedi ychydig ddyddiau – dynion da meddai, ond â'u bryd ar olud mewnol yn hytrach na goleuedigaeth eraill – a chrwydro'r strydoedd yn lledaenu'r gair. Yn wir, roedd yn barod wedi derbyn gwahoddiad gan un o deulu-oedd mawrion y ddinas – yr Aniciaid – i diwtora eu plant, ar ôl i'r fam dystio i un o'i bregethau byrfyfyriol. Ysgwydais fy mhen a chryn syndod, ac eto roedd y peth yn gwneud synnwyr. Mewn dinas mor aflan a llwgr, lle'r oedd y mwyafrif wedi colli golwg ar hanfodion bywyd a'i wir berlau, doedd dim syndod bod ei neges syml, uniongyrchol yn taro deuddeg. Edrychais ar ei wyneb crwn, ei fochau coch, y barf gwasgarog, a theimlo gwres ei ffydd blentyn-aidd bron. Meddyliwn am fy mywyd rhwystredig, diddiolch yn yr Eglwys a phenderfynu cynnig fy ngwasanaethau i wireddu uchelgais y dyn hynod yma. Ei ymateb?

'Gŵr bonheddig, galluog ac abl fel y chi, yn cynnig ei waith i gardotyn a llabwst fel myfi? Wel dyna fraint. Braint yn wir,' meddai. Oededd am ychydig, cyn gwennu, 'Dyw'r tâl ddim yn rhy dda mae arnaf ofn'.

Digon sâl oedd y tâl, ond buan roedd y bwrlwm a'r balm i'r enaid a brofais yn y dyddiau cynnar yn fy nigolledu. Teimlais erioed mor werthfawr â phan fûm yn addysgu Morgan am fywyd Rhufain, y bobl, eu harferion, y cysylltiadau, a phob dim arall y mae dinesydd yn dysgu. Myfi a awgrymodd diosg ei enw brodorol Morgan am y fersiwn Lladin – *Pelagius*. Os dylanwadu ar y mawrion oedd y nod, yna rhaid oedd mabwysiadu eu hiaith a'u moddion. Pan foch yn Rhufain . . .

A buan a gafodd lwyddiant. Cyn hir nid cornel y stryd oedd lleoliad arferol ei bregethu – er iddo ddal ati yn ei ymdrech i addysgu'r plebiaid – ond plastai a neuaddau'r pendefigion a oedd yn dyheu am ei neges sylfaenol: mai da yw dynolryw yn y bôn; bod y bywyd sanctaidd yn agored i bob un; mai eu dewis nhw yw hynny trwy'r ewyllys rydd a roddwyd iddynt gan Dduw; a thrwy ymlynnu at yr ysgrythur a magu arferion da bod iachawdwriaeth o fewn eu cyrraedd.

Nid pawb, fodd bynnag, fuasai'n cofleidio'r neges hon. Buan a ddaeth i'r amlwg na fyddai'r rheini o anian arall yn caniatáu ymdrechion Pelagius i barhau'n ddiwrthwynebiad. Roedd ansefydlogrwydd yr Ymerodraeth a'r angen am uniongrededd ar ei chrefydd newydd yn gomedd gwahaniaeth farn. Cofiaf gyfarfod annisgwyl un tro, rhwng efe a'r sawl a fyddai maes o law yn cael ei adnabod yn 'Ddoctor Gras'. Hyd yn oed â synnwyr trannoeth amhosib buasai adnabod y digwyddiad di-nod hwn fel rhagymadrodd i frwydr y byddai'n ysgwyd gwareiddiad i'w seiliau. Myfi oedd yn gyfrifol am y cyfarfod, a dweud y gwir, a gresyn imi beidio sicrhau gwell cyfle i'r ddau gael trafod eu gwahaniaethau – efallai na fyddwn i yma heddiw a buasai ein ffydd ar seiliau amgenach.

Fy nghefnder, hwnnw a gynigiodd loches i Pelagius, a geisiodd gymwynas gennyf. Roedd dyn mawr, dysgedig wedi glanio yn yr abaty a chanddo'r awydd i weld ychydig o'r ddinas, a'm cefnder a'r mynachod eraill yn teimlo eu hunain yn llawer rhy gwahanedig o'u bywydau pob dydd i wneud cyfiawnder a chais eu gwestai. Camais i'r adwy felly a chyflwyno'r gŵr hwn o Ogledd Affrica i gartref yr ymerodraeth – a'i meflau oll. Yn wir roedd y diffygion fel petaent yr un mor ddiddorol iddo â'r rhyfeddodau sydd gan Rufain i'w cynnig. Yn ei fodd awdurdodol ond byd-blinedig nodasai ynddynt y prawf o'r angen am waith Duw, a'r pwysigrwydd o gynnig adferiad i'r bobl. Ac yntau'n siarad felly teimlwn mai braf fyddai'r cyfle iddo drafod gydag enaid arall yn gytun. Aethom felly i dŷ'r Aniciaid mewn pryd i glywed Pelagius yn gorffen pregeth ar bechod. Roedd ein cyfaill newydd yn eistedd yno'n stond, wedi'i synnu rwy'n credu gan ddistawrwydd y gynulleidfa a chyfaredd y drafodaeth. Cyfarchodd Pelagius mewn modd parchus, goddefgar, ond roedd yn fawr o dro yn mynegi ei amheuon am gynnwys y sgwrs.
'Pregeth ddifyr, gyfaill, a chynulleidfa addas i'r thema.'
'Diolch i chi frawd,' meddai yntau, yn ei fodd didwyll a diniwed, 'ond pam gwelwch chi'r gynulleidfa hon yn fwy addas na'r un cynulliad arall?'

16

'Hufen cymdeithas Rhufain sydd gen ti fan hyn, y bobl hynny sy'n ystyried eu hunain yr agosaf at Dduw. Mae eich honiad chi fod pechod yn ddim byd mwy nag arfer drwg yn siwr o borthi eu balchder, gan annog iddynt gredu bod iachawdwriaeth o fewn eu gafael – cyhyd â'u bod yn cysegru eu bywydau i'r bywyd sanctaidd ac adfer eu cymeriad drwg.'

Edrychodd Pelagius arno gyda chymysgedd o ddryswch a difyr-rwch.

'Gwyddwn i ddim fy mod yn awgrymu bod unrhyw un heblaw'r Iôr â'r grym hollalluog i gynnig iachawdwriaeth. Ac eto buaswn am obeithio bod gan bob un y gallu i fyw bywyd heb bechod, a datgan eu hunain yn gymwys yn ei lygaid Ef.'

'Rydych wedi treulio gormod o amser gyda'r uchelwyr yma, gyfaill, a dod i gredu yn eu ffordd hwy bod dyn yn fwy galluog a chyfrifol dros ei weithredoedd na'r Arglwydd ei hun. Ymffrost yw hynny, nid gwirionedd y ffawd rydym fel dynolryw yn ei wynebu. Ceisiwch chi annog y mwyafrif o bobl i weld y byd felly – newynu a diffyg lloches yw eu pryderon nhw. Cysur sydd angen arnynt a chyfrif o'u cyflwr fel pechaduriaid, nid cymhelliant i geisio bywyd y tu hwnt iddynt – a thu hwnt inni gyd.' Teimlwn yr angen i ymyrryd i esgusodi hyfdra fy ngwestai, ond gwenu'n siriol a wna Pelagius.

'Nid mater o ddiddanwch yw cyflwr y truenus, fy ffrind.'

'Gwn hynny,' meddai Pelagius 'mwy na'r person arferol. Nid eu cyflwr nhw sydd yn fy ngoglais, ond eich disgrifiad ohona i. Ers imi gyrraedd yma o'r taleithiau pell dyma'r tro cyntaf i unrhyw un fy ystyried felly. Trueni na fuoch chi yma ynghynt i berswadio eraill fy mod yn gartrefol yn y cylchoedd yma! Ond amheuaf nad fy statws innau yn unig sy'n fater o anghydweld rhwng y ddau ohonom.'

'Ni anghytunaf â hynny, gyfaill', meddai'r llall, a ymddangosai fel petai'n synnu mor rhydd ei ymateb oedd Pelagius. Roedd y chwil-frydedd yn amlwg, a dyma fe'n taflu'r her.

'Rydym yn bechaduriaid oll, does dim dau am hynny. Ers i Adda benderfynu o'i ewyllys ei hun i bechu rydym ni eu hepil wedi dioddef euogrwydd ei weithred ac etifeddu gwendid ei gymeriad, ac rydym mewn brwydr dragwyddol yn erbyn y blys yma. Danfon-odd ein Harglwydd ei unig fab Iesu i'n mysg i'n gwaredu, i farw dros ein pechodau a goleuo ein bywydau. Ond nid yw goleuni Crist, gwychder y gyfraith ddwyfol na gair yr ysgrythur yn ddigonol i'n hachub rhag drygioni. Parhau mae ein heuogrwydd a gwendid, y llygredd yna sydd yn troi'r cnawd yn dalp o chwennych a dyheu, a dim ond y Creawdwr hollalluog all ein hachub a chynnig iachawdwriaeth. Dyna fawredd gras, onid e? Dim ond efe, trwy ein meddiannu a'i ras a'n gochel ni rhag drygioni ymhob agwedd ar ein bywyd, all gynnig gobaith o'r bywyd tragwyddol inni. Ewyllys rydd yw ewyllys Duw yn gweithredu trwom ni, yn ein harwain ni trwy ein profedigaeth, ac os nad Duw sy'n gwneud hynny, pa le sydd iddo yn ein bywydau? Ai awgrymu ydych nad Efe sydd yn penderfynu ar ei ddewisiedig rhai, ac nid rhodd i'r lleiafrif yw perffeithrwydd a'r bywyd tragwyddol? Duw anarferol iawn rydych chi yn ei addoli, os caf ddweud, os nid Efe sy'n gyfrifol am ein ffawd.'

Derbyniodd Pelagius y llith gyda'i ysgafnder a'i gadernid arferol. 'Ni feiddiaf anghytuno â chi am fawredd Duw, nac ysblander Ei waith, na'i ôl ar bob gweithred gan bob un ohonom. Rydych yn llygaid eich lle yn eich gwerthfawrogiad ohono – ac mae hynny i ddisgwyl o ddyn mor ddifrifol a dysgedig. Ond amheuaf innau a ydych chi wedi llawn werthfawrogi ei fawredd a'i gyfiawnder. Oblegid mynegir llawnder ei ras yn natur yr ewyllys rydd a gynysgaeddwyd inni.'

'A sut felly?'

'Nodweddir ein hewyllys gan y rhodd o resymeg sydd yn eiddo neilltuol inni, sydd yn ein gwahanu'n sylweddol o'r anifeiliaid, ac sydd yn caniatáu inni fel pobl hawlio cymeriad a gweithredoedd da. Pe na bai'r gallu gennym i ymresymu a dewis un weithred neu'r llall, yna ym mha ystyr gallwn hawlio cyfrifoldeb am fod yn dda? Ac ar ba sail cawn ein dedfrydu'n bechadur os nag oes dewis gennym? Mae'n fy nharo bod mawredd Duw a mwy o allu na hynny. Ac oni fyddai Duw hollalluog, Duw cyfiawn, yn cynnig cyfle teg i greadur sydd wedi ei greu yn ei ddelwedd ef? Gras Duw yw'r gallu sydd wedi trwytho ynom i wrthod pechod. Rhaid imi gwestiynu'n rhadlon felly eich rhagdybiaeth am lygredd dyn a'i natur bechadurus. Cytunaf wrth reswm bod yna allu am bechod di-ben-draw yn perthyn i bob un ohonom, ond mae'r syniad ein bod ni yn etifeddu llesgedd Adda yn ein hamddifadu ni o'r hyn sydd fwyaf dynol. Awgrymaf yn hytrach mai arfer drwg sydd wedi bod yn gyfrifol am ddirywiad cynyddol bodau dynol, a'r bai rydym yn euog ohono yw *dewis* efelychu Adda. Yn wir, cyn i'r hollalluog anfon ei unig fab i'n gwaredu, gymaint roeddem wedi pechu dro ar ôl tro, nes iddi ymddangos fod dynoliaeth wirioneddol yn dioddef o nam cynhenid. Ond nid felly y mae. Wele'r rheini oll sydd yn byw bywydau sanctaidd, gan gysegru eu bywydau i Dduw a gwrthod glythni a thrachwant. Sut y mae esbonio eu dyhead am berffeithrwydd?'

'Dywedwch chi wrthyf i, frawd,' meddai'r dieithryn, a oedd fel petai wedi dechrau rhoi sylw ystyriol i eiriau Pelagius erbyn hyn. Cafodd ymateb parod.

'Hyd y gwn, eich cynnig chi yw bod Duw gyda'i ddewisiedig rai, y rheini sydd wedi bod yn agored i ac wedi derbyn ei ras trwythol, sydd yn ei feddiannu ac yn eu harwain ar y trywydd Duwiol. Ond i mi, Duw cyfiawn ydyw, sydd wedi cynnig gras i bob un ohonom yn aberth ei fab, a oedd yn aberth dros ddynoliaeth gyfan, a'r gallu sydd gennym i ddewis, ac i adnabod y gyfraith. Mae'r ymgais am berffeithrwydd yn bodoli ynom i gyd, a phechod yw'r weithred o ddewis yn anghywir. Nid yw drygioni yn llechu fel rhyw gancr yn ein heneidiau, fel rhyw nam corfforol sydd wedi ei etifeddu – mae hynny yn awgrymu bod drygioni o natur faterol, yn gystadleuydd i'r da. Gwyrdroad o'r da yw'r drwg. Pam y buasai ein creawdwr cyfiawn a greodd y byd, a'n creu yn ei wedd, am lygru'r byd a'n llygru ni? Ydych chi o'r farn bod y corff meidrol, a'r holl fyd a bydysawd materol yn ddrygionus, a bod y da yn bodoli yn unig fel rhith yn y goleuni? Dyna ddeuoliaeth ddigalon a meddwl Maniceaidd – nid diwinyddiaeth Gristnogol.'

Am y tro cyntaf, fe gollodd ein gwestai ei ystum bwyllog, hunanfeddiannol. Edrychai'n anesmwyth a phetai gwell ganddo beidio â bod yno.

'Rhaid ar bob cyfrif ein gwaredu o dwyll y Maniceaid, bid siwr,' meddai, 'ond mae'n debyg mai trafodaeth am ddiwrnod arall yw honno. Mae wedi bod yn addysg trafod â chithau, frawd, ond rwyf wedi bod yn dreth arnoch chi yn rhy hir yn barod heddiw. Hen bryd imi ddychwelyd at yr abaty a myfyrio ar ddarganfyddiadau'r dydd.'

Mae'n debyg fod y gŵr wedi cael digon o wersi o bob math y diwrnod hwnnw, gan iddo ddiolch i minnau hefyd yn y man a'r lle, gan awgrymu nad oedd angen imi ei dywys adref. Dim ond heddiw y gallaf edrych yn ôl ar y cyfarfod hwnnw a gweld cnewyllyn yr ymryson a fyddai'n ymledu, ac yn ein harwain at yr awr anffodus hon.

Dechreuodd y gyflafan o dan law ragweladwy – yr hen grachysgolhaig hwnnw, Jerome, sydd mor ymwybodol o ddiffygion ei hunan fel ei fod yn gorfod darganfod achubiaeth yn niffygion eraill, neu, yn yr achos hwn, greu celwyddau am eraill. Mae'n siŵr iddo ddioddef cenfigen ofnadwy, a hwnnw wedi'i hel o Rufain ar ôl blynyddoedd o wenieithio'r union bobl yr oedd Pelagius nawr yn eu haddysgu. Ceisiai fwrw sen ar fy meistr, gan ensynio pethau amhriodol yn sgil y ffaith ei fod yr un mor hael ei amser gyda menywod a merched ('Rwyt ti'n ddu', medd y frân wrth yr wylan!). Ond roedd mileindra'r pen bach yma'n ddim o gymharu â'r hyn oedd ar ddod.

Ac eto nid oedd yna ddim i awgrymu y buasai'r gŵr dieithr hwnnw a fu'n cwrdd â Pelagius yn troi mewn modd ffyrnig yn ei erbyn. Yn wir fe dderbyniodd Pelagius lythyr digon hael rai blynyddoedd wedyn gan Awstin mewn ymateb i rai cwestiynau a roddodd gerbron. Roedd yn amlwg na fyddai'r ddau fyth yn gweld llygad yn llygad ar rai syniadau sylfaenol. Ond buan y newidiodd pethau o dôn cyfeillgar y llythyr i ddim byd llai nag erledigaeth.

Mae'n anodd gwybod beth yn union a achosodd y newid meddwl, ond wedi hynny nid oedd modd atal y gaseg eira. Dichon nad oedd poblogrwydd Pelagius wedi ei helpu, gyda nifer yn arddel ei athrawiaeth ond mewn modd na fyddai ef fyth yn ei argymell. Caelestius oedd y pechadur gwaethaf yn y cyswllt hwn, gŵr byrlymus a tanbaid ei ffydd. Yn y pen draw roedd ei natur benboeth yn dwyn anfri ar y 'Pelagiaid' ac yn ategu ofnau gwaethaf Awstin a oedd erbyn hyn yn brif ladmerydd yr Eglwys – eu bod ar fin herio'i afael ar y sefydliad hwnnw. Mae'n debyg nad oedd yna ddigon o le i'r ddau yn yr Eglwys, a chan fod Cristnogaeth ond wedi'i sefydlu fel ffydd yr ymerodraeth ers llai na chanrif, roedd yn anorfod nad oedd lle i anghytuno sylfaenol o fewn athrawiaeth fregus.

Ond mae'n bosib mai Pelagius ei hun a fwrodd yr hoelen olaf yn yr arch, gyda'i weithiau ysgrifenedig a oedd yn her uniongyrchol i oruchafiaeth Awstin. Wrth inni lunio'i ysgrifau, gwyddai hynny hefyd, ac edifarhau a wna, ond gan dderbyn nad oedd ei gydwybod yn ei ganiatáu i wneud dim arall. Nid efe a greodd Eglwys mor ymrwymedig i unffurfiaeth, nad oedd yn derbyn syniadau amgen. Yn y diwedd, brwydro am ei einioes yr oedd. Rhaid oedd mynd benben, gan ddefnyddio rhai o syniadau Awstin i roi coel ar ei syniadau ef ei hun. Ar yr un pryd byddai'n atgoffa'r bobl o gysyllt-iadau hwnnw â'r Maniceaid a'u tynghediaeth gysylltiedig – sydd yn dedfrydu bodau dynol i statws o ddrygioni parhaol.

Roedd y ddau beth yn cythruddo Awstin a sicrhaodd na fyddai dyfodol i'r meistr yn Rhufain nac yn unman arall. Symudom yma i Balesteina yn y flwyddyn 413 oc, lle mae'r hinsawdd a'r hanes yn fwy croesawgar i'w gredoau dyrchafedig. Ond er y pellter nid oedd yna ddiwedd ar erlyniaeth Awstin. Defnyddiodd ei ffrindiau yn yr Eglwys yng Ngogledd Affrica i barddu Pelagius a rhoi pwysau ar y Pab Innocent i esgymuno Pelagius a'i ddilynwr Caelestius. Roedd Rhufain wedi dioddef anrhaith yn 410 oc o dan law'r Goth, Alaric, ac roedd yr Eglwys yn fregus yno a'r ddinas yn sigledig.

Apeliodd y ddau'n uniongyrchol at y Pab, ond bu farw a'i ddilyn gan Zosium. Roedd hwnnw'n hapus i atal ei ddedfryd, ond dych-welyd a wnaeth Awstin â phrotestiadau cryfach. Er gwaethaf ymdrechion yr Esgob John yma yng Nghaersalem, a'r ffaith nad oedd y Pab Zosimus yn ystyried Pelagius yn anuniongred, trais a gurodd fy nghyfaill yn y diwedd. Cymaint oedd yr elyniaeth wedi'i phrocio gan eraill, roedd yna wŷr anghristnogol yn Rhufain yn galw eu hunain yn Belagiaid ac yn ymosod er eraill. Dyma'r gwleidyddol yn gwrthdaro'r â'r crefyddol, ac unwaith roedd anhrefn yn bygwth, camodd yr Ymerawdwr i mewn i orffen gwaith Awstin. Fe ddiarddelwydd Pelagius gan yr Ymerawdwr Honorious o Rufain a'i esgymuno o'r Eglwys gan Zosimus.

Byddai rhywun yn dychmygu bod Awstin a'i gyfeillion yn hapus gyda'u gwaith, ond nid oedd y ddedfryd hwn yn ddigonol i'r bobl yma. Dros y misoedd diwethaf mae Awstin wedi bod yn ymyrryd fan hyn fan draw, ac yn poenydio nes bod y meistr yn gweld ei bresenoldeb yma'n ormod o fwrn ar eraill. Yma y safwn, felly, a Pelagius yn gadael am y tro olaf. Methiant, efallai, i ennill y dydd, ond rhyw ddydd rwy'n siŵr y daw dynolryw i glodfori'r hyn y mae Morgan yn ei weld ynom oll. I ble yr â yn awr, wn i ddim. Mae'n gwrthod dweud. Byddai croeso iddo yn yr Aifft mae'n siŵr, lle mae rhai o'i gefnogwyr yn crynhoi, medden nhw. Ond pwy a ŵyr, efallai fod ei famwlad yn galw. Ers i Magnus Maximus adael yr ynys honno nid yw'r newyddion yn gadarnhaol, ac mae gofyn amddiffyn eu gwareiddiad o'r paganiaid o'r dwyrain. Byddai rhaid i Awstin, hyd yn oed, gydnabod mai gwell fyddai ynys o Belagiaid nac ynys o baganiaid.

Cefndir Pelagius

Amheuaeth yw'r hyn sydd yn nodweddu Pelagius fel ffigwr; amheuaeth yn yr ystyr o ddrwgdybiaeth o'i athrawiaeth, ac am-heuaeth yn yr ystyr bod yna ddirgelwch yn perthyn i'w fywyd a'i weithiau. I raddau helaeth mae'r dirgelwch yn ganlyniad i'r drwg-dybio: dinistr bron y cyfan o'i weithiau ysgrifenedig oblegid ei warthnodi'n heretic, a'r diffyg ffeithiau ac ysgolheictod cyfyngedig o ganlyniad. Tan yn gymharol ddiweddar mae Pelagius wedi byw yn y cof fel bwgan, a'i enw i'w ddefnyddio yng nghyswllt syniadau bygythiol, anghonfensiynol sy'n herio'r drefn.

Serch hynny, mae yna ryw fath o gonsenws am ei fywyd wedi datblygu yng ngolwg ymchwil cynyddol academyddion y ganrif ddiwethaf, a'r Cymry R. F. Evans a B. F. Rees yn flaenllaw yn eu plith. Gallwn fod a chryn sicrwydd iddo hannu o Ynysoedd Prydain ac y cyrhaeddodd Rhufain tua'r flwyddyn 380 oc. Mae'n debyg iddo fod yn rhugl mewn Lladin a Groeg, ond ceir awgrym cryf nad efe oedd yn ysgrifennu ei destunau. Fe'i hadnabuwyd fel asgetig a moesolwr Cristnogol a oedd yn boblogaidd ymysg cylch-oedd gwahanol y ddinas, a bod parch mawr ato fel dyn duwiol a diffuant (hyd yn oed ar ran Awstin, tan iddo ymddangos fel bygythiad i oruchafiaeth hwnnw o fewn yr Eglwys). Bosib iddo ymadael Rhufain wedi ysbeiliad y Goth yn 410 oc, a ffeindio'i ffordd i Gaersalem lle derbyniodd loches a chefnogaeth gan yr Esgob John. Yn y blynyddoedd hynny fe daniodd yr ymryson gydag Awstin a rhengoedd yr Eglwys, tan iddo gael ei esgymuno o'r Eglwys a ffoi yn 419 oc.

Fel yr awgrymir gan deitl llyfr Brinley Rees – *Pelagius: A Reluctant Heretic* – mae'r doethineb derbyniedig erbyn hyn yn awgrymu nad rhyw ddelwddrylliwr oedd Pelagius, gyda'i frid ar chwalu'r Eglwys a chreu ffydd newydd. Yn hytrach, mae darlun wedi cydio o ddiwygiwr moesol yn gweithio i wella cyflwr yr Eglwys, ei ddilynwyr a'r gymdeithas gyfan. Amgylchiadau a gweithredoedd eraill a berodd iddo ymgodi fel un o ddihirod pennaf yr Eglwys Gristnogol.

Blaenllaw ymysg y ffactorau yma oedd sefyllfa simsan yr Ymerodraeth Rufeinig yn y gorllewin a'i pherthynas a'r ffydd Gristnogol. Cystennin oedd yr ymerawdwr cyntaf i broffesu ei ffydd, ac felly o 325 oc fe ymestynodd goddefgarwch i'w gyd-ffyddloniaid. Yn 380 oc (y flwyddyn disgynnodd Pelagius yn Rhufain) daeth gorchymyn Thessalonica i rym. Roedd yr Ymerawdwyr Theodosius I, Valentinian II a Gratian yn awr yn mynnu ymlyniaeth wrth Gristnogaeth gan eu deiliaid oll. Dyma'r Gratian a fyddai'n colli ei afael ar Brydain a Gâl ymhen tair blynedd i Magnus Maximus, neu Macsen Wledig i ni'r Cymry. Roedd ymgais hwnnw i gipio Rhufain yn nodweddiadol o'r ansefydlogrwydd a fyddai'n diweddu gydag anrhaith y Goth yn 410 oc.

Wedi'i osod yn erbyn y gefnlen yma amlygir pam bod anghydweld diwinyddol wedi troi'n anghydfod, y gellir ei iawn ddisgrifio yn argyfwng rhyngwladol. Gyda'r ymgais i fwrw gwreiddiau Cristnogaeth yn ddwfn i dir yr ymerodraeth, a'r ansefydlogrwydd gwleidyddol yn cynyddu, roedd yr hinsawdd o blaid uniongrededd serch nerth y mudiad newydd yn ogystal â sefydlogrwydd cymdeithasol. Ychwanegwch at y pair yma unigolion megis Jerome, Caelestius ac Awstin ac roedd y rysáit yn un ffrwydrol. Roedd y cyntaf am labyddio Pelagius pob cyfle a gâi, a'r ail yn arddel ei gred mewn modd heriol a digyfaddawd (i'r graddau bod Pelagius yn beirniadu ei eithafiaeth o dan lygad Synod Lydda yn 415 oc). Ond y trydydd, Awstin, oedd y gwir rym llethol, nad oedd am faddau i Pelagius yn y pen draw am herio ei oruchafiaeth sefydliadol a deallusol. Yn y pen draw, fe ddaeth yr anghydfod rhwng Awstin a Pelagius yn frwydr am enaid yr Eglwys Gristnogol, am nad oedd yr amodau yn caniatáu anuniongrededd.

Y Pengelyn a'i Ddylanwad

Ychydig y gall rywun adrodd am Awstin mewn paragraff sydd yn ddim mwy na gwireb annigonol, ond mae'r gwirebau yma werth eu nodi serch serio ar feddwl y darllenydd bwysigrwydd y gŵr hwn o safbwynt y gwareiddiad gorllewinol – ac yn dilyn o hynny, natur dyngedfennol yr Erbeniad Pelagaidd (*Pelagian Controversy*). Fe annwyd yn 354 OC yn nhre Thagaste yng Ngogledd Affrica (lle saif Algeria heddiw) a threuliodd y rhan fwyaf o'i oes yn y rhan hon o daleithiau Rhufain, gan ddychwelyd i fod yn esgob Hippo, dinas yn yr hen Carthago. Buodd am gyfnod yn ymlynnu at y ffydd Maniceaidd, a'i syniadau deuol am ddrygioni diddiwedd y byd materol, a'r da yn llechu yng ngoleuni anfeidrol yr enaid. Drylliwyd y syniadau yma gan gyfnod dwys o dan ddylanwad ysgrifau yn nhraddodiad athroniaeth Roegaidd, rhai Platon yn arbennig, yn ogystal â Christnogaeth yr Esgob Ambrose ym Milan. Dilynodd yr yrfa athronyddol-ddiwinyddol fwyaf hynod erioed. Adnabyddir Awstin am ei ysgrifennu toreithiog, a gyfunodd athroniaeth neo-Blatonaidd â Christnogaeth, ac sydd wedi parhau yn ei ddylanwad hyd heddiw.

Ymysg ei fyfyrdodau ar bynciau mor amrywiol ag epistemoleg a hanes, seicoleg a natur ddynol, y mae ei syniadau ar y pechod gwreiddiol, rhagarfaeth a gras ymysg y pwysicaf, yn arbennig oherwydd eu dylanwad ar Galfiniaeth yr oes fodern. Er efallai nad yw ei safbwynt ar ddynolryw mor drychinebus â'r athrawiaeth fwy diweddar, ceir darlun du o ganlyniadau pechod Adda i'w epil, yr angen dirfawr am Ras Duw yn ein bywyd beunyddiol i'n harbed rhag drygioni, a'r addewid mai lleiafrif bach ohonom sydd wedi ein dethol gan Dduw i'w achub rhag colledigaeth lwyr. Mae trosiad lliwgar Brinley Rees yn adrodd y cwbl ynglŷn â buddugoliaeth Awstin dros Pelagius, a'i oblygiadau o safbwynt datblygiad Cristnogaeth, ac yn hynny o beth, hanes y Gwledydd Cred.

The match might well have ended in a draw; instead it went on to 'extra time', and at the end of that Augustine and his team won with the help of some questionable decisions made by the referees and touch-judges. And it was victory that counted, since it was the victors who received the cup and the kudos, gave the interviews and were established in the record books as the team of the year, whose style and tactics, stamped with success, would be used as models by future competitors. *Securus iduicat orbis terrarum*: 'the referee's decision is final'! (B. R. Rees, 1991: pp. 11–12)

Wrth gwrs, nid yw Cymru'n eithriad yn y ffaith bod y 'model' yma wedi dylanwadu'n helaeth ar 'gystadleuwyr y dyfodol', gyda Chalfiniaeth yn arbennig yn gosod ei stamp ar y genedl trwy'r traddodiad Piwritanaidd a fyddai'n treiddio ymneilltuaeth gynnar, ac yna'r Diwygiad Methodistaidd yn y ddeunawfed ganrif. Dim ond yr Undodiaid a'u credoau Ariaidd a'r Wesleaid a'u safbwynt Arminaidd a fyddai'n ymwrthod â'r ffrwd hon, tan y bedwaredd ganrif ar bymtheg pan ddechreuodd trafodaethau diwinyddol dwys greu lle am 'Fethodistiaeth gymhedrol' a oedd yn herio tynghediaeth Calfiniaeth draddodiadol. Ond nid oedd y datblygiadau yma wedi esgor ar Belagiaeth fodern o fewn yr enwadau Cymreig. Roedd y diwygiadau yn rhai Ariaidd ar y gorau, yn yr ystyr bod cydnabyddiaeth o allu dynol i ddyrchafu ei hunan yn rhannol yn parhau law yn llaw â chred yn natur gwympedig dyn (am drafodaeth bellach o'r gwahaniaethau diwinyddol yma, wele'r drafodaeth yn ail ran pennod 3).

Mae yna dystiolaeth o Belagiaeth ym Mhrydain, fodd bynnag, yn y cyfnod cynnar ar ôl i'w syniadau ledaenu yn y bedwaredd ganrif. Yn wir, mae rhai o hanesion pwysicaf y Cymry o ddechrau'r Canol Oesoedd ynghlwm â Phelagiaeth. Prif swyddogaeth Garmon (Germanus) yn ei deithiau i'r ynys oedd ei gwaredu o Belagiaeth, tra bod Buchedd Dewi yn awgrymu mai bwriad y Nawdd Sant, yn y stori enwog ohono yn codi'r tir oddi tano, oedd condemnio Pelagiaeth. Mae synnwyr cyffredin yn awgrymu y byddai'r ardal yna o'r byd a'i magodd yn gartrefol gyda'i ddehongliad o Gristnogaeth. Yn wir mae rhai yn gwneud yr achos bod diwinyddiaeth Pelagius – a'i bwyslais ar hunan-ymreolaeth yr unigolyn – yn deillio o draddodiad paganaidd y Brythoniaid (yn wir mae Pennar

Davies, fel y nodir yn barod, wedi dadlau dros barhad y traddodiad yma yn llenyddiaeth Gymraeg y Canol Oesoedd, gan hyd yn oed awgrymu ei ailymddangosiad yn yr her fodern i Galfiniaeth).

Yn yr un modd awgrymir bod dwyrain yr ymerodraeth – y byd 'Clasurol' – yn fwy cartrefol gydag athrawiaeth Pelagius oherwydd y cydblethu gyda'r traddodiad paganaidd. Yn hynny o beth byddai'n gamgymeriad meddwl bod Pelagiaeth yn coleddu syniadau ymylol neu radical yn ei gyfnod. Bron bod rhywun yn gallu cyffelybu'r frwydr am enaid Cristnogaeth gyda'r frwydr ideolegol yn y ganrif ddiwethaf dros y farchnad rydd neu'r economi canoledig – o safbwynt ei graddfa a'i ffyrnigrwydd. Yn wir mae erlyniaeth Pelagius yn dwyn i gof *McCarthyism* y pumdegau ac erlyniaeth yr Unol Daleithiau o gomiwnyddion. Ac nid amherthnasol yw cymhariaethau syniadaethol gyda'r oes fodern, os ydym i gredu'r athronydd Seisnig Michael Oakeshott o leiaf. Iddo ef, mae rhesymoliaeth fodern a'r ffydd yng ngallu dynol i oresgyn problemau cymdeithasol yn fersiwn ar yr hyn mae'n ei alw'n neo-Belagiaeth. Yn gyd-ddigwyddiad ai peidio, y Cymro Robert Owen sy'n cael ei adnabod ganddo fel yr arch-Belagydd modern, a'r unig beth all ein hachub rhag y ffoliaeth hwn yn ôl Oakeshott yw talp go dda o geidwadaeth, wedi'i angori yn y gydnabyddiaeth Awstinaidd o ffaeleddau natur ddynol.

Y Ddadl

Oherwydd lle ymylol Pelagius yn ein hymwybyddiaeth hanesyddol, addas oedd cynnig cefndir a chyd-destun go helaeth iddo a'i syniadau. Hoffwn neilltuo'r adran olaf hon i'w drafodaeth ag Awstin, a hanfodion eu systemau diwinyddol – yn arbennig y pwyntiau yna sydd yn nodweddu eu dealltwriaeth o natur ddynol (eu hanthropoleg athronyddol, i ddefnyddio'r term academaidd). Modd hawdd o fynd i graidd yr anghytuno rhwng Pelagius ac Awstin yw trwy gyflwyno eu syniadau pwysicaf fel gosodiadau ochr yn ochr â'i gilydd – gosod trefn felly ar y sylwadau yn y ddeialog dychmygol uchod. Dechreuwn o'r cwymp ymlaen:

P: Pechod Adda oedd dewis gwrthod gorchymyn Duw, yn ei lawn bwyll, gyda dealltwriaeth o'r sefyllfa (yn wahanol i Efa, a dwyllwyd gan y sarff). Gosodwyd esiampl ddrwg i'w epil, a anwyd yn ddiniwed, ond plymiodd i'r un ceubwll trwy'r un dewisiadau drygionus.

A: Pechod yn sicr, ond pechod a goblygiadau llawer gwaeth – dyfarnwyd Adda a'i holl epil yn dragwyddol euog, ac fe etifeddodd pob un ohonynt y blys a'r chwennych a ddifethodd Ardd Eden, a byddai'n faich byth eto ar ddynolryw. Etifeddiaeth ddeublyg, ddinistriol felly: euogrwydd a llesgedd.

P: Trwy ras Duw y ganed pob un ohonom, megis Adda, gyda'r gallu i ddewis y da yn hytrach na'r drwg – yr ewyllys rydd yma sy'n ein nodweddu uwchlaw'r anifeiliaid ac sydd yn caniatáu inni ennill teilyngdod yng ngolwg Duw, ac anelu at y bywyd tragwyddol.

A: Mae pobl o dan faich blys yn rhwym o bechu a dewis y drwg; dim ond trwy gael eu meddiannu gan yr ysbryd glân a'u harwain gan ras trwythol Duw y mae modd iddynt fod fel arall – ond cofiwch dim ond y mwyafrif bychan sydd wedi'u rhagordeinio i ymuno ag Ef yn dragwyddol.

P: Er i sawl dyn da megis Noah a Moses adnabod y trywydd sanctaidd roedd y mwyafrif o etifeddion Adda wedi defnyddio'u grym i ddewis drygioni, nes bod dynolryw yn ymddangos fel bodau wedi'u dedfrydu gan wendid cynhenid. Ond yna fe ddaeth yr Iesu, i ddangos iddynt esiampl, i ledu'r gair, ac i farw am eu pechodau. Dyma oes gras, gyda'r llwybr at sancteiddrwydd wedi'i adnewyddu a'r cyfle inni ddewis y da unwaith eto. Cyhyd y bod pob Cristion yn cael ei fedyddio er mwyn maddau ei bechodau, mae perffeithrwydd moesol yn obaith iddynt.

A: Do, bu farw Iesu dros ein pechodau, ac fe ledodd y gair, ond peidied neb â chredu bod gennym y gallu i oresgyn ein blys tragwyddol ar sail yr ysgrythur yn unig. Rhaid bedyddio pob baban i faddau'r pechodau sy'n rhwym iddynt yn eu gwendid dynol. Rhaid i bob Cristion fod yn agored i ras Duw, yn y gobaith bod Ef am ei fendithio, a'i arwain rhag profedigaeth a sicrhau'r llwybr i iachawdwriaeth.

Pelagius	Awstin
Pechod Adda: Esiampl ddrwg	Pechod Adda: dedfryd o euogrwydd tragwyddol ac etifedd o flys
Pechodau Dynolryw: Canlyniad dilyn Adda a dewis drygioni	Pechodau Dynolryw: Canlyniad natur syrthiedig a blys dyn
Y bywyd duwiol yn agored inni trwy ewyllys rydd, esiampl Iesu, a'r ysgrythur	Iesu yn marw dros ein pechodau ac yn cyflwyno'r Gair ond rydym yn parhau yn ein gwendid
Gras Duw: y gallu cynhenid i adnabod a dewis y da, a thrwy hynny geisio iachawdwriaeth	Gras Duw: Ei rym trwythol yn cyflyrru'r dewis da ar ran yr unigolyn
Iachawdwriaeth o fewn gallu pob un	Y dewisedig rai sydd â gobaith o iachawdwriaeth
Bedyddio ar gyfer maddau dyledion ond ganed plant yn ddiniwed	Bedyddio babanod: maddeuant am bechodau dynoliaeth

Wrth asesu'r ddadl mewn modd cychwynnol efallai'r hyn sy'n amlygu ei hunan yng nghyswllt y ddau ddehongliad yw'r cysondeb rhesymegol sydd yn perthyn iddynt – i raddau helaeth – o'u dechreuad ar seiliau gwahanol. Yn wir, er bod Awstin yn cael ei adnabod fel yr ysgolhaig sydd yn rhagori o bellffordd rydym yn y pen draw yn wynebu mwy o gwestiynau am eu *dehongliad* o'r cyflwr dynol, yn hytrach na *rhesymeg* eu dadleuon. Yr un elfen drafferthus sy'n codi i'r Pelagiaid yw'r synnwyr o fedyddio babanod.

O safbwynt ffydd sydd yn ystyried y newydd-anedig yn ddilychwin ac sydd yn arddel yr ewyllys rydd, yna rhesymol yw bedyddio oedolion fel datganiad o ffydd a modd o faddau pechodau. Fodd bynnag, nid oeddent o blaid dileu'r arfer o fedyddio babanod, sydd yn codi cwestiynau sylfaenol. Sut oedd cyfiawnhau hyn – onid oedd babanod mewn perygl o burdan? Yn ei drafodaeth o'r cwestiwn mae R. F. Evans (2010: 119) yn awgrymu bod yr anghysondeb yma yn enghraifft o agwedd ddiwygiol yn hytrach na chwyldroadol Pelagius. Gwyddai fod yr arfer yn ddefod hynod bwysig ymysg y werin Gristnogol ac felly gwell oedd derbyn ymarferoldeb yn hytrach na mynnu purdeb rhesymegol.

Efallai fod y cwestiwn dadansoddol pwysicaf yn codi yng nghyddestun yr hyn y mae Awstin wedi derbyn y mwyaf o glod amdano – sef dim llai nag achub y ffydd Gristnogol. Perthyn yr honiad yma i'r gred bod Pelagius yn euog o gyflwyno 'diwinyddiaeth ddidduw'. Ymhle mae yna rôl i Dduw os nag oes angen arnom ei ras a'i gymorth dyddiol? Y peryg, neu'r pryder yw bod Duw yn mynd yn angof os ydym yn dechrau gyda'r dybiaeth fod gennym y gallu i ddewis y da ar sail ein gallu cynhenid, ac nad oes ei angen yn feunyddiol. Yn aml cyplysir y pryder yma â'r syniad bod Pelagius yn awgrymu'r gallu am berffeithrwydd ar ein rhan, sydd gyda'i gilydd yn cymell rhai i awgrymu ei fod yn didoli i ddynolryw rymoedd a galluoedd sydd mewn gwirionedd yn gyfyngedig i Dduw ei hun.

Mae yna lawer mwy o rym i'r feirniadaeth yma o safbwynt cymdeithasegol nac athronyddol. Hynny yw, ymddengys yn gyfeiliornus i gredu bod Pelagius yn hepgor Duw i unrhyw raddau, o gydnabod y pwyslais cyson a roddai ar ewyllys rydd fel rhodd Duw, neu ar olwg arall, fel mynegiant o ras Duw. Oni bai fod Duw yn cynnig inni'r ewyllys rydd yma buasai'n gwadu ein harwahanrwydd dynol. O safbwynt cymdeithasegol fodd bynnag, fe all rhywun weld y pryder; lle nad oes ymwybyddiaeth gyson, ddyddiol o waith Duw yn ein bywydau, yna'r peryg yw y bydd yr unigolyn yn anghofio am y gras y mae ei allu cynhenid yn ei gynrychioli, a thros amser efallai daw i gredu mai efe wedi'r cyfan sy'n gyfrifol am ei natur arbennig a'i allu i ddewis yr hyn sy'n dda neu ddrwg. Yn yr un modd y mae'r ceidwadwr modern yn esgeuluso pwysigrwydd ei gyd-destun a'i fagwraeth wrth roddi cyfrif dros ei lwyddiant, yn yr un modd y gall y Pelagydd roi i'r neilltu rôl Duw yn natblygiad ei fywyd.

Daw hyn â ni at y thema olaf o bwys canolog, sef y profiad o Dduw a drygioni, sydd yn ganolog i athrawiaeth y ddau. Yr hyn a gynnigir gan safbwynt Awstin yw cyfrif o'r profiad Duwiol sydd yn gyson â'i brofiad personol yn y *Cyffesion*, lle mae'r ysbryd glân yn ei feddiannu ac yn ei achub rhag y drwg, ac yn profi'n bresenoldeb parhaol yn ei fywyd. Ar yr olwg gyntaf mae'n hawdd gweld sut y mae hyn yn fwy apelgar neu gyson i'r profiad meidrol arferol; brwydr barhaol yn erbyn glythineb a chwennych sydd yn aml yn cael ei cholli, lle nad yw'r unigolyn yn teimlo fod ganddo'r nerth o'i hunan i gyflawni ewyllys Duw. Yn y sefyllfa hon y gorau all rhywun ei wneud yw ymdrechu i fod yn agored i feddiant yr ysbryd glân gan dderbyn yr anffawd fel person gwan ac anghyf-lawn.

Ar y llaw arall mae yna athrawiaeth lem, sobr, sy'n awgrymu bod y gallu i ddewis y da yn ein meddiant, a'n cyfrifoldeb a'n methiant ni yw unrhyw awydd i ildio i'r brofedigaeth sydd yn ein hwynebu. Ni ddaw Duw inni trwy esiampl ei rym, na dangos ei hunan trwy ein meddiannu. Rhaid inni yn hytrach gredu ynddo trwy'r galluoedd bregus sydd yn eiddo inni. Trwy gyd-ddigwyddiad neu beidio fe âi'r syniadau yma law yn llaw â'r rhagdybiaeth o Pelagius fel dyn disgybledig, dyn hunan-feddiannol, gyda'r grym a'r ewyllys i wireddu'r perffeithrwydd sydd yn gynhwynol ynom pob un.

Darllen Pellach

R. F. Evans, 2010 [1968]. 'The theology of Pelagius', yn R. F. Evans, *Pelagius: Inquiries and Reappraisals* (Eugene, Oregon: Wipf and Stock Publishers).

Eifion Powell, 2000. 'Gras yn Awstin', *Diwinyddiaeth*, LI. 41–54.

B. R. Rees, 1988. *Pelagius: A Reluctant Heretic* (Woodbridge: Boydell Press).

B. R. Rees, 1991. *The Letters of Pelagius and his Followers* (Woodbridge: Boydell Press).

Huw L. Williams, 2014. 'Natur ddynol a'r syniad o hunanwellhad', yn E. Gwynn Matthews (gol.), *Astudiaethau Athronyddol 4: Y Drwg, Y Da a'r Duwiol* (Talybont: Y Lolfa).

3

Cyfraith a Gwladwriaeth Hywel Dda (880–950) ac Owain Glyndŵr (1349–?)

Castell Harlech 1404

Mae'r cyffro'n fyddarol. Yn arferol byddai'r neuadd gyfan yn gyflafan o gyfeddach erbyn hyn, ond heno mae'n sŵn gwahanol. Ychydig iawn o'r yfed disgwyliedig sydd wedi bod, a phawb yn cadw eu pennau'n weddol glir ar gyfer y drafodaeth i ddod. Rydym newydd glirio'r trestlau, ac yn aros am ein cyfarwyddiadau nesaf. Nid oes yr un awgrym o'r hyn sydd i ddod, ond mae'r newyddion bod Gruffydd Younge wedi'i benodi'n ganghellor gan Glyndŵr wedi creu cryn gynnwrf.

Pa gynlluniau sydd ar droed? Pa ysbrydoliaeth fydd? Dyma fe, Tywysog Cymru, yn meddiannu'r llawr. Ust nawr, fe guddiwn ni tu ôl i'r llen a chlywed yr hyn y gallwn ni. Gwrandewch yn astud ar y Mab Darogan . . .

'Ac wrth gwrs, mae cynnal cynulliad cenedlaethol yn hollbwysig i sicrhau undod ymysg ein harweinwyr a'n hatgoffa o'n hanes godidog a chynulliad Hywel Dda yn Hendy-gwyn ar Daf . . .'

'Â phob parch, eich mawrhydi . . .' Dyna ddechrau! Nid yw'r Tywysog wedi arfer ag unrhyw un yn ymyrryd yng nghanol llif ei eiriau, a hyd yn oed o'r fan yma ar amgant yr ystafell, rydym yn teimlo'r anesmwythder.

'Os caf i fod mor hy, hoffwn gynnig y sylw ein bod yn aml yn clywed am bwysigrwydd Hywel Dda yn uno'r Cymry trwy ei orchestion, a'r Gyfraith a enwyd ar ei ôl, ond y mae'n bellach yn farw ers pedair canrif a hanner, a heb fod mewn unrhyw gyflwr i gynnig cymorth ymarferol i ni ers tro.' William Gwyn sy'n adrodd y geiriau ffraeth yma, ac y mae'r anesmwythdod yn brysur newid i ddicter ymysg ei gyfoedion. Gwenu y mae'r Tywysog yn y modd pwyllog sy'n nodweddiadol ohono.

'Mi wyt ti'n gywir, gyfaill, i ddweud nad yw Hywel Dda bellach yma i estyn cymorth i ni yn y cnawd, gwaetha'r modd. Rwyt hefyd yn gywir i sylwi ein bod ni, nid yn unig yn yr ystafell hon, ond y ni fel Cymry, yn aml sôn amdano. Mae'r defosiwn yma naill ai'n awgrymu mai gwirioniaid ydym wedi ein carcharu yn y gorffennol, neu bod yna resymau teilwng am godi ei ysbryd tro ar ôl tro. Digon posib mai gwirion ydw i. Ond beth am inni ofyn i rywrai eraill? Gruffydd Younge, dywedwch wrthym, ai gwirion wyt?'

Fe drodd at ei ganghellor newydd, ac ystumio iddo ymuno â'r drafodaeth.

'Rwyf wedi cael fy ngalw llawer peth, eich mawrhydi,' meddai'r hen wron doeth wrth gilwenu, 'ond nid gwirion yw un ohonynt'. Nid syndod yw clywed hynny!

'Wel, dywedwch chi, Gruffydd Younge, a oes modd ichi esbonio eich defosiwn, addysgu rhywfaint ar ein cyfaill yma, a lleddfu rhywfaint ar fy mhenwendid innau, tybed?'

'Nid ydych yn gofyn ychydig ohonof, eich mawrhydi,' meddai'r doethyn, yn llesg braidd.

'Rydym yma i greu cenedl ac rydych chi am imi olrhain ei holl hanes cyn inni fwrw ati?'

'Siawns nad ydy'r ddau beth yn amherthnasol i'w gilydd,' yw ei ymateb yntau, mor chwim â chwifiad ei gleddyf.

'Clust doeth a lwnc wybodaeth,' meddai'r gwron, a thro Glyndŵr ydoedd i gilwennu. Fe ystumiodd i'w gynghorydd gymryd y llawr a safodd i'w draed a dechrau ar ei lith.

'Gan mai yma rydym i drafod cenedl a llunio ein dyfodol, teg ydyw, fe gymraf, olrhain hanes Hywel Dda o safbwynt y dasg hon. Anghenraid hefyd – oblegid y bydd y Saeson ar ein pennau a'r rhyfel wedi gorffen, os ydym am geisio trafod ei hanesion oll a'u llawn bwysigrwydd inni fel pobl!'

'Rwy'n sicr na fydd unrhyw un am ddadlau â'r modd rwyt ti'n dynesu at y pwnc – hyd yn oed ein cyfaill ifanc fan hyn,' ebe Glyndŵr.

'Gyda'ch bendith, felly, eich mawrhydi, hoffwn atgoffa pawb yr hyn oedd y Cymry cyn i Hywel gymryd ei le yn ein hanes a throi ei law at greu undod a nerth. Cyfres o deyrnasau oeddem, gyda grym yn wasgaredig a brenhinoedd lu, a bygythiadau ym mhobman. Y Daniaid, y Llychlynwyr, Teyrnas Mersia ac yna Wessex, heb sôn am y frwydr barhaol yn ein plith i ennill goruchafiaeth. Rhodri Fawr a ddaeth agosaf at y freuddwyd hon, a hynny gymaint trwy ei frenhinlin a'i orchestion – er na ddylem byth anghofio bri ei fuddugoliaeth dros y Daniaid ym Môn, nac ychwaith ei wroldeb a glewder yn wyneb ein gelynion yn y dwyrain. Ond yr hyn a wnaeth Hywel, fel y gwyddoch, oedd cymryd cam pellach.

Yn hytrach nag uno ei deyrnasoedd trwy rym yn unig – un edefyn bregus rhwng clytiau o wahanol faint a brethyn – fe aeth ati i greu clytwaith o frethynnau wedi'u hasio'n glòs, gan sefydlu uniad o'r newydd. Ac wrth gwrs, yr hyn fyddai'n tynnu a chadw'r clytwaith ynghyd oedd yr edafedd anhepgorol a nerthol sydd yn gallu clymu eangderau helaeth at ei gilydd – a hwnnw yw rheolaeth y gyfraith. Dyna felly pam mae hanes Hendy-gwyn ar Daf – pan ymgynullodd clerigwyr, arweinwyr o bob cantref, a chyfreithwyr mwyaf blaenllaw'r Cymry i ffurfio un gyfraith ar gyfer y deyrnas newydd hon – mor ganolog i'n hanes fel pobl.

Mewn gwirionedd, ni fyddai gymaint o ots pe na bai'r cynulliad hwn wedi digwydd, cymaint yw ei bwysigrwydd symbolaidd i ni'r Cymry. Yr hyn y mae'n cynrychioli sydd bwysicaf, sef yr ymgais gyntaf i ddod â chlwstwr o hen Frythoniaid at ei gilydd mewn uniad a oedd yn fwy na dim ond hanes, iaith a ffordd o fyw cyfrannol, yn cronni o dan ewyllys teyrn. Dyma oedd cychwyn ar y gwaith o deyrnas lle byddai'r iaith, yr arferion, y diriogaeth yn gyfan o dan yr un gyfraith gwlad. Teyrnas yn nelwedd y deyrnas Ffrancaidd bondigrybwyll a ddaeth o gwymp yr Ymerodraeth Rufeinig, ac yn dilyn ôl traed y chwedlonol Alfred a'i lwyddiant fel arweinydd Wessex.'

'Ond fe dalodd y pris yn llawn er mwyn gwireddu'r freuddwyd, onid do?' – ein cyfaill aflonydd unwaith eto.

'Bradychu cenedl, nid ei chreu, buasai rhai yn dweud.'

Yn hytrach na digio, edrych arno yn addfwyn a wna Gruffydd Younge, fel tad amyneddgar ar fin dwrdio'i fab, heb fod ei galon yn y peth.

'Cyfeirio rwyt, mi gymeraf, at arfer Hywel o dalu gwrogaeth i Wessex ac adnabod ei dra-arglwyddiaeth. Mewn pob tegwch, nid Hywel oedd y Cymro cyntaf i gymryd y cam hwn. Yn wir, ers diwedd dyddiau Rhodri Fawr, yn wyneb nerth Alfred a chyd-bwysedd grym eiddil y Cymry, fe fu brenhinoedd niferus yn gwneud yr un peth, ac yng nghyfnod Hywel bu Idwal Foel yn y gogledd a Morgan ym Morgannwg yn ymuno ag ef yn hynny o beth. Parhau gyda'r arfer hwn a wna Hywel, gan feddwl, mae'n siŵr, mae'r unig fodd o wireddu'r amodau i ffynnu oedd trwy gydnabod yr anghenraid hwn.

Buaswn i fy hun dim ond yn ychwanegu mai ffwlbri yw credu bod modd goroesi yn y byd sydd ohoni trwy annibyniaeth lwyr, heb unrhyw gytundeb neu ddyled i eraill. Dim ond y nerthoedd mwyaf arobryn all wneud hynny, a hynny gydag unrhyw sicrwydd dim ond am gyfnod. Sut ydym ni heddiw yn dychmygu ein dyfodol? Nid trwy ryw freuddwyd gwrach o nerth y Cymry yn trechu pob dim, ond trwy gynghreirio gydag eraill – Saeson yn eu mysg – er mwyn cyrraedd y nod. Os llwyddwn, byddwn am byth bythoedd yn nyled y Ffrancwyr. Ac yn hynny o beth, roedd yna resymau digon i edmygu Wessex a gwaddol Alfred, a cheisio efelychu ei gamp. Ffolineb o'r mwyaf yw gadael i'n siofinistiaeth a'n dirmyg o'r Saeson ein hatal rhag cydnabod eu rhinweddau, a cheisio'r hyn sydd wedi gweithio iddynt hwy.

Modd arall o ddehongli'r hyn rwyt yn ei awgrymu fel gwendid Hywel yw ei ystyried yn ddoeth a mawrfrydig i ddewis heddwch a dilyn esiampl eraill. Gorwelion eang oedd ganddo erioed, a'i daith i Rufain yn ddyn ifanc yn dyst i hynny. Wedi iddo gipio Gwynedd a Phowys yn dilyn marwolaeth Idwal Foel, nid ang-henraid oedd ceisio'r uniad cyfreithiol. Heb yr agwedd eangfrydig hon, a'r ewyllys i weld bod ffyrdd eraill o drefnu tiriogaeth y Cymry, prin buasem yn sefyll fan hyn heddiw. Er nad oedd ei diroedd yn ymestyn i Forgannwg a Gwent, fel y byddai rhai Gruffydd ap Llywelyn, fe lwyddodd i hau'r hedyn hwnnw o wir genedl Gymreig, a'r posibilrwydd fod Cymru unedig yn bosib, er gwaethaf ein gwahaniaethau.'

'Ond edmygu'r Saeson i'r graddau rydym yn gwrthod cynghreirio gydag eraill, mewn ymgais i'w gyrru ar ffo? Pe bai Hywel wedi cefnogi'r Sgotyn, y Daniaid, a'n brodyr Brythonig o'r Hen Ogledd yn 937 oc, oni fuasent wedi cilio?'

'Efallai fod yna elfen ystyrlon i dy gyhuddiad, gyfaill, ond wyddwn ni byth mo'r gwir hwnnw. Prin y byddai wedi ein helpu ni yn wyneb y Normaniaid maes o law, rwy'n tybio, ond i fynd ar drywydd ffantasi a hanes gwrth-ffeithiol fyddai trafod hynny. A gaf i fwrw ymlaen?'

'Cewch siŵr, dim ond inni nodi fod Hywel Dda yn gymaint o Gymro iddo enwi un o'i feibion yn Edwin. Cewch chi ddim esgusodi hynny, bid siŵr!" Am y tro cyntaf roedd yna biffian yn y llys, ac yna distawrwydd wrth i Glyndŵr ddechrau anesmwytho.

'Pawb at ei beth a bo,' meddai'r canghellor yn ddiamynedd braidd.

'Ond os wyf wedi awgrymu ichi bwysigrwydd Hywel a'i gynulliad o safbwynt ni'r Cymry heddiw, a'i ran ganolog yn chwedl ein sefydlu, sydd mor bwysig wrth inni ymgeisio tuag at lwyddiant heddiw, rwyf am ddweud gair byr yn ogystal am natur y gyfraith ac union arwyddocâd ei ffurf.

Hollbwysig ydyw cofio nad awdur y cyfreithiau oedd Hywel yn yr ystyr draddodiadol. Efe oedd tarddiad y *lex* newydd yma, ac efe'n haeddiannol a gafodd y clod gan genedlaethau i ddod. Ond nid cyfraith ydoedd yn ôl ei ewyllys ef, nid cyfraith a oedd yn tarddu o'r cennad brenhinol y gellir ei diwygio trwy'r un awdurdod.

Dyma yn hytrach oedd arferion a defodau hynafol ein tras, wedi'u gwarchod gan ein henuriaid ac wedi'u trosglwyddo o un genhedlaeth i'r llall. Dim ond cynulliad cenedlaethol tebyg a feddasai ar yr awdurdod i'w diwygio. Fel un gŵr o ddysg, nid wyf yn un i danbrisio cyfraniad y deuddeg lleygwr a'r disglair Blegywryd ab Einion – athro yn nhŷ Hywel – ond mae'n bur debyg mai cofnodi a ffurfioli'r gyfraith oedd eu prif gyfraniad nhw. Felly pan rydym yn trafod cyfraith Hywel rydym yn gwneud llawer mwy na gwerthuso syniad teyrn o'r hyn sydd yn gymwys i gadw trefn a phlygu pobl i'w hewyllys. Yn hytrach, trafod ydym werthoedd ein pobl, cyfraith byw ydyw sydd yn crisialu ac yn rhoi ar glawr y moesau, yr arferion a'n dealltwriaeth gyffredinol ohonom ni fel pobl. Dyma system i sicrhau cyfiawnder a chymod. Yr hyn sydd yn werthfawr inni, yr hyn sydd yn fythol. Yn wir, dyma gofnod o'r bobl rydym am fod yn ogystal.'

'Pen gyfaill, diolch am eich cyfraniad.' Camodd Glyndŵr i ganol yr ystafell. 'Dyna, os caf i fod mor hy ag awgrymu, yw'r golwg deallusol ar y cyfan. Addas, rwy'n credu, y byddai manylu ar rai o'r agweddau gwleidyddol sydd wedi codi o'r llith flaenorol. Gwleidyddol, hynny yw, yn y modd y mae gwladweinydd yn dehongli pwysigrwydd y gwrthrych o dan sylw.'
Nid oes unrhyw un am gwestiynu cynnig Glyndŵr, wrth reswm. 'Gadewch inni feddwl yn nhermau hanesyddol. Nid yw hynny, rwy'n siŵr, yn ormod o broblem inni fel Cymry. Rydym ers llawer dydd wedi byw yn y gorffennol! Cofiwch, fe gafwyd cyfle gan ein cyndeidiau y Brythoniaid i sefydlu tra-arglwyddiaeth dros yr ynys hon ond trwy wahodd y Sais i'n plith, ac oblegid yr amryw fygythiadau ar y glannau, cilio a chrebachu oedd ein ffawd. Dros y dŵr roedd Ffrancod yn gwneud yn fawr o'r cyfle i gydio yng ngwaddol y gyfundrefn Rufeinig i sefydlu eu teyrnas anferthol, a cheisio efelychu'r llwyddiant hwn bu hanes y gweddill ohonom ers hynny.

Hanes ni'r Cymry yw un o gydraddoldeb, hanes sydd yn weladwy yn nhebygrwydd y teyrnasoedd o safbwynt maint a daearyddiaeth, heb un â'r gallu a'r ffawd neilltuol i godi'n uwch na'r lleill a sefydlu goruchafiaeth barhaol. Buan y dinistriwyd goruchafiaeth Hywel hyd yn oed. Efe oedd â'r weledigaeth a'r crebwyll i weld bod angen hirhoedledd ac undod i greu teyrnas hanesyddol, rymus, ac fe ddangosodd inni bosibiliadau dihysbydd Cymru unedig.

Pam na ddylem fel pobl, gyda'n tir a'n hanes a'n hiaith, ddeisyfu'r hyn y mae pob un pobl arall yn chwilio amdani? Oes yna rywbeth cynhenid ynom sydd am wadu'r hyn sydd fwyaf naturiol i bob un arall yn y byd yma? Yn fwy na dim mae'r rhyfel hwn yn dangos inni nad felly mae'n gorfod bod. Buom yn deyrngar ac yn ddygn yn ein gwarchodaeth o Eglwys Crist. Amddiffynnwyd a lledaenwyd gair Duw gan Illtud a'n seintiau – nid oes yna'r un rheswm pam na ddylwn ni fod yr un mor deyrngar i'n hunain!' Mae'n cymryd saib yr eiliad hwn, gan ddal ei wynt. Mae'r cynnwrf yn amlwg yn ei lais a'i osgo. Yna, mae'n llonyddu, yn anadlu'n ddwfn, a'n dechrau eto ar ei araith.

'Ond tila bu ein hymdrechion wedi marwolaeth Hywel, tan i'r pengelyn nesaf ymddangos a'n hysgwyd ni i'n gwreiddiau. Dyma nerth na welwyd ei debyg ers dyddiau Rhufain – ac nid dim ond peiriant rhyfel diedifar, ond diwylliant a oedd yn arbenigo yn y gallu i greu teyrnas. Ffyrnig a di-baid buodd y cyrch ar ein tir a phobl, a ffyrnig a di-baid y buon nhw wrth greu eu cyfraith, cyfundrefnu arferion cyfreithiol, a sefydlu eu rheolaeth ar y gymdeithas. Trideg mil – ie trideg mil deddf y flwyddyn a gynhyrchwyd o dan arweinyddiaeth Harri'r Trydydd, camp na welwyd ei thebyg o'r blaen, ac yn wir dim ond yn awr y mae gweddill Ewrop yn dilyn ei ôl traed.

Dim ond y cryfaf a'r craffaf ohonom a lwyddodd wrthsefyll y goncwest am gyfnod sylweddol. Soniaf wrth gwrs am Dŷ Aberffraw, Tywysogion Gwynedd – fy hynafiaid innau. Awn yn ôl at yr enwog Gruffudd ap Cynan er mwyn olrhain esgyniad graddol y Tŷ hwn, gan iddo ef a'i fab Owain Gwynedd manteisio ar freuder Powys a'r Deheubarth. Rydym oll yn adnabod enw ei fab ef, Llywelyn Fawr, a aeth ati o ddifri i greu Pura Walia – ein Cymru frodorol. Penllanw ei deyrnasiad oedd y cynulliad o arglwyddi Cymru yn Ystrad Fflur yn 1238 a dalodd deyrnged iddo, ond byr fu ei oruchafiaeth ac ni lwyddodd mynnu gwrogaeth gan y pendefigion.

Yn bwysicach, dilynodd yn ôl traed Owain ei dad, gan sylweddoli pwysigrwydd lifrau'r teyrn. Owain oedd y cyntaf i alw ei hunan yn Dywysog ar Gymru – nid brenin ceiniog a dime – gan herio Harri'r Ail i gydnabod mai dim ond un tywysog oedd yng Nghymru. Sefydlodd Siawnsri Cymreig am y tro cyntaf, a llythyron a gorchmynion Tŷ Aberffraw yn cychwyn gyda'r cyfarchiad hir, brenhinol. Cynhyrchodd ddeddfau lu, gan ddilyn arfer yr oes a thrwy hynny fwrw ati i greu'r wladwriaeth newydd. Dyma'r traddodiad a etifeddodd Lywelyn ein Llyw Olaf, a drechodd ei frodyr a hawliodd ardaloedd rhanedig Cymru i greu Tywysogaeth Cymru. Byr fu ei heinioes, ond dyma amrant hanesyddol pan fodolodd cenedl Gymreig gyda chydnabyddiaeth o'r tu allan, fel y gwyddoch, a Henry'r Trydydd, yn y flwyddyn 1267, yn dod i Faldwyn i dalu teyrnged iddo.

A thrwy hyn oll, peidied â cholli golwg ar bwysigrwydd cyfraith Hywel. Addasu, ail-lunio ac ategu'r gyfraith frodorol oedd arf pennaf brenhinoedd Cymru – nid dim ond tywysogion Gwynedd – wrth iddynt geisio amddiffyn y traddodiad a ffurf-lywodraeth Gymreig. Dyma fodd o awdurdodi eu rheolaeth yn erbyn y Brenin Seisnig, gelyniaethus, ac ategu urddas a goruchafiaeth ein cyfraith ysgrifennedig yn dyddio nôl canrifoedd, dros eu traddodiad brau ac anaeddfed. A pha beth pwysicach yn y rhyfel yma nag apêl at enw un o'n harweinwyr pwysicaf?

Mewn cyfnod pan oedd awdurdodaeth yn wasgaredig a rheol-aeth un arweinydd i'r llall yn anwadal a byrhoedlog, roedd enw Hywel yn fodd dibynadwy o roi sancsiwn ar weithredoedd. Roedd angen deddfau a oedd yn ddefnyddiol a pherthnasol er mwyn ennyn cefnogaeth, ond roedd angen cadw'r cyswllt yna gyda'r traddodiad – dyma bosibiliadau'r dyfodol wedi'u gwreiddio yn awdurdod y gorffennol. Enw brenhinol Hywel oedd y noddwr perffaith i ddrafftwyr y cyfreithiau newydd – yn eu diheuro a'u hamddiffyn rhag beirniadaeth.' Dyma saib arall, fel petai'n herio'r cynulliad i'w gwestiynnu. Mae cipolwg o'r wynebau yn awgrymu nad yw'r mwyaf hy hyd yn oed am ddadlau'r pwyntiau yma gyda'r Tywysog. Yn wir, mae fel petai'r mwyafrif wedi'i gyfareddu erbyn hyn ac yn eistedd yno'n syn a mud, a dim ond ambell awgrym fan hyn fan draw o aflonyddwch ac anghysurdeb. Yn sicr nid oes geiriau o brotest. Ac ef, fel petai wedi'i fodloni, yn bwrw ymlaen i uchafbwynt ei anerchiad.

'Mae yna wersi lawer i'w cofio, tybiaf, o hanes ein cenedl, a phatrwm i'w efelychu yng ngweithgarwch Tŷ Aberffraw. Fel y crybwyllais eisoes, parhau â'u gwaith a wnawn wrth geisio gwladwriaeth Gymreig heddiw – ac nid teyrnas mohoni wedi'i gwreiddio yn niddordebau'r pendefigion, buddiannau'r clerigwyr, na pherthnasau brenhinol ehangach. Na, gwrthod a wnawn yr hen gyfundrefn o deyrnasai Ewropeaidd wedi'u hadeiladu uwchben a thu hwnt i'r bobl – fel rhyw granc mawr yn byw a bod trwy ymestyn ei grafangau a'i goesau hyd a lled y tir a gloddesta arni i gynnal ei hunan. Dyma wladwriaeth, fel ein cyfraith gynt, fydd wedi'i gwreiddio yn y tir, wedi esblygu o'r hanes a'n hiaith unigryw sy'n nodweddu'r bobl, ac sydd yn tyfu megis argragen er mwyn gochel ac amddiffyn yr hyn sydd yn byw oddi mewn. Gwladwriaeth o fath arbennig fydd hon, felly, yn seiliedig ar hunaniaeth a thras yr hen Frythoniaid.'

Mae'n caniatáu rhyw hanner gwên i ledu ar draws ei wyneb gyda'r diweddglo hwn, ac yn wir mae'r wên honno'n cael ei hefelychu ar sawl wyneb o'i flaen. Ond ust, dyma rywun arall am fentro . . .

'Os caf i, eich mawrhydi.'

Nid oes unrhyw beth i boeni yn ei gylch y tro hwn. Owain ap Gruffudd ap Rhisiart, ei ysgrifennydd swyddogol, sydd wedi codi i ddweud gair.

'Wrth gwrs, gyfaill, beth sydd gennych chwi i'w gyfrannu?'

'Am ategu, yr oeddwn i, eich ymlyniad at y gorffennol a'r pwyslais ar hanes fel cynsail i'n holl weithgarwch. Mi wn y gwyddoch chi, gystal â neb, fod yn rhaid inni gofio'r presennol a'r dyfodol wrth lunio ein gweledigaeth, ac yn hynny o beth, nid yn unig y syniadau mawr sydd eu hangen arnom, ond hefyd yr elfennau bychain. Ac yn wir, mae'r hyn sydd yn aml yn ymddangos fel rhyw ychydig yn gallu bod o'r pwysigrwydd mwyaf yn y pen draw.'

'Dywed mwy, gyfaill, dywed mwy.'

'Peidied neb ag anghofio'r manylion, neu'r pethau bychain, fel y dwedodd ein nawddsant. Ystyriwn, yn y lle cyntaf, y tri gair syml "Trwy Ras Duw" rydym wedi'u hatodi i'ch teitl Tywysog Cymru. Oblegid yn y geiriau yma rydym yn sicrhau ein pobl nid yn unig eich bod chi yn Dywysog Cymreig o'r iawn ryw, ond eich bod chi hefyd yn arweinydd sydd am reoli o dan lygaid Duw, er lles dy bobl ac yn ôl egwyddor. Dyma'r geirda mwyaf nodedig i gyd, yn rhoi sêl bendith i dy hawliau ac yn cadarnhau'r ffafriaeth ddwyfol sydd yn perthyn ichi a'ch hynafiaid.

Ond geiriau gweigion yw'r rhain, wrth gwrs, oni bai fod llwyddiant yn dilyn a bod pob agwedd ag arlliw arnoch yn cadarnhau'r syniad mai chi yw gwir arweinydd y genedl. Gwyddom ninnau, ar sail ein haddysg mewn prifysgolion, ein teithio hyd a lled Ewrop, a'n profiad o'r bywyd politicaidd, yr union bethau sydd eu hangen i ennill meddyliau a chalonnau eich pobl. Mae'n wir dweud eich bod chi'n teyrnasu dros bobl flin, sydd wedi'u trefedigaethu, eu dilorni, eu difreintio. Ond nid peth syml yw ffrwyno'r rhwystredigaeth ac angerdd yna, a rhoi cyfeiriad iddynt a'u meithrin er budd y genedl.

A'r union bethau bychain hyn fydd yn sicrhau eich lle ym mynwes y genedl sydd angen eu pwysleisio yn y sffêr pwysicaf oll – y maes rhyngwladol. Rhaid eich arwisgo yn gydradd o ran ysblander a sicrhau bod eich gweithredoedd swyddogol yn efelychu arferion pob tywysog arall ar y cyfandir. A chan eich bod yn Dywysog Cymreig mae'n rhaid, wrth gwrs, drefnu yn nhraddodiad gorau ein hynafiaid, ac yn ysbryd ein brawdoliaeth a chydraddoldeb, senedd ar gyfer arweinwyr pob cwmwd.

Ond fe ddaw hynny, mae'n siŵr, wrth i'r rhyfel droi ymhellach o'n plaid ac wrth inni gymryd camau breision tuag at wireddu'r broffwydoliaeth. Hyderwch, eich mawrhydi, ein bod yn gwneud y cyfan a allwn i sicrhau eich bod wedi eich paratoi ar gyfer eich ffawd. Ni fyddwch chithau yn fab darogan, yr un i achub eich pobl, oni bai eich bod wedi eich paratoi'n drwyadl i dderbyn y gorchwyl hwnnw.' Am y tro cyntaf, nid oes ateb parod gan y Tywysog, a'i osgo yn awgrymu ansicrwydd, neu o leiaf bod ei hunanfeddiant wedi'i fradychu am eiliad. Tybed beth a ddaw o'i enau nesaf?

'Diolch ichi, gyfaill. Ni fydd hanes yn anghofio eich cyfraniad, ac mae hynny'n wir o bob un ohonoch fan hyn heddiw. Rhaid imi ddiolch a thalu gwrogaeth i chithau hefyd am eich cymorth yn ystod y blynyddoedd diwethaf – nid lleiaf yn eich ymdrechion i'm harwain tuag at fy nhynged, am fod yn gefn imi a rhoddi nerth yn yr eiliadau yna o wendid ac amheuaeth. Ond teimlaf erbyn hyn yn gwbl barod i dderbyn y gorchwyl arbennig hwn, ac rwy'n adnabod ac yn derbyn nerth a phwysigrwydd y darogan.

Teimlais siomedigaeth yn y dyddiau cynnar na dderbyniwyd fy apêl at y broffwydoliaeth gan yr Albanwyr a'r Gwyddyl, ond gwn erbyn hyn mai arweiniad, nid sicrwydd a gynigiant. A'r arweiniad hwnnw sydd yn hollbwysig i ni'r Cymry – mae'r diwylliant gwleidyddol sydd gennym yn talu gwrogaeth i fawredd a doethineb y gorffennol, ac nid oes modd creu'r dyfodol hwnnw heb adnabod y llwybrau a rodiasom. Nid yn unig rydym yn cynnig nerth, cyfeiriad a phenderfyniad i'n cenhadaeth trwy lynu at y broffwydoliaeth; rydym yn gweithredu ar sail gweledigaeth sydd yn arwyddocaol ledled y genedl ac yn ein huno fel pobl.

Ond rhagarweiniad yw hynny oll ar gyfer dychmygu ein dyfodol. Ategaf fy marn bod angen arnom y ddawn a'r dyhead i adnabod arwyddion yr amserau yng ngolwg y broffwydoliaeth – a gweithredu yn ei sgil. A daw cyfle, gyfeillion, daw cyfle yn gynt o bosib na feiddiem ni ddychmygu. Fel y gwyddoch chi mae ewythr y Mortimer hwnnw sydd â hawl i'r orsedd Seisnig yn fab-yngnghyfraith imi erbyn hyn. Gwyddom hefyd fod yna fygythiad arall i Harri'r Pedwerydd yn y gogledd, a Henry Percy Northumberland yn fawr ei lid ac yn ysu am gael dial arno am farwolaethau yn ei deulu. Ymhen amser yn ogystal rydym yn gobeithio sicrhau cefnogaeth a chyngrair pellach gyda'r Ffrancod, a all selio ffawd y Sais, ond nid yw hyn yn rheswm i orffwys ar ein rhwyfau. Mae cyfle inni sicrhau sefydlogrwydd ar Ynys Prydein na fydd yn gofyn goruchwyliaeth barhaol o ochr draw'r dŵr.

Yr hyn sydd gennym mewn golwg yw dosraniad o dir Lloegr a Chymru rhwng y tri ohonom. Cofiwch mai ni, o'r tair plaid, sydd mewn sefyllfa o nerth, a gallwn weithredu ar sail hynny. Mae'n gofyn felly ein bod ni'n gwireddu'r hyn sydd ymhlyg yn ein gorffennol a phroffwydoliaeth Myrddin. Awgrymwn felly y caiff Percy gyfran helaeth o siroedd y gogledd iddo'i hun, tra bod y teulu Mortimer yn cymryd gweddillion Lloegr yn y de. Gweddillion, meddaf, oherwydd nid Cymru fel y mae rydym yn ei deisyfu, ond yn hytrach Cymru Fawr.

Cymru Fawr? Fe'ch glywaf yn gofyn. Cymru anferthol, yn dwyn inni swydd Gaerlleon a rhannau helaeth o siroedd Amwythig, Henffordd a Chaerwrangon. Ond rydych chi wŷr o ddysg yn gwybod cystal â minnau mai dyma'r ffin rhwng Leogria a Chambria yn ôl y broffwydoliaeth. Dyma'r gorffennol yn dod yn ôl i'r presennol i lunio'r dyfodol. Cawn ddarganfod ai myfi, Mortimer a Percy yw'r tri pherson sydd i rannu llywodraeth Prydain a gwireddu tair Ynys Prydain.'

Maredudd ap Llywelyn Ddu sy'n codi'n ddisymwth y tro yma, fel petai ei lodrau ar dân – i gynnig dos o wirionedd, mae'n debyg.
'Nid fy lle i yw gwneud sylwadau ar y chwedlau bondigrybwyll yma. Fe gewch chi ysgolheigion a gweledyddion ymdrin â'r elfennau hynny. A gaf i eich atgoffa nad ar chwarae bach rydym wedi troi o'ch plaid, ac nid ydym yma i wireddu chwedloniaeth neu freuddwyd gwrach . . . Boed hynny fel y bo, rhaid cyfaddef, pe bai cynllwyn o'r fath yn dod i fwcl, medraf i hyd yn oed ddychmygu'r manteision o'r diriogaeth ychwanegol.' Gwenu a wna Glyndŵr gan roi amnaid o gytundeb.
'Wrth gwrs, gyfaill, yn siarad fel un sydd wedi colli'r oll oedd ganddo, gwn mwy na neb y pris rydym yn ei dalu am y rhyfel yma, ac felly'r angen i gadw ein traed ar y ddaear a cheisio am yr hyn sydd yn bosib. Ond nid oes yr un rheswm pam na all hanes a chwedloniaeth fod yn ymarferol o safbwynt gwireddu ein gobeithion. Mwy na dim rhaid cynnal ymdrech wir genedlaethol, cynnig darlun o'r dyfodol sydd yn cyfiawnhau'r aberth dros dro. Ac y mae sicrhau a sefydlu'r diriogaeth ond yn un elfen o'r darlun cyflawn.

Os am greu gwladwriaeth o'r newydd sydd i gymryd ei lle ar y gwastad rhyngwladol rhaid sicrhau'r sefydliadau i'w rheoli a'i gweinyddu. Crybwyllais eisoes ein gobaith mawr o ddod i gytundeb â'r Ffrancod, ac yn wir, mae'r cyfleoedd yn sgil cefnogaeth forwrol a milwrol yn rhai digyffelyb i'r wladwriaeth newydd Gymreig. Ganghellor, a wnei di rannu â ni yr hyn rydych yn rhagweld sy'n bosib o dan y gyfundrefn newydd?' Am unwaith mae Gruffydd Younge yn dangos ychydig o awydd i godi o'i sedd ac annerch y cynulliad. O'r man yma mae'n bosib gweld ei lygaid yn pefrio wrth iddo ddechrau siarad ag angerdd sy'n anghyffredin iddo.

'Fel y gwyddoch chi, gyfeillion, ein cynghrair gyda'r Ffrancod sydd yn cynnig y modd mwyaf amlwg, gobeithiol, o lwyddo yn ein nod o sefydlu Cymru annibynnol. Gelyn ein gelyn yw ein cyfaill, ac wrth gwrs fel y mae amser Owain Llawgoch yn Ffrainc yn profi, nid gwbl ddigynsail yw'r cyfeillgarwch rhyngom. Ond rhaid wrth edrych y tu hwnt i'r brwydro cyfredol ac ystyried yr hyn fydd yn sicrhau ein dyfodol tymor hir a gwireddu'r delfrydau rydym yn aberthu ein bywydau drostynt.

Mae'n rhaid y bydd defnyddio'r sefyllfa sydd ohoni er mantais inni. Rydych yn ymwybodol, bid siŵr, o'r sgism a'r rhwygiadau sydd wedi bod yn yr Eglwys ers blynyddoedd, a sefydliad pab arall yn Avignon. Dyma allwedd ein dyfodol, rwyf yn sicr ohoni. Rhaid inni ystyried o ddifrif y syniad o gynnig teyrngarwch i Bab Avignon. Nid oes unrhyw reswm, hyd y gwelaf, i aros yn driw i Bab Rhufain, a hwnnw'n fwy na hapus i gefnogi Brenin Lloegr ymhob agwedd.

Am y cynnig yma gallwn fynnu sawl peth yn ôl a bwrw ati i greu cyfundrefn Eglwysig a fydd yn addas i'n rhyddid newydd ac yn driw i'r gwerthoedd sydd wrth wraidd ein hymgyrch. Rhaid inni ddibennu'r arfer o benodi'r di-Gymraeg, hynny yw, y Saeson, i'r Eglwys yng Nghymru. Dim ond y rhai sydd yn meddu ar yr heniaith fydd â'r hawl i ymgymryd â'r swyddogaethau. Rhaid inni hefyd fynnu, wrth gwrs, fod yr Eglwysi yng Nghymru yn cael eu rhyddau o'r baich o drosglwyddo'r tiroedd a chyllid i'r mynach-logydd yn Lloegr, a bod y perchnogion gwreiddiol yn derbyn yr hawl hwn yn ôl.

Y tu hwnt i'r ceisiadau yma gallwn weithio tuag at greu cyf-undrefn sydd yn asio â'n huchelgais gwleidyddol, a mynnid bod Tŷddewi yn cael ei hadfer i'w gogoniant gynt, a'i chreu unwaith eto yn ganolfan archesgobaeth – archesgobaeth Cymru. Ond os ydym am sicrhau bod yr archesgobaeth yn cyrraedd ei llawn ysblander rhaid inni fynnu iddi ymestyn ar draws y pum esgobaeth yng ngorllewin Lloegr a fu o dan ei hawdurdod gynt. Dyma fydd atgyfodi'r Eglwys Gymreig i'w hurddas hanesyddol.' 'Cegrwth' yw'r unig fodd o ddisgrifio'r hyn o ymateb yn yr ystafell. Nid oedd neb yn disgwyl y fath awgrym beiddgar, hyd yn oed o enau'r athrylith hwn.

'Ond mae hyn yn anhygoel. Sut yn y byd ydych chi'n rhagweld y bydd gennym ni'r Cymry y gallu a'r bobl i weinyddu gwladwriaeth o'r maint yma, ac Eglwys gyfan gwbl Gymreig ar raddfa mor eang?' William Gwyn ap Rhys Llwyd sydd yn mynegi, a bod yn deg iddo, yr amheuon mae'n siŵr sydd ym meddyliau sawl un o'r cynulliad. Dyma Glyndŵr yn sefyll ar ei draed, y tro hwn â phenderfyniad a difrifoldeb yn ei wyneb nas gwelwyd o'r blaen – ac eithrio ar faes y gad.

'Rydym yn gwneud yr hyn y mae pob un bobl war, hyderus, hunanbarchus, teilwng, rhydd ar draws Ewrop yn ei wneud. Rydym yn dilyn ôl traed y bobl ysbrydoledig yma sydd yn ein mysg heno, ac yn hyfforddi ein pobl – rydym yn esblygu i fod yn wlad o wybodaeth a dysg. Byddwn yn sefydlu dwy brifysgol, un yn y gogledd ac un yn y de. Dyma fydd conglfaen cyfraith, sancteiddrwydd a llwyddiant ein Cymru newydd.'
Fe welsoch chi erioed y fath olygfa ymysg cynulliad o arweinwyr a chlerigwyr y genedl. Cega, clebr, bloeddio, gweiddi. Cyffro pur. Mae'r anghrediniaeth a'r tyndra sydd wedi bod yn corddi yn y neuadd hon dros y munudau diwethaf wedi ffrwydro'n wenfflam. Am funud mae yna ansicrwydd ai dathlu neu ymladd a fydd. Ac yna, o gefn yr ystafell, daw un llais nerthol, diffuant, sydd yn esgyn uwch y lleill. Dyma William Gwyn yn gweiddi'n groyw:
'Hir oes Glyndŵr. Trwy Ras Duw, Tywysog Cymru – ein Tywysog a'n Cymru ni!'

Hywel Dda o Lawysgrif Peniarth 28

Cenedl a Chyfraith

Ar yr un olwg, nid oes yna fawr sydd yn 'athronyddol' yn perthyn i hanes Cyfraith Hywel a gweledigaeth Glyndŵr. Sôn yr ydym, wedi'r cwbl, am ymgais dau i sefydlu grym dros genedl wasgaredig (os dyna yn wir yw'r gair i ddisgrifio Cymry'r Canol Oesoedd; 'cenedl' a ddefnyddir gan Gwyn Alf Williams yn ei erthygl wych ar y cysyniad hwn, er ei fod yn gwadu bod 'ymwybyddiaeth genedlaethol' yn ei chyfeilio tan wrthryfel Glyndŵr). Ond fel yr awgrymir eisoes gan ysgolheigion megis D. Myrddin Lloyd, mae yna agweddau ar y penodau yma yn ein hanes sydd yn awgrymu dull o feddwl, neu athroniaeth, ar waith.

Gan dderbyn ein tueddiad i wneud yn fach o'n campau deallusol, nid yw'n syndod, efallai, mai estronwr yw un o'r rhai sydd yn nodi hyn yn achos Cyfraith Hywel. Dywed Joseph Loth y Llydäwr ei fod yn ystyried y cyfreithiau yn 'brif ogoniant meddyliol y Cymry' sy'n arddangos 'manylder eithriadol, cywreinrwydd meddwl mawr a chymhwyster eithriadol yn eu llunwyr at ddamcaniaethu athron-yddol'.[2] Ymdrechaf i dynnu sylw at yr agweddau athronyddol sydd ymhlyg ynddi, yn ogystal â meddwl iwtopaidd Glyndŵr. Cyn hynny, fodd bynnag, mae'n werthfawr cynnig rhywfaint o gyd-destun hanesyddol a deallusol o safbwynt y syniadau creiddiol o genedl a chyfraith.

Diddorol ydyw gosod ymdrechion a syniadau Hywel a Glyndŵr o fewn y rhychwant hanesyddol ehangaf, sef cyfnod y Canol Oesoedd o gwymp cydnabyddedig yr Ymerodraeth Rufeinig yn 476 OC i ddechrau'r Dadeni yn y pymthegfed ganrif. Yn fras, dyma'r cyfnod a welodd y Brythoniaid yn dirywio o fod yn bobloedd Celtaidd-Rhufeinig 'rhydd' yn sgil ymadawiad Rhufain o Ynys Prydain i fod yn Gymry 'caeth' o dan ormes y Normaniaid. Dra-chefn, gellir ystyried cymhathiad swyddogol y Cymry i Loegr – o dan Ddeddfau Uno Harri'r Wythfed yn 1536 – yn un o gamau cyntaf dyrchafiad y genedl-wladwriaeth yn y cyfnod modern cynnar.

Wedi cwymp yr ymerodraeth, dros filenia ynghynt, golwg tra gwahanol oedd ar fap Ewrop. Dyma oes y 'teyrnasoedd mawrion' yn ôl Paul Fouracre, pan aildrefnodd y pendefigion eu hunain yn sgil chwalfa'r gyfundrefn Rufeinig, yn fwy na dim er mwyn am-ddiffyn eu cyfoeth wrth i'r hen system drethi ddirywio. Endidau wedi'u seilio ar berthnasau'r haen uchaf hon o gymdeithas oeddent, tra bod y bywyd crefyddol, diwylliannol a chymdeithasol oddi mewn yn parhau'n gymharol ddidor. Y gyfundrefn eang a grymus Ffrancaidd o dan Charlemagne sy'n gyfrifol am y ddelwedd o'r 'teyrnasoedd mawrion', ond go brin ei bod yn adlewyrchu'r darlun llawer mwy cymhleth yn rhannau eraill o'r ymerodraeth orllewinol gynt.

Ar Ynys Prydain, wrth gwrs, roedd yr hen gyfundrefn yn cael ei disodli gan ymlediad yr Eingl-Sacsoniaid, ac erbyn yr wythfed ganrif roedd yr hen Frythoniaid wedi'u cyfyngu i dir y Cymru

Fodern, a'u cyd-Cymry yn yr Hen Ogledd wedi'u gormesu. Ymhlith y newydd-ddyfodiaid, teyrnas Wessex a ddangosodd y medr mwyaf o safbwynt efelychu'r Ffrancod, gydag Alfred Fawr yn llwyddo i sefydlu cyfundrefn gyfreithiol a fyddai'n drech na'r Cymry ond yn ysbrydoli eu brenin mwyaf mentrus, sef Hywel. Iaith ac ymwybyddiaeth hanesyddol oedd yn uno'r Brythoniaid, ond nid oedd yr un arweinydd wedi llwyddo yn y fenter o sicrhau'r math o oruchafiaeth a allai fod wedi ffurfio teyrnas rymus. Awgryma John Davies mai daearyddiaeth oedd yn dyngedfennol oherwydd diffyg mantais sylweddol un o'r tiriogaethau.[3] O'r hyn a wyddom am ymdrech Hywel, a'i ymwybyddiaeth Ewropeaidd, nid di-sail yw awgrymu bod ei gyfraith yn arf iddo allu sefydlu math o 'broto-wladwriaeth' yn ôl model Ewropeaidd y dydd. Y gyfraith, wedi'r cwbl, a fyddai'n fynegiant pennaf o rym y Normaniaid yn Lloegr maes o law, trwy orchymyn ton ar ôl ton o ddeddfau wrth iddynt sefydlu eu goruchafiaeth filwrol.

Gwelwn yn ogystal fod ffurf y gyfraith a sefydlwyd o dan Hywel yn un cydsyniol yn hytrach nag awdurdodaidd. Mae hyn yn ei hun yn awgrymu nod gwleidyddol o geisio uno trwy berswâd yn ogystal â grym. Dyma anghenraid, efallai, mewn cyfundrefn fregus a chyfres o deyrnasoedd a oedd wedi bodoli – megis system ryng-wladol fychanig – mewn cyflwr o anarchiaeth heb yr un grym gormesol. A dyma wedd ar yr 'ymdeimlad cenedlaethol' a oedd yn ddigonol i sefydlu ymwybyddiaeth o'u hunain mewn cyfer-byniad â phobloedd eraill, ond nad oedd yn ddigon grymus efallai i uno'r Cymry yn erbyn eu gelynion i geisio sicrhau parhad. Ond â phob tegwch i Hywel Dda, o safbwynt hanesyddol a'r cysyniad o genedl Gymreig, mae ei gyfnod yn sicr yn un o benllanw. Gallwn awgrymu bod Cymru Hywel yn ymddangos yr un mor agos o ran nodweddion at ffurflywodraeth flaenllaw ei ddydd, o gymharu'r Gymru sydd ohoni â'r genedl-wladwriaeth fodern.

Fel yr awgrymwyd yn yr ymddiddan uchod, o ddiddordeb mawr yw'r modd y defnyddiwyd a deallwyd Cyfraith Hywel gan y Cymry ar ôl ei deyrnasiad. Roedd yn cynrychioli mwy na dim ond uniad gwleidyddol. Roedd yn fynegiant ac yn ymgorfforiad o'u hannibyniaeth a'u ffordd o fyw; ystyriaeth sy'n gwbl ddealladwy yn yr ystyr bod y bobl yn byw yn ôl y gyfraith, a bod newidiadau a diwygiadau i'r drefn yn adlewyrchu newidiadau i arferion ac i'r system gymdeithasol. Yn ôl chwedl D. Myrddin Lloyd, gyda dadfeiliad y gyfraith y daeth ffiwdaliaeth i Gymru – yn wrthbwynt i drefn a oedd wedi'i didoli, yn sicr, ond nid ar hyd yr un llinellau hierarchaidd amlwg.

Daeth y gyfraith yn arf symbolaidd ac yn ddull ymarferol felly o geisio gwrthsefyll gormes y Normaniaid, ac yn yr achos mwyaf beiddgar yn dechneg ar gyfer prosiect gwleidyddol neilltuol. Dyna'n sicr yw awgrym Bjorn Weiler wrth drafod ymgais Tŷ Aberffraw i sefydlogi *Pura Walia* – Cymru Bur. Perthynai hynodrwydd cymharol i'r hyn a oedd yn digwydd yng Nghymru yng nghyfnod y ddeuddegfed a'r drydedd ganrif ar ddeg o dan arweiniad tywysogion Gwynedd – sef ymgais i lunio teyrnas ar sail hunaniaeth genhedlig (ethnig) yn erbyn y Saeson. Pur anghyffredin oedd hyn, mae'n debyg. Roedd teyrnasoedd yn gyffredinol barhau i ddatblygu ar sail y syniad o goncwest a chysylltiadau pendefigaidd yn y cyfnod hwn – nid hunaniaeth 'genedlaethol'. Yn hynny o beth pwysleisia Weiler na ddylem ystyried y teyrnasoedd a ymgododd yn yr Oesoedd Canol mawr o'r unfed ganrif ar ddeg ymlaen fel rhai a oedd yn ymdebygu i'r cenedl-wladwriaeth fodern. Yn gyffredinol roedd hunaniaeth wleidyddol y bobl yn un elfen wan o'r gyfundrefn Ewropeaidd – yn enwedig i'r pendefigion a oedd yn ystyried elfennau eraill megis rhanbarth, cysylltiadau masnach a strwythurau crefyddol yn bwysicach. Enghreifftiwyd hyn gan Loegr, nas datblygodd wir ymdeimlad o Seisnigrwydd tan y Rhyfel Can Mlynedd yn y bedwaredd ganrif ar ddeg, a dechrau'r gwaith o ymddieithrio oddi wrth Ffrainc.

Erbyn dyfodiad Glyndŵr, felly, er nad oedd Cymru wedi bodoli fel cyfundrefn wleidyddol sefydlog, roedd yna ddigon o benodau yn ei hanes i gynnig cynsail grymus ar gyfer y ddelfryd o Gymru annibynnol. Erbyn troad y pymthegfed ganrif roedd technegau o 'genedl-saernïo' wedi datblygu ymhellach yn ogystal, a phwynt canolog i'w nodi oedd dawn athrylithgar Glyndŵr a'i gabal i wau hanes a chwedloniaeth Cymru gyda chonfensiynau'r oes ym myd gwladweiniaeth. Roedd y gyfraith â rhan ganolog i'w chwarae, wrth gwrs, ond roedd taclau a thrugareddau gwleidyddiaeth yn lluosogi. Nid difeddwl, er enghraifft, oedd ei gyhoeddi'n Dywysog Cymru 'Trwy Ras Duw', a oedd yn wfftio honiad Brenin Lloegr fod Cymru yng ngofal ei fab hynaf, ond yn ogystal yn ei arwisgo'r â'r geirda gofynnol a oedd yn awgrymu llwyddiant teuluol yn y gorffennol, a'i fod wedi clymu i reol ac egwyddor yn ei weithredoedd.

Nid oedd gwleidyddiaeth y dydd yn gwbl bendefigaidd, a'r werin bellach yn gweithredu hawl i adael tir uchelwyr diegwyddor a drwg, tra oedd y trefi yn y cyfnod yma hefyd yn datblygu'n ganolfannau grym. Rhaid oedd wrth ffurf o wleidyddiaeth boblog-aidd, felly, gydag ymddangosiadau cyhoeddus a chynulliadau yn datblygu'n boblogaidd yn y drydedd ganrif ar ddeg fel modd o greu teyrngarwch. Roedd criw dethol Glyndŵr megis Gruffydd Younge, dynion Ewropeaidd eu hanian, yn sensitif i'r gofynion ehangach yma, yn ogystal â chyd-destun hanesyddol a diwylliannol unigryw eu gwlad. Roedd ymrestru Hywel a'i gyfraith i'w hachos yn un agwedd ar y cyfuno ysbrydoledig o hanes a mytholeg â gofynion y cyfredol, a'r gobeithion am genedl gyflawn yn y dyfodol.

Athroniaeth y Gyfraith

Nodwyd uchod fod Cyfraith Hywel wedi ei chreu ar sail cydsynio. Hynny yw, rydym yn ei deall fel cynnyrch cofnodi a chydlynu arferion cyfreithiol ar lawr gwlad yng Nghymru, a dyma ergyd yr hanes am arweinwyr y cantrefi a'r clerigwyr a'u cynulliad yn Hendy-gwyn ar Daf. Am fod y gyfraith wedi'i chreu o gyfansawdd gyfreithiau'r gwahanol deyrnasoedd, y mae Lloyd a'u tebyg yn gallu sôn amdani fel cofnod o'r meddwl Cymreig – yn yr ystyr ei bod yn fynegiant o arferion cymdeithasol a fyddai yn eu tro yn fynegiant o'r gefnlen foesol a oedd yn nodweddu bywydau'r Cymry cynnar (soniaf am un agwedd gyfyng ond nodweddiadol o hynny yn y man). Awgrymir uchod resymau politicaidd posib dros y math yma o gyrchddull. Mewn erthygl nodedig gan Dafydd Jenkins mae modd gwerthfawrogi i raddau helaethach sut mae'r ffurf yma ar gyfraith yn adlewyrchu athroniaeth ar y gyfraith sydd yn nodweddiadol a phwysig.

Mae Jenkins yn rhageirio ei drafodaeth â rhybuddion am yr hyn y dylai'r sawl sy'n ymdrin â Chyfraith Hywel ei gadw mewn cof, a'r pwysicaf ohonynt yw'r gofal sydd ei angen wrth ei ddarllen, megis cofnod o'r gymdeithas ganoloesol Gymreig – a hynny'n bennaf oherwydd yr ansicrwydd am leolbwynt yr amryfal gyfreithiau mewn amser. Yn hytrach na dychmygu'r ysgrifau sydd gennym (sydd gan mwyaf o'r drydedd a'r bedwaredd ganrif ar ddeg) fel cofnod o'r cynulliad gwreiddiol, mae'n creu darlun o ddogfennau byw a'r cynnwys yn cael eu haddasu a'u diwygio'n gyson yn ôl yr arferion diweddaraf. Ond er y darlun mwy organig ac esblygol yma, erys agwedd gymdeithasol y gyfraith fel awgrym o fywyd y Cymry cynnar. Noda Jenkins yn ogystal bwysigrwydd y Gyfraith o safbwynt yr iaith. Fe'i cofnodwyd a'i gweinyddwyd yn y Gymraeg, sydd yn awgrymu pa mor ddatblygedig oedd yr iaith yn y cyfnod (pan oedd y Saesneg, er enghraifft, wedi'i diarddel o lysoedd y genedl honno). Cynigai fod y cwlwm yma o iaith a chyfraith yn allweddol o safbwynt cydlyniad y genedl Gymreig.

Ac eto'r prif ddiddordeb i fyfyriwr cyfraith yn ôl Jenkins – a'r meddwl athronyddol, awgrymaf – yw'r cysyniad o Gyfraith Hywel fel *Volksrecht*, sef cyfraith y bobl, neu'r gyfraith genhedlig. Awgryma hanes y gyfraith mai codi o lawr gwlad a wnaeth, yn hytrach na chael ei gorfodi gan awdurdod, a dyma a adlewyrchir gan y cysyniad. Cyferbynnir *Volksrecht* â'r *Kaiserrecht*, sef cyfraith yr ymerawdwr. Yn yr achos hwn cawn y gwrthwyneb, sef y syniad o gyfraith yn cael ei gosod neu ei gorfodi ar y bobl, o dan law'r teyrn.

Yn ôl Jenkins prif amcan *Volksrecht* yw sicrhau cytgord yn y gymdeithas, ac felly'n aml y mae'r pwyslais ar ofyn am iawndal i'r dioddefwr. Mae *Kaiserrecht* ar y llaw arall â'i brif nod mewn cadw trefn, ac felly'n anelu at gosbi'r drwgweithredwr – hyd yn oed pe na bai'r dioddefwr yn derbyn cymorth. Ar sail y rhaniad yma y mae Jenkins yn gwahaniaethu rhwng y gyfraith gyffredin a weinyddwyd yn Lloegr, a phwyslais honno ar gosb, a'r gyfraith genhedlig Gymreig a allai, yn ei dyb ef, fod wedi datblygu i gynrychioli system o gyfraith ar wahân – oni bai am anffawd y Cymry fel cenedl. Yn wir, mae Jenkins yn dadlau fod esblygiad a datblygiad y gyfraith gyffredin Seisnig mewn gwirionedd wedi dilyn llwybr sydd wedi 'dychwelyd at Hywel Dda' yn y ganrif a hanner ddiwethaf, wrth iddi roddi pwyslais ar ddatblygu agweddau mwy soffistigedig ar iawndaliadau yn arbennig.[4]

Y mae'r awgrym hwn o ddychwelyd at Hywel Dda yn ein hatgoffa o un o'r rhagdybiaethau sydd wedi parhau am y Gyfraith, ac sydd efallai'n fwyaf cydnabyddedig yn y gyhoeddfa yng Nghymru, sef ei bod mewn llawer ystyr yn gorff o gyfraith flaengar sydd yn adlewyrchu arwahanrwydd moesol ar ran y Cymry. I ddyfynnu eto erthygl Lloyd, ac estronwr arall, roedd yr Almaenwr Ferdinand Walter yn honni bod '"y Cymry ymhell o flaen pobloedd eraill y Canol Oesoedd" mewn cyfreithiau goleuedig'.[5] Yn sicr, i'r meddwl modern, democrataidd, sydd yn amheus o awdurdodaeth ac yn sensitif i anghenion cyfiawnder cymdeithasol, mae'r cysyniad o *Volksrecht* a'r pwyslais ar gyfiawnder yn hytrach na chosb yn taro rhywun yn fwy cydnaws â'n safbwyntiau ni ar gymdeithas. Mae Jenkins yn awgrymu agweddau eraill penodol sydd yn ategu'r rhagdybiaeth hon, megis y driniaeth gyfartal o blant a anwyd y tu allan i briodas o safbwynt cydnabyddiaeth gyfreithiol ac etifedd-iaeth.

Nid yw yr un mor awyddus â rhai i hyrwyddo'r honiad mwyaf adnabyddus, efallai, am 'flaengarwch' Cyfraith Hywel, sef ei thriniaeth o fenywod;[6] yn sicr roedd yn nodedig wrth roi sylw neilltuol i fenywod, ond materion eiddo sydd fwyaf pwysig – nid menywod fel y cyfryw. Yn hynny o beth, nid yw sylw penodol o anghenraid yn awgrymu agweddau mwy modern neu flaengar. Yn ôl ymadrodd Jenkins, roeddent yn ddinasyddion eilradd, ond efallai yn yr adran gyntaf o'r dosbarth hwnnw, o gymharu â menywod mewn gwledydd eraill oedd yn yr ail adran o'r un dosbarth (er ei fod yn cymryd y cyfle i nodi mai braidd yn y trydydd dosbarth yr oedd merched y bedwaredd ganrif ar bymtheg yn Lloegr!).

Agwedd arall sydd yn ymddangos yn fwy cyfoes i'r meddwl modern yw'r driniaeth ddideimlad a rhesymegol o ysgariad, ac mae hyn yn adlewyrchu tueddiadau seciwlar a'r gwrthwynebiad i ddylanwad yr Eglwys a chyfraith Rufeinig. Wedi dweud hynny, cyfyd awgrym yn y dosraniadau cymhleth a chwbl anymarferol (mewn rhai achosion) o eiddo'r pâr priod gynt nad oedd y gym-deithas ag agweddau mor rhyddfrydol ac ymlacedig at ysgaru.

Mae'r isdestun yn awgrymu ymgais i filwrio yn erbyn tanseilio'r drefn gymdeithasol. Yn yr un modd y mae'r *Volksrecht* yn gyffredinol bwysleisio pwysigrwydd cytgord, mae yna awgrym fan hyn o flaenoriaeth cydlyniad cymdeithasol y tu hwnt i unrhyw ystyriaeth arall.

I'r athronydd gwleidyddol yr hyn sydd efallai fwyaf trawiadol am y Gyfraith yw'r gyfundrefn a ddynodwyd ar gyfer etifeddiaeth, a'r dosbarthiad o dir yn benodol. Yn yr arfer yma ceir yr awgrym cryfaf, mentraf, o'r honiad bod y Cymry yn nodweddiadol flaengar yn eu daliadau cymdeithasol, oherwydd y tueddiad cryf tuag at gydraddoldeb ac amhleidioldeb a awgrymir. Rhaid ei ystyried yng ngolwg y traddodiad amlycach o gyntafenedigaeth (*primogeniture*) a oedd yn trosglwyddo'r holl dir i'r mab hynaf. O'i gymharu â'r system honno mae'r arfer Gymreig (un a arferwyd yn yr Iwerddon yn ogystal) yn nodedig yn yr ymdrech i liniaru'r ar 'ffawd' naturiol, trwy geisio dosbarthiad teg nad oedd yn ddibynnol ar hierarchaeth – o'r brodyr, o leiaf (nid oedd merched yn cael etifeddu tir yn ôl y Gyfraith, ac mae gan R. R. Davies drafodaeth ddifyr o hyn ac agweddau eraill ar y Gyfraith sy'n cwestiynu'r stori draddodiadol am flaengarwch y gyfraith).

O safbwynt y bechgyn, hanfod y broses oedd i'r mab ieuengaf rannu'r tir – ond efe a gawsai'r dewis olaf. Sicrheid felly ddosbarthiad amhleidiol a gweddol gyfartal oherwydd ei fwriad o ddiweddu gyda siâr cystal â'i frodyr, pa un bynnag o'r talpiau o dir oedd yn weddill iddo. I unrhyw athronydd sydd yn gyfarwydd â gwaith yr athronydd gwleidyddol egalitaraidd John Rawls, mae'r gyffelybiaeth yn amlwg. Yn ei waith ef mae'n ceisio arbrawf meddyliol sydd yn sicrhau dosraniad teg o nwyddau'r gymdeithas, gan osod y rhai sydd yn penderfynu ar y dosbarthiad y tu ôl i 'len o anwybodaeth'. Nid oes ganddynt felly wybodaeth o'u lle yn y gymdeithas, a dyma sicrhau nad ydynt yn gallu gogwyddo'r drefn gymdeithasol o'u plaid – yn yr un modd yr oedd anwybodaeth y brawd ifancaf yn ei gymell i greu rhaniad teg o'r tir. O safbwynt Rawls mae'r ymgais hon at amhleidioldeb yn ei ddamcaniaeth yn ganolog i gysyniad egalitaraidd o gyfiawnder y mae'n honni sydd yn ddwfn yn ein gwead cymdeithasol. Mae'r hen arfer Cymreig yn awgrymu yn benodol pa mor ddwfn y mae'r cysyniad yma'n treiddio.

Realaeth Iwtopaidd Glyndŵr a'r Gymru Gymraeg

'[R]emarkable Visionaries'[7] – dyma'r geiriau y mae R. R. Davies yn eu defnyddio i ddisgrifio Glyndŵr a'i gynghorwyr yn ei waith dihafal am y gwrthryfel (y mae'r bennod hon yn dibynnu arno). Fe'i disgrifiwyd yn y termau hyn oherwydd y weledigaeth o Gymru y saernïwyd ganddynt mewn dwy ddogfen – y Cytundeb Tridarn a gyfeiriwyd ati uchod gydag Edward Mortimer a Henry Percy, a Llythyr Pennal, a fyddai'n cynnwys breuddwydion Gruffydd Younge ac yn cyrraedd y Llys Ffrengig yn 1406. Yn wir, mae'r weledigaeth yn un trawiadol, nid llai nac iwtopia Gymreig a Chymraeg a oedd â gwreiddiau nodedig ym mytholeg y Brython- iaid, ac sydd wedi parhau yn y dychymyg Cymreig trwy ein llên a'n gwleidyddiaeth tan yn lled ddiweddar. Yr enghreifftiau sy'n dod i'r meddwl yw Cymru'r dyfodol yn nofel Islwyn Ffowc Elis, *Wythnos yng Nghymru Fydd*, a'r ymgais arwrol go iawn, sef y Wladfa ym Mhatagonia.

Bathwyd y cysyniad o iwtopia gan yr awdur Seisnig Thomas More. Ystyr llythrennol y termau Groeg sydd yn ffurfio'r gair yw 'nid lle'. Mynegir ynddynt y syniad o le dychmygol a fanylir arno'n helaeth, a'i bwrpas yn dibynnu ar eich dehongliad – mae rhai yn ei ystyried yn bennaf fel ffurf o feirniadu'r presennol, ac eraill wedyn yn ei ystyried fel math o lasbrint i'w wireddu. Nid More oedd yr athronydd cyntaf na'r diwethaf i ddefnyddio'r dechneg, wrth gwrs. Gellir ystyried y ddinas gyfiawn a ddychmygir gan Platon yn ei *Wladwriaeth* fel yr enghraifft gyntaf o iwtopia, tra bod y Cymro Robert Owen, mwy na neb efallai, wedi'i gysylltu ag oes aur iwtopia wrth i'r sosialwyr cynnar lunio a gweithredu eu delfrydau ar droad y bedwaredd ganrif ar bymtheg (er eu bod yn gwrthod y term).

Gweledigaeth ymarferol a gynigir yn narlun Platon o ddinas wedi'i chydbwyso gan fasnachwyr, milwyr a'r brenin-athronwyr, ond fe'i seiliwyd ar gysyniad tragwyddol o gyfiawnder a oedd yn ôl athroniaeth Platon yn bodoli ym 'Myd y Ffurfiau'. Dyma realiti uwch neu arall lle y bodola pob cysyniad a gwrthrych ar ei ffurf gyflawn, berffaith. Gwêl rhaniad 'neo-Blatonaidd' ym mytholeg y Celtiaid: byd arall, delfrydol, yn Annwfn, Tir na n-Og neu Ynys

Afallon. Nid anodd yw adnabod tueddiad iwtopaidd yn y chwed-loniaeth Gymreig a oedd yn darogan dychwelyd y Cymry i ryw baradwys nad oedd, mewn gwirionedd, erioed wedi bod.

Ac eto, anghyfiawnder mawr byddai cyhuddo Glyndŵr a'i wŷr o fod yn ddelfrydwyr penchwiban. Yn wir, 'bargeinwyr hirben' sydd yn cyfannu disgrifiad R. R. Davies ohonynt, ac mae'r Cytundeb Tridarn, cefnogaeth y Ffrancod a thelerau Llythyr Pennal yn tystio i hyn. Nid breuddwydwyr oedd y bobl yma yn eu gweledigaeth, ond yn hytrach strategwyr â'u golygon ar y wobr o Gymru Rydd. Yn wir, yn eu hymagwedd fe welir cyfuniad o iwtopiaeth a realaeth wleidyddol sydd yn cydymffurfio â chysyniadau damcaniaethol athroniaeth wleidyddol yr ugeinfed ganrif.

Defnyddia Rawls y cysyniad o 'iwtopiaeth realistig' i ddisgrifio agwedd wleidyddol sydd yn anelu i wthio ffiniau'r hyn sydd yn wleidyddol ymarferol. Yn ôl y safbwynt hwn, dechreuwn gyda delwedd gyraeddadwy trwy ddamcaniaethu am yr hyn sydd yn foesol gydnaws â phosib, ac yna gweithio tuag ati yn y parth gwleidyddol. Ar y llaw arall, roedd E. H. Carr yn ei 'realaeth iwtopaidd' yn gwrthod y syniad o ddechrau trwy ddamcaniaethu, ac yn dadlau mae'r hyn sy'n gywir yw'r hyn sy'n bodoli, a rhaid gwleidydda ar sail y ffeithiau. Ac eto, nid oedd yn ystyried realaeth bur yn dderbyniol nac yn sail i wleidyddiaeth gredadwy. Roedd yn awgrymu'r angen am ddelfrydau ymarferol: nod terfynedig, apêl emosiynol, beirniadaeth foesol, a sail ar gyfer gweithredu.

Y fersiwn hwn ar iwtopiaeth sydd efallai agosaf ati o safbwynt Glyndŵr a'i ddilynwyr. Ni choleddant safbwynt trwyadl moesol o wleidyddiaeth (er bod yna arlliw moesol i'r alwad am 'Gymru Rydd') ac nid oeddent yn gweithredu ar egwyddor o greu cyf-undrefn Ewropeaidd 'gwell' – syniadau a fyddai'n bur amheuthun tan i ddelfrydiaeth yr Ymoleuad dreiddio i'r meddwl gwleidyddol rhyngwladol. Roeddent wedi'u treiddio yn *realpolitik* y cyfnod, ond eto roedd ei weledigaeth yn awgrymu'r union bethau mae Carr yn argymell: y nod terfynedig o Gymru annibynnol, Gymraeg; apêl boblogaidd, emosiynol trwy fytholeg ac ymdeimlad cenedlaetholgar wedi'i borthi trwy ormes y Sais; beirniadaeth foesol o'r gyfundrefn honno; y gobaith o ryddid a'r cyfle i adfer eu bywydau diwylliannol a chrefyddol fel sail gref ar gyfer gweithredu.

Athrylith y bobl yma oedd cynnig hyn oll trwy syniadau a oedd yn cyfuno ac unioni'r gorffennol, y presennol a'r dyfodol. Oherwydd prinder hanes gwleidyddol Cymru o ran sefydliadau, roedd ymwybyddiaeth wleidyddol yn dibynnu ar yr hen chwedlau a oedd yn bwysicach i'r Cymry na phobloedd eraill. Roeddent yn cynnal y gwrthryfel a'r angerdd yn y presennol, yn arbennig trwy ganu'r beirdd a chymeriadu Glyndŵr fel y mab darogan. Yn yr un modd roedd y proffwydoliaethau yn gosod cynsail cryf ar gyfer y weledigaeth o'r dyfodol, gan gynnig ffydd a phwrpas. Trosiad diddorol R. R. Davies yw eu cymharu â pholau piniwn ein hoes ni, yn eu pwysigrwydd a'u dylanwad ar weithredu gwleidyddol (ac o gofio'r etholiad diweddaraf, dilys yw nodi pa mor fregus yw'r dulliau cyfoes o geisio darllen yr arwyddion). Nid oes cymaint wedi newid o safbwynt pwysigrwydd adroddiant a chwedl ar hynt a helynt gwleidyddiaeth.

O safbwynt gwerthoedd neu foesoldeb mae yna elfennau sydd ymhlyg ym mwriad a ffydd y prosiect cenedlaethol yma ac mae agweddau athronyddol diddorol iddynt. Yn benodol mae modd awgrymu bod yna wrthodiad o'r traddodiad Awstinaidd yn yr ymgais i wireddu teyrnas neu 'wladwriaeth' Gymreig, yn enwedig yn y ddibyniaeth ar chwedloniaeth. O safbwynt Awstin, gorwedda dilysrwydd y wladwriaeth yn Nuw a'r syniad iddo ddirprwyo ei awdurdod iddi, i reoli'r meidrol. Yn ôl y safbwynt yma byddai modd dehongli anffawd gynt y Brythoniaid a'u hanallu i sefydlu eu hunain mewn un gyfundrefn yn ddedfryd ddwyfol.

Nid yn unig oedd y Cymry yn herio'r ddedfryd hwn, ond roedd Glyndŵr yn gwneud hynny trwy apelio at fytholeg ôl-baganaidd. Roedd yn ddigon hapus, wrth gwrs, i hawlio 'Gras Duw', ond nid yw dehongliad llym o athroniaeth wleidyddol Awstin yn awgrymu y byddai Duw am gynnig gras i arweinydd cenedl syrthiedig a oedd yn gosod ei ffydd mewn hen chwedlau. Yn wir, roedd prosiect Glyndŵr yn pontio'r safbwynt Cristnogol a'r math o athroniaeth wleidyddol seciwlar a goleddwyd gan Machiavelli. Roedd hwnnw, yn ysbryd y Dadeni, am ddathlu gallu a mawredd dynol, a mynegi llwyddiant gwleidyddol nid fel mynegiant o ewyllys Duw ond yn hytrach medr, glewder a chyfrwystra'r gwleidydd yn wyneb ffawd.

Yn olaf mae gwerth mewn cyffwrdd ar agwedd ar genedlaetholdeb Glyndŵr sydd yn parhau'n fater o bwys mawr yn y drafodaeth am y cenedlaetholdeb Cymreig cyfoes, a hwnnw yw'r agwedd 'genhedlig' honedig sy'n perthyn iddo. Cysylltir y cysyniad hwn yn aml â gwladwriaethau sydd wedi'u seilio ar genhedloedd cyntafol (*primordial*) ac elfennau o hunaniaeth hanesyddol – hynny yw pobloedd fel y Cymry a oedd yn bodoli fel endid cenedlaethol cyn dyfodiad y wladwriaeth fodern. Fe'i gwrthgyferbynnir â'r cysyniad 'dinesig' sydd ynghlwm wrth y wladwriaeth gyfoes, a sail y genedl yn gorwedd yn y sefydliadau a'r hawliau maent yn eu hamddiffyn.

Fel yr awgrymir gan Weiler, daeth y syniadau o genedl a hunaniaeth gyfunol yn gynnar i'r Cymry, hyd yn oed os nad oedd yr 'ymdeimlad' yno i'w cynnal ar ffurf teyrnas gyfunol dros amser. Y glud 'cenhedlig' amlwg oedd yr iaith, a gefnogwyd gan ymwybyddiaeth hanesyddol gref wedi'i seilio ar eu profiad a chwedloniaeth. Yr hyn a welir yn y weledigaeth oedd ymgais i wneud yr hunaniaeth hon yn rhan annatod o'r wladwriaeth newydd, yn benodol yn achos y cysyniad o'r Eglwys Gymreig. Yr iaith fyddai'r arf i esgymuno'r Sais o'r gyfundrefn grefyddol a gwladwriaethol.

Dyma'r math o agwedd ar genedlaetholdeb Cymreig mae ei wrthwynebwyr yn ceisio awgrymu am ei ffurf gyfoes – agwedd sydd wedi codi ei pen o dro i dro gyda'r bygythiad honedig o Gymru annibynnol wedi ei rhedeg gan y Cymry Cymraeg, er budd y Cymry Cymraeg, chwedl Simon Brooks. Anwybydda'r fath ddehongliad y modd y mae agweddau cenhedlig yn rhan ganolog o wead unrhyw wladwriaeth, a bod y cysyniad o genedlaetholdeb dinesig pur mewn gwirionedd yn rhith (mae'r cysyniad o genedlaetholdeb Prydeinig yn ymarferol gysylltiedig â'r iaith Saesneg, wrth gwrs). Yn ddyfnach, fodd bynnag, mae'r cwestiwn ynglŷn â pha mor genhedlig yw iaith mewn gwirionedd. Oherwydd nid yw iaith megis hil neu waed – yn yr ystyr nid yw'n nodwedd sydd yn anghyfnewid. Yn y pen draw nid yw'n elfen o hunaniaeth sydd yn dieithrio yn yr un modd diamheuol, parhaol, oherwydd mae'n bosib dysgu iaith, ond nid yw'n bosib newid hil. Heddiw mae'n gymorth i feirniaid cenedlaetholdeb Cymreig honni fod yr athroniaeth yma am eithrio yn yr union fodd yr oedd Glyndŵr am ei wneud. Mewn egwyddor, fodd bynnag, mae cenedlaetholdeb Cymreig sy'n mynnu lle canolog i'r Gymraeg yn un sy'n agored i bawb, cyhyd â'u bod yn fodlon dysgu, neu o leiaf gefnogi a chydnabod yr iaith fel rhan o ddinasyddiaeth Gymreig.

Darllen Pellach

D. Myrddin Lloyd, 1950. 'Meddwl Cymru yn y Canol Oesoedd' *Efrydiau Athronyddol*, 13, 3–18.

John Davies, 1992. *Hanes Cymru* (London: Penguin).

R. R. Davies, 1992. 'The status of women and the practice of marriage in late-medieval Wales', yn *The Welsh Law of Women*, gol. Dafydd Jenkins a Morfydd Owen (Caerdydd: Gwasg Prifysgol Cymru), tt. 93–114.

R. R. Davies, 1995. 'The programme', yn R. R. Davies, *The Revolt of Owain Glyndŵr* (Oxford: Oxford University Press), tt. 153–73.

Paul Fouracre, 2001. 'Space, culture and kingdoms in early medieval Europe', yn Peter Linehan a Janet L. Nelson (goln), *The Medieval World* (London: Routledge), tt. 366–80.

Dafydd Jenkins, 1977. 'The significance of the Law of Hywel', *Trafodion Anrhydeddus Gymdeithas y Cymmrodorion*, 54–76.

Björn Weiler, 2006. 'Politics', yn Daniel Power (gol.), *The Central Middle Ages: Europe 950–1320* (Oxford: Oxford University Press), tt. 91–120.

Gwyn Alf Williams, 1961. 'Twf hanesyddol y syniad o genedl yng Nghymru', *Efrydiau Athronyddol*, 24, 18–30.

http://cyfraith-hywel.cymru.ac.uk/cy/index.php

4

Y Da, y Duwiol a'r Gwleidyddol
Richard Price (1723–1791)

Portread o Richard Price gan Benjamin West, 1784

Llundain, 1791

Eistedda ddynes hawddgar ei golwg mewn coets, yn sgerbydu mynd lawr heol y *Green Poets*. Awgryma ei hwyneb gyflwr o feddwl a oedd yn pendilio rhwng pensyniol a phryderus. Dyma daith roedd hi'n hen arfer â hi, ond roedd y teimlad o gyffro a oedd yn cydio ynddi fel arfer yn gymysg heddiw â theimladau o dristwch ac ofn ynghylch yr hyn a oedd yn aros amdani. Wrth i'r goets arafu edrychodd allan o'r ffenest i weld yr hen olygfa groesawgar, a hanner gwên yn cyffwrdd â'i gwefusau wrth i'r teimlad o gyrraedd gartref ei chofleidio. Nid bod y darn bach yma o Lundain yn fwy o gartref iddi nag unman arall, ond o'r holl leoedd iddi dreulio amser, dyma'r lle iddi deimlo fwyaf cyfforddus a hapus yn ei hun. Roedd y ton pentref twt wedi'i amgylchynu ag adeiladau hardd, a'r un pwysicaf ohonynt i gyd, Capel Undodwyr Newington Green, yn sefyll yn y gornel, fel petai'n cadw golwg ar y gymuned fach glòs. Ac yno'n aros amdani oedd y gŵr hwnnw a fuodd mor elfennol i'w chysylltiad hi â'r ardal.

Roedd y profiad o ymweld unwaith eto – a hithau'n amau mai dyma'r tro olaf y byddai'n ei weld – yn dwyn i gof y tro cyntaf iddynt gwrdd pan oedd hi'n fenyw nid ymhell dros ei hugain oed. Bron iddi deimlo'r un cyfuniad rhyfedd yna o anghrediniaeth ac edmygedd a chydiodd ynddi pan glywodd hi'r pregethwr wrth ei waith y diwrnod hwnnw. Byth cynt na wedyn y cwrddodd hi â rhywun mor ddiffuant, mor bendant ei ffydd a'i syniadau, fel pe bai pob gair a phob symudiad ei gorff wedi'i feddiannu gan ei weledigaeth. Nid bod y gŵr yn edrych yn gyfforddus yn ei gynefin naturiol ar y pulpud, ond nid oedd dwywaith mai dyna lle'r oedd i fod, megis i'r Bod Mawr ei osod yno a'i orfodi i rannu ei ysbryd-oliaeth. Ychydig iawn o bobl, dynion yn arbennig, oedd yn ennyn edmygedd a ffydd y fenyw hon, ond buasai Dr Price yn ysbrydol-iaeth a'n ffynhonnell o gadernid trwy gydol ei hoes. Er iddo fod yn hen ŵr pan gwrddodd y ddau yn y lle cyntaf – ac er ei bod hi'n teimlo ei fod yn ei hanfod o fyd arall, mwy ceidwadol, Piwritan-aidd ei natur – roedd y gwahaniaethau amgylchiadol yma wedi'u trosgynnu gan y cariad yn eu calonnau a'r tân yn eu boliau.

'Rydym wedi cyrraedd Miss,' ebe gyrrwr y goets, wrth iddo ddisgyn o'r sedd ac agor y drws iddi.

'Capel Newington Green'.

'Rwy'n gwybod lle'r wyf i, diolch' meddai, gan hanner dwrdio, hanner gwenu.

'Da iawn, Miss,' meddai'r dyn, wedi'i ddrysu rhyw ychydig.

'Ac am y canfed tro, galwa fi'n Mary, wnei di?'

Cerddodd ar ei hunion i fyny grisiau'r capel a gwthio cil y drws yn agored. Yno yn y côr cyntaf gwelai ffurf eiddil ei chyfaill, wedi crymanu gymaint gan ei henaint nes iddo ymddangos ei fod ar fin ymhoelyd.

'A, fy mechan i, sut wyt?', gofynnodd, wrth droi o'i amgylch, a'r wyneb nobl wedi'i grychu gan henaint, a'r llygaid wedi pylu gan salwch. Aeth hi ato mor gyflym ag y medrai a'i gofleidio'n gyfan.

'Y gorau all rhywun ddisgwyl, o feddwl bod fy nghalon yn torri i'ch gweld chi fel hyn. Fe ddylech chi fod wedi aros gartref yn hytrach na chwrdd â mi fan hyn.'

'Dere nawr, cariad bach, roeddwn i am weld yr hen le unwaith eto, ac rwyt ti'n gwybod yn iawn nad oes angen cydymdeimlad na thosturi arna i. Rwyf wedi cael bywyd llawn cariad a hyfrydwch, wedi bod yn ffodus yn fy nheulu a'm cyfeillion, ac wedi cael hen ddigon o gyfle i wneud gwaith Duw a byw bywyd gorau y gallwn. A nawr, wel nawr rwyf yn teimlo fy hunan yn agosáu at Dduw pob dydd.'

'Rwy'n falch gwybod bod eich ffydd mor bendant ag erioed, felly.'

'Yn gryfach fyth, fy mhlentyn, yn gryfach fyth. A pha newyddion o'r byd meidrol? A yw chwyldro ein cyfeillion ar draws y lli yn parhau?'

'Mae Mirabeau newydd ei ethol yn llywydd ar y cynulliad.'

'A, y creadur yna. Dyn sydd wedi cael tröedigaeth i gystadlu ag Awstin Sant ei hun, rwyf ar ddeall. Gallwn ni ddim ond gobeithio fod ganddo'r un dycnwch a phendantrwydd – mi fydd ei angen arno.'

'Ydy, mae Ffrainc yn frith o elynion blaengarwch, cynnydd a rheswm, ond nid ydynt yn eithriad yn hynny o beth.'

'Nid oes raid iti f'atgoffa o hynny, mechan i,' ymatebodd, gan gilwenu. 'Mae'r Anrhydeddus Edmund Burke, a'r ymateb i'w fyfyrdodau ar y chwyldro yn dangos inni'n ddigon plaen bod nerthoedd adweithiol yn parhau i ddal eu gafael ar y wlad hon. Rwyf yn methu dirnad pam mae pobl yn mynnu cadw gafael ar yr holl gredoau pendefigaidd yma o oes a fu, sydd yn llesteirio ein llwybr tuag at y mileniwm newydd. Beth sydd i'w ddathlu mewn traddodiad sydd yn sathru ar ben hawliau'r mwyafrif? Ond dyna ni, efallai roedd fy nhraethawd innau yn rhy feiddgar, yn ormod i chwaeth syber y mwyafrif. Roeddwn yn rhagweld yr adlach, mewn gwirionedd.'

'A phob parch, rhy wylaidd oeddech i'm tyb i, yn awgrymu diwygio'r frenhiniaeth, a chydymdeimlo â'u traddodiad. Rhaid inni ddienyddio'r bendefigaeth a gadael y gweddill i'w ffawd.'

'Nawrte, mechan i, rhaid iti beidio â bod yn anghristnogol. Rhaid osgoi trais. Yn fy oriau mwyaf tywyll rwy'n rhagweld sgileffeithiau trychinebus i'r Chwyldro Ffrengig wedi'i drochi mewn gwaed. Ond dyna ni, rhaid peidio mynd o flaen gofid. Sut mae dy waith wedi'i dderbyn erbyn hyn, gyda llaw? A gafwyd adlach debyg? Roeddet yn rhy garedig o lawer yn dy amddiffyniad ohona i.'

'Wel, roeddwn i'n methu ymateb i'r cnaf Burke heb wneud hynny, nad oeddwn? Os oedd ef am geisio tanseilio fy nghyfaill mynwesol – ac yn bwysicach, yr holl egwyddorion aruchel rydych yn sefyll drostynt – rhaid oedd gwneud yr un peth iddo ef. Nid fy mod wedi ennyn rhyw lawer o sylw o sylwedd. Nid yw'n hawdd cael gwrandawiad, ond yn fwy na hynny nid oes yna ddealltwriaeth gyflawn o'r hyn roeddwn yn ei ddadlau.'

'Sut felly?', gofynnodd ei chyfaill.

'Mae Burke yn cysylltu'r hyn sy'n arddunol (*sublime*) â chryfder a grymuster gwrywaidd, ond yr holl amser yn trin ei gynulleidfa, y bobl, fel yr hyn y mae'n ei ystyried yn ferchetaidd, gwan ac eiddil, gyda'i iaith flodeuog a'i ddarluniau prydferth. Ystyried menywod a wna fel endidau goddefol, er ei fod yn hapus i arddel cymdeithas oddefol trwy drin y dinasyddion yn ôl ei ragfarnau. Ond nid oes gennym ni fenywod "natur" oddefol, mwy nag sydd gan ddynion o'r dosbarthiadau is – triniaeth y bendefigaeth ohonom sydd wedi ein *creu* felly, a'u gweision diflas fel Burke yn cyfiawnhau pob gweithred. Mae gennym y gallu oll, a'r ddyletswydd, i fod yn ddinasyddion cydwybodol sydd yn gorfodi'r llywodraeth i roddi cyfrif am ei gweithredoedd – fel y dadleuoch chithau yn eich ysgrif. Na, dymchwel y drefn sydd ei angen, nid ei diwygio.'

'Efallai dy fod yn iawn, mechan i. Amser a ddengys, ond gwell gennyf gynnig apêl i'r goleuni yna sydd yn llechu hyd yn oed yn y galon dduaf, cyn dod i'r casgliad hwnnw. Do, fe ddarllenais dy waith yn drwyadl, a rhaid imi dy longyfarch. Rwyt yn llwyddo i danseilio Burke mewn modd hynod wreiddiol ac athrylithgar. Dichon dy fod yn iawn nad oes cynulleidfa eang sy'n barod i wrando – rhaid imi gyfaddef bod y myfyrio a'r rhesymu yn anodd imi yn y lle cyntaf. Ond dyna lendid safbwynt benywaidd ar y materion yma.

Rhaid imi gyfaddef, rwyf wedi bod yn ddall iddo ar hyd y blynyddoedd, ac wedi gweld y pynciau ac achosion gwleidyddion yn unig o bersbectif y rhwystrau rwyf innau wedi'u hwynebu fel Undodwr ac anghydffurfiwr. Wyddwn i ddim y gallai ormes fenywaidd daflu'r fath oleuni ar ein cyflwr, a dangos mewn modd mor llachar sut y mae strwythurau ein cymdeithas yn llethu rhai. Wn i ddim, efallai fod blynyddoedd o ofal am yr un fenyw roeddwn i yn ei charu mwy na neb wedi lliwio fy safbwynt arnoch chi, a fy nallu i'ch medrau a'ch gallu i weithredu.'

'Peidiwch â bod mor feirniadol ohonoch chi'ch hunan. Wyddoch chi, ni fyddai'r un o'r geiriau yna wedi bod yn bosib heb eich ysbrydoliaeth chi, eich taeru dros hawliau'r unigolyn a'ch ffydd yn y natur ddynol. Siarad â phob un ohonom roeddech chi'n ei wneud, a dyna'r weledigaeth a roddais ar ben ffordd. Nid ymdrech un person yw gosod dynoliaeth ar y llwybr i iachawdwriaeth – fe wyddoch chi hynny'n fwy na neb.'

'Mary Wollstonecraft,' meddai, gan syllu i fyw ei llygad, 'rwyt ti'n rhy garedig o lawer. Rhy garedig o lawer.' Gorweddai yn ôl am ysbaid, yn llyncu'r aer ac yn gwingo dan boen. Roedd hi'n amau am funud na fyddai'n dwyn ei hun yn ôl i'r sgwrs, ond yn sydyn ddigon dyma'r nerth yn ei gydio o rywle ac ymlaen ag ef â'r un egni ag erioed.

'Wrth gwrs mae rhywun yn gweld ôl dinistriol gwleidyddiaeth wrywaidd, gystadleuol yn y rhyfela di-baid sy'n llethu ein gwareiddiad, ac fe fydd rhaid i'r Ffrancod gochel rhag hynny. Mi fydd eu cymdogion yn rhwym o geisio eu tanseilio rhag rhwystro'r chwyldro ymledu. A'r ffordd amlwg o wneud hynny yw trwy godi arfau, yn anffodus. Ymateb naturiol yr hen drefn, sydd yn ofni newid am eu bywydau!'

Llwnc mawr arall o aer, ac ymlaen ag ef:

'Wrth gwrs, nid oes yna fodd iddynt sefyll yn llwybr cynnydd a rheswm yn y pen draw. Gwamalu maent yn erbyn rhagluniaeth. Fe ddaw'r dydd pan fydd gwledydd y byd wedi'u rheoli nid gan rym a thraddodiad ond rheswm a moeseg.'

'A sut fyd fydd hwnnw, dywed?'

'Wel, byd lle y bydd heddwch yn teyrnasu, yn un peth. Mae arnom angen cyfundrefn ryngwladol sydd yn ymdebygu i'r hyn sydd ganddynt yn yr Unol Daleithiau, lle mae gwledydd yn gweithio ar y cyd a chyda berthynas cyfartal i sicrhau trefn ac nid anhrefn. Nid cystadleuaeth ddylai fod yn sail i'r berthynas rhyngom, ond yn hytrach cydweithio. Rhaid inni sylweddoli na ddaw unrhyw ddaioni o barhau mewn byd lle mae gwledydd yn ceisio achub mantais ar ei gilydd trwy'r amser. Ond fe ddaw hynny'n wir ddim ond os yw'r gwledydd eu hunain yn diwygio mewn modd sylfaenol.'

'Wn i ddim,' meddai ei ddisgybl, a'i hamheuaeth yn amlwg yn ei llais. 'Weithiau rwy'n teimlo nad yw ffolineb dyn yn caniatáu'r fath ddiwygiad yn ein byd.'

'Rhaid iti beidio â digalonni gormod, mechan i, a chofio ein bod ni wedi dod ymhell ers y ganrif ddiwethaf yn y wlad hon. I gwestiynu'r posibilrwydd o welliant, wel mae rhywun yn cwestiynu'r pwrpas o fod ar y ddaear hon. Mae'n bosib, ond mae'n rhaid inni yn y lle cyntaf roi ein ffwlbri a'n balchder i'r naill ochr a rhoi'r gorau i ddiffygion ein gwladgarwch. Nid oes unrhyw beth sydd yn fwy dinistriol i fywyd dynol na'r gred ar ran pobl eu bod yn naturiol ragorach nag eraill. Ac ar ba sail y mae pobl yn cynnig y fath syniad? Yr un ffwlbri a chulni sydd yn dwyn perswâd ar unigolion eu bod yn rhagorach nac eraill. Ond fe fydd y dyn doeth yn gwarchod yn erbyn gwerthfawrogi gwlad ei hun mewn modd un-llygeidiog, ac yn cydnabod bod gwledydd eraill lawn mor haeddiannol o'i barch a'i edmygedd.

Ac nid yw'r parch a'r edmygedd yma yn eu tro yn mennu dim ar y cariad a'r ddyletswydd sydd ganddo i'w wlad ei hun. Ond nid yw cariad at eich gwlad yn gorfodi amarch neu elyniaeth ar eraill. Trychineb ein trefn ryngwladol yw mynegiant gwladgarwch trwy ddinistr eraill, ond pa fath o gariad yw hwn, lle mae'r ym-deimlad sydd yn uno pobl y wlad yn ddim gwell na'r egwyddor sydd yn cadw criw o ladron ynghyd?'

'Gwn yn iawn yr hyn rwyt ar fin ei ddweud. Ond onid oes angen rhywbeth i borthi'r cariad hwn, i bobl o gig a gwaed?'

'Dyna'r union agwedd sydd yn tanseilio'r gobaith o gyfundrefn deg a heddychlon, ac fe wyddost ti hynny. Dyna pam rwyf wedi sôn droeon nad yr agweddau emosiynol, traddodiadol sydd i fod yn gynsail i'n gwladgarwch, neu mae'r cymhellion sy'n gyrru gwleidyddiaeth yn mynd i fod yn rhai anwadal, afreolus. Os ydym am sicrhau mai rheswm a moesoldeb sydd wrth y llyw, rhaid inni neilltuo gwladgarwch o syniadau megis ymrwymiad i'r tir a thraddodiad, a chanolbwyntio yn eu lle ar yr hyn sydd yn sicrhau bod ein gwlad yn ein hamddiffyn fel unigolion. Y gymdeithas rydym yn rhan ohoni, y sefydliadau sydd yn gynsail i'n cyfreithiau a'n hawliau, dyma'r elfennau sydd yn haeddu ein gwerthfawrogiad a'n cariad oherwydd rhain yn y pen draw sy'n sicrhau ein rhyddid ac yn rhoi modd inni fyw bywyd rhinweddol.'

Atebodd hithau, heb fod yn gwbl ddiamheuol: 'Felly mae ein traddodiadau pwysig, coethder ein diwylliant a'n hiaith, a chrefydd ein cenedl oll yn ddiwerth o'u cymharu? Os felly, llawn ddeallaf sut y mae modd i wladgarwch fod yn ddiymhongar, heb elfen o ymffrost, oherwydd yr union bethau yna rydych chi'n eu clodfori yw'r union bethau a all fod yn wir ymhob un gwlad.'

'Rwy'n falch dy fod yn dal pen rheswm! Ac ystyria di hynny o safbwynt ein gwlad ni. Beth yw gwladgarwch wedi'i wreiddio mewn traddodiad a hanes ond ymlyniad wrth y bendefigaeth a'r Eglwys a'r ffordd o fyw y mae Burke a'i debyg am inni ei gwarchod. Nid yw hynny'n fath o wlad y mae modd i'r boblogaeth gyffredinol ei charu, na chwaith yn lle y mae modd iddynt ffynnu. Mae'r ddau ohonom yn gwybod sut y mae'r ymlyniad yma'n effeithio arnom ni'r anghydffurfwyr, lle nad oes modd inni fyw bywydau llawn fel dinasyddion oherwydd cyfraith sy'n ein hystyried yn eilradd, am nad ydym yn ymlynu wrth yr hyn sy'n cael ei ystyried yn llawn 'Brydeinig'. Os caf ddweud gair bach am fy nghydwladwyr yn

ogystal, a'r Albanwyr a'r Gwyddelod – nid oes yna lawer o le i'w
diwylliant a'u hiaith mewn cysyniad o wladgarwch sydd wedi'i
greu o gwmpas hanes Lloegr. Na, mae rheswm, a chyfiawnder o
fewn ein gwlad yn mynnu gwladgarwch sydd iddi olygon cyfredol,
cymdeithasol yn unig.'

'Onid wyt yn teimlo ar brydiau dy fod yn gofyn gormod o bobl
iddynt roi o'r neilltu yr hyn y maent wedi eu trwytho ynddi?'

'Nid wyf am eiliad yn awgrymu mai peth hawdd yw gwneud eich
dyletswydd i'ch gwlad neu at Dduw – nid wyf, bid siŵr. A digon
posib nad yw'r ddelfryd o fewn cyrraedd nifer. Ond eto pan rwyt
yn ystyried yr addysgedig, y bobl sydd â'r dylanwad a'r grym yn
y wlad hon, yna rhaid derbyn bod y newid o fewn cyrraedd ein
cymdeithas os ydym yn dangos yr ewyllys. Hybu prif fendithion ein
natur yw pwrpas y gyfundrefn, a dim ond bod y drefn honno'n cael
ei chyfeirio'n gywir, yna mae modd dychmygu poblogaeth well.

Yn gyntaf oll, mae'n rhaid sicrhau bod gwybodaeth bobl mor
gyflawn â phosib, a bod gwirionedd o fewn eu gafael, gan mai'r
gwirionedd a dealltwriaeth o'r byd sydd yn caniatáu iddynt oleuni
o'u hamgylchiadau a'r hyn sy'n ofynnol. Ni ddylid am eiliad
feddwl mai peth gwell yw cadw'r bobl yn y tywyllwch gan gadw'r
gwir rhagddynt, oherwydd nid felly y bydd rhinwedd na rhyddid
na hapusrwydd yn lledaenu. Mae unrhyw gyfyngiadau ar y wasg
neu gyfarwyddyd am y Beibl i'w beirniadu, ac mae cadw pobl
rhag y gwirionedd yn rhwym o fagu rhagfarn, anoddefgarwch ac
erledigaeth – a chefnogi teyrn.

Mae'r gwirionedd yn hollbwysig hefyd o safbwynt hybu un arall
o fendithion dynolryw, sef rhinwedd. Heb y gwirionedd, amhosib
ydyw byw bywyd yn ôl gorchymyn ein hiachawdwr a gwireddu'r
hyn sy'n ofynnol ohonom. Nid yw'n ddigonol i ddilyn yr hyn sy'n
cael ei ddatgan gan grefydd sefydledig, oherwydd yn aml iawn,
gwaetha'r modd, fe'i seilir ar gamsyniadau neu ymgais bwrpasol
i gadw pobl mewn cyflwr truenus ac anwybodus. Yn wir, dyrchaf-
edig yw'r sawl sydd yn fodlon gwrthwynebu'r addoliad a bennwyd
gan yr awdurdod cyhoeddus, os yw hwnnw'n gyfeiliornus, ac fe
wnânt gymwynas a'r gymdeithas gyfan.

Ac wrth gwrs y fendith fwyaf sydd gennym a ddylai fod yn
nod i'n gwladgarwch yw rhyddid. Os yw'r wlad yn un sydd yn

wybodus ac yn rhinweddol yna rhaid wrth ryddid – heb y fendith hon nid oes gobaith i'r gwirionedd ledu nac i rinwedd ffynnu. Yn wir, rhyddid yw llinyn mesur pob cymdeithas – po fwyaf sydd yn bodoli, po fwyaf yw ffyniant, hapusrwydd a rhinweddau'r gymdeithas honno.'

'Felly rhyddid, rhinwedd a'r gwirionedd yw'r agweddau hynny rydym yn ceisio'u hybu yn ein gwlad os ydym am ddangos gwir gariad at y wlad honno. Deallaf hynny. Ond nid y mwyafrif sydd â'r gallu na'r dylanwad i gyflawni hyn yn eu bywydau pob dydd, 'does bosib?'
'Rwyt ti'n iawn yn hynny o beth, mae'n siŵr, Mary. Rwyt eisoes wedi sôn sut y mae strwythurau ein cymdeithas yn arfogi rhai a thanseilio eraill. Ond mae yna rai dyletswyddau y mae'n bosib i bob un ohonom ufuddhau. A'r un pwysicaf ohonynt yw'r ddylet-swydd tuag at ddeddfau a llywodraethwyr ein gwlad.
    Ymddengys yn annhebygol, efallai, fy mod i o bawb yn arddel ufudd-dod o'r fath, ond rhaid inni gofio'r hyn y mae deddfau a llywodraethwyr yn cynrychioli. Maent yn fynegiant o'r cytundeb yna sydd ymhlyg yn ein cymdeithas ddinesig. Mae llywodraeth gwlad yn sefydliad a grëwyd gan y gymuned i warchod ein budd-iannau a sicrhau ein rhyddid, ac felly mae parch tuag ati yn ddim byd llai na mynegiant o barch at ein cymuned. Ac ymestyn y mae'r egwyddor hon i uchelfannau'r llywodraeth, yn bennaf oll at y frenhiniaeth. Felly, pan fynegwn ein hufudd-dod i'n mawrhydi, nid mawrhydi'r brenin rydym yn cyfeirio ato, ond yn hytrach mawrhydi'r gymuned honno y mae ef yn bennaf was iddi.'
'Ha!', meddai ei gyfaill yn wên o glust i glust. 'Ni allaf glywed na darllen y llinell honno ddigon o weithiau. Mae'r frenhiniaeth bron yn dderbyniol gyda'r fath ystyr! Ond nid y mwyafrif sydd yn deall sefyllfa'r brenin felly, yn anffodus. I Burke a'i debyg, yno y mae yn ôl ewyllys Duw, ac fel etifedd i'r traddodiad hierarchaidd a greodd y wlad hon ac sydd angen ei chynnal. Nid ydym yn ei pharchu, nac yn ei chwestiynu, am y rhesymau priodol.'
'Gwn, mechan i, gwn hynny yn fwy na neb. Ond dyna pam mae rhyddid, gwybodaeth a rhinwedd mor bwysig. Ac yn y pen draw

wrth ddeall gwir natur ei statws sylweddolwn hefyd pa mor fregus yw ei sefyllfa. Oherwydd cymaint mae'n ddyletswydd i'w ufudd-hau, yr un mor bwysig ydyw bod yn anufudd pan nad yw'r brenin neu'r llywodraethwyr yn cyflawni eu dyletswydd, a sicrhau bod y cytundeb cymdeithasol yn gweithredu er buddiannau a rhyddid y bobl. Drygioni a dirmyg yw peidio â chefnogi'r llywodraeth yn ei gwaith, ond amharch a drygioni ydyw i'r un graddau, pan fo'r bobl yn ildio i elynion mewnol y gymdeithas sydd yn deisyfu grym mwy na dim byd arall.'

'Dyma weledigaeth radical a chyffrous – bod gan y bobl yr hawl i ddisodli'r brenin.'

'Radical mewn un ystyr, efallai, ond rhaid inni gofio mai dyma'r llwybr rydym wedi bod arni ers canrif bellach, a'r athronydd enwog John Locke wedi'i lunio'n barod. Nid wyf yn arddel cysyniad traddodiadol o wladgarwch wedi'i wreiddio mewn hanes faeth, chwedloniaeth, hunaniaeth neu'r holl ofergoeledd oedd yn cymer-iadu gwledydd gynt. Ond eto ni ddylid anwybyddu hanes, ac ystyriwn yr hyn sy'n nodweddu ein tueddiadiad hanesyddol diweddar. Lledaeniad rheswm, ehangu rhyddfreiniau, cryfhau hawliau – dyna ein hanes diweddar ni, ac fe'n rhoddwyd ar ben ffordd tuag at y mileniwm newydd gan y chwyldro gogoneddus.

Felly, nid oes unrhyw beth newydd yn yr hyn rwyf yn ei bwys-leisio, yn hytrach ein hatgoffa wyf o'r trywydd rydym eisoes arno. Rhyddid cydwybod, yr hawl i wrthsefyll grym a gamddefnyddir, a'r hawl i ddewis ein llywodraethwyr a'u diswyddo – dyna dair egwyddor y chwyldro hwnnw a dyna'r gwerthoedd y mae'r Ffrancod yn eu dyrchafu. Rhaid inni gofleidio a mynwesu'r union werthoedd yna – ond nid oes angen chwyldro arnom. Pe baem yn dechrau ar y gwaith trwy ddymchwel ddeddfau'r prawf sydd yn milwrio yn erbyn ni'r anghydffurfwyr, ac yn ehangu'r etholfraint y tu hwnt i'r cyfyngiadau sydd arni, buasai'n rhyddhau grymoedd blaengar ein cymdeithas a chymell naid sylweddol ymlaen.'

Disgleiria llygaid yr hen wron a oedd erbyn hyn yn eistedd yn unionsyth ar y sedd, bron pe bai'n pregethu ohoni. Aflonydda gydwybod y ddynes ifanc a oedd yn rhy ymwybodol o'i gyflwr bregus ac yn poeni ei bod yn gwneud mwy o ddrwg na drygioni.

'Eisteddwch yn eich ôl nawr, Richard, peidiwch â chyffroi gormod. Fy mai i yw hyn am godi'r pynciau yma a thrafod â chi. Dylwn wybod yn well.' Ond yn hytrach na'i ddistewi, roedd wedi llwyddo i'w gyffroi yn fwy.

'Paid â bermoni wir – dwi erioed wedi clywed y fath ffragots a fframwndws! Dyma'r gorau rydw i wedi'i deimlo ers dyddiau. Os ydw i am gyfri gweddill fy nyddiau yn y cyflwr melltigedig hwn, gwell fy mod yn gwneud hynny yn trin a thrafod syniadau o'r mwyaf yn hytrach na chyfri'r dyddiau!'

Dychwelodd Mary i'r testun blaenorol ar amrantiad.

'Dyna ni, dyna ni. A gaf i ddweud, felly, gymaint rwyf yn cytuno â chi ac yn edmygu eich barn ar wleidyddiaeth, ond mae'n fy nharo eich bod yn gofyn tipyn o'r person arferol. Hynny yw, bron yn amhosib ydyw osgoi gwleidyddiaeth yn ôl eich dehongliad chi, gan mai mater personol, moesol a beichus ydyw i bob un ohonom. Rhaid inni gymryd ein cyfrifoldebau o ddifri, gwneud ein dyletswydd, dwyn ein harweinwyr i gyfrif a bod yn wyliadwrus o'r hyn sydd yn digwydd trwy'r adeg.'

'Wel, oes siŵr, a beth sydd yn bod ar hynny? Nid oes modd rhannu'r gwleidyddol o'r beunyddiol, na'r moesol, na'r duwiol. Gwleidyddiaeth sydd yn gosod y fframwaith a'r strwythur i'n bywydau cymdeithasol a'n bywydau personol, ac os oes rhywbeth yn anghyfiawn neu o'i le ar y fframwaith hwnnw, yna gall ddylanwadu ar ein bywydau mewn modd dinistriol. Felly, os ydym am warchod ein bywydau ni'n hunain rhaid inni wrth reswm fod yn wleidyddol – mae'n fater o hunan-fudd ar sawl ystyr, er na fuaswn i yn apelio at y cymhelliad yna yn y lle cyntaf.

Wrth gwrs, y perygl mwyaf yw'r cyfyngiad ar ryddid, oherwydd lle nad oes rhyddid mae yna gaethiwed, ac fe all y caethiwed yna fod yn niweidiol dros ben. Nid yw caethiwed yn rhywbeth sydd yn llethu gwledydd yn unig, yn y modd y cadwyd yr Unol Daleithiau yn gaeth o dan ormes Brydeinig. Mae caethiwed yn bod yn ein bywydau personol, gan gyfyngu ar ein rhyddid i wneud yr hyn rydym am ei wneud, ac yn y pen draw yn cyfyngu ar ein gallu i wneud yr hyn sydd yn foesol. Ac wrth gwrs, un o'r enghreifftiau mwyaf enbyd o gaethiwed yw'r arfer o osod rhwystrau rhag i'r unigolyn ymarfer ei grefydd yn ôl ei gydwybod.'

'Nid oes raid ichi bregethu am ddinistr caethiwed imi, Barchedig, o bawb!'

'Rwy'n ymwybodol o hynny,' ymatebodd hwnnw â gwên wrth i'w gyfaill barhau.

'Oes wir, mae yna glymau ar ein rhyddid ym mhob agwedd ar ein bywydau, a'r gwaethaf ohonynt yn ein triniaeth fel unigolion. Mae fel pe bai cymdeithas am wadu bod gennym ni fenywod yr un cyneddfau a galluoedd a dynion. Yn wir, fel pe na bai gennym y gallu i feddwl drosom ni'n hunain, ac nad oes gennym y cryfder i fod yn bersonau moesol, rhinweddol o ddewis ni'n hunain. A chanlyniad hyn oll? Wel, sut yn y byd y mae modd inni fod yn bersonau da, cyflawn yng ngolwg Duw os ydym yn byw o fewn cymdeithas sydd yn gwadu ein gallu i ysgwyddo'r cyfrifoldebau mwyaf sylfaenol? Mae ein cyfleoedd yn gyfyngedig yn y byd sydd ohoni, ond mae'n ymddangos imi fod dynion y byd yma am warafun y gobaith o iachawdwriaeth inni!'

'Nid pob un ohonom, mechan i, ond rwy'n gwerthfawrogi'r ddadl, wrth reswm. Mae Duw wedi gosod ynom y gallu i benderfynu ac i ddewis o'n gwirfodd yr hyn rydym yn ei ystyried sydd yn iawn a chyfiawn, ac mae gwadu'r cyfle hwnnw i unrhyw aelod o'r gymdeithas yn bechod. Yn wir, y rhyddid materol hwn, yr egwyddor o hunanbenderfyniad a'n natur ddigymell sydd yn ein diffinio fel bodau dynol ac yn gynsail i bob rhyddid arall. Oblegid pe na bai'r gallu gennym i benderfynu drosom ni'n hunain, pe baem yn gaeth i ddylanwadau grymoedd estron, yna ni fuasai modd inni hawlio mai ni sydd yn gyfrifol am ein gweithredoedd. Pe bai hynny'n wir ni fyddai'n bosib inni hawlio ein bod yn bobl foesol, haeddiannol, ac yn deilwng o esgyn i'r bywyd tragwyddol.'

'Rydych wedi crwydro'n bell yn eich safbwyntiau o'ch gwreiddiau piwritanaidd, os caf ddweud.'

Am y tro cyntaf ciliodd egni'r hen bregethwr, ac roedd yna olwg pell, dryslyd bron yn ei lygaid. Roedd y ddynes yn ymwybodol unwaith eto o sŵn ei anadlu a breuder ei gorff wrth iddo syllu i'r distawrwydd. Trodd tuag ati, ac am y tro cyntaf yn ei byw fe deimlodd hi, yn ei edrychiad, yr ansicrwydd a'r eiddilwch sy'n llechu yn enaid pob un, ond sydd wedi'u palu'n ddwfn, neu wedi'u gomeddu mewn rhai.

'Wel, Mary, roedd yna ddigon i'w edmygu yn ffydd fy nhad, ac yn wir rwy'n siŵr fy mod yn glynu at rai o'r gwersi a ddysgwyd imi yn fy more oes. Sadrwydd, difrifoldeb, dycnwch, a'r angen inni fyw yn dduwiol ym mhob agwedd ar ein bywydau, o fore gwyn tan nos. Ond wrth imi ddysgu am y bywyd yma, ac agor fy meddwl i ysblander Duw a'r hyn y mae wedi'i greu, roedd yn amhosib imi gadw'n driw at ddaliadau fy nhad, neu yn wir glosio at y Galfiniaeth sydd mor boblogaidd erbyn hyn yn fy rhan innau o'r byd.

Mae'n siŵr y byddai fy nhad, fel nifer eraill, yn ystyried ein gwrthodiad ni fel Undodiaid o athrawiaeth y Drindod fel y mater mwyaf difrifol oll. Ond i mi cyn bwysiced yw fy nghred mewn Duw sydd yn gyfiawn a hael, ac sydd wedi ein creu yn ôl ei natur ef, gan gynnig inni'r gallu i fod y bobl mwyaf rhinweddol posib. Ni allaf gredu bod y math Fod wedi ein creu er mwyn penderfynu ein tynged a chollfarnu'r mwyafrif ohonom i ddamnedigaeth. Ein rhyddid i ddewis y peth iawn, dyna sydd yn dyngedfennol, a'r gallu i oresgyn ein natur ffaeledig a'n tueddiadau problemus. Dyma sydd yn rhoi gobaith inni fyw'r bywyd rhinweddol, ac yn cynnal yr hyder y cawn ni ein haeddiant.

A thu hwnt i'n golygon personol, dyma sydd yn ein cymell i geisio gwelliant yn y byd o'n cwmpas. Oes, mae gennym dueddiadau naturiol, fel y rhai sydd yn ein harwain pob tro i garu'r rheini sydd yn agos atom, a'u ffafrio ym mhopeth rydym yn ei wneud. Ond mae Duw wedi gosod ynom y synnwyr moesol i allu adnabod yr hyn sydd yn dragwyddol iawn, a deall y drefn foesol. Mae modd inni adnabod yr hyn sydd yn ddyletswydd arnom a fydd yn arwain at welliannau yn y byd yma, megis yr egwyddor fwyaf nobl yn ein natur, sef ystyriaeth i'r cyfiawnder cyffredinol ac ewyllys da sydd yn cofleidio'r byd yn ei gyfanrwydd.'

'Felly, nid yw'r hyn y mae Duw yn ei orchymyn yn foesol gywir oblegid Ef sydd yn ei orchymyn? Yn hytrach, y mae gair Duw yn cyd-fynd â'r drefn foesol sydd ar wahân iddo.'

'Ie, mewn gair. Ond peidied neb â chredu bod hyn yn tanseilio mawredd Duw nac yn cwestiynu ei awdurdod. Oblegid y mae

Duw yn ein plith pob dydd, ac er nad ydym bob tro yn abl i fanteisio ar y rhyddid y mae wedi ei gyflwyno inni, nid yw'n bradychu ni nac yn ein gadael i frwydro yn erbyn ein tynged. Mae Ef gyda ni ar y llwybr i iachawdwriaeth, ac yn ein harwain at y mileniwm mewn gobaith a ffydd.'

Daeth cnoc ar y drws, a llais hunanymwybodol y gwas lifrai yn ei ddilyn.

'Ddoctor, mae gennym westai arall sydd yn chwilio amdanoch chi. Roedd wedi crwydro draw o'ch hen dŷ ar ôl darganfod nad ydych chi'n byw yna bellach. Esboniais eich bod chi eisoes mewn cwmni ond roedd y gŵr yn benderfynol o'ch gweld. Dywedodd ei fod wedi teithio'n bell.'

'Yn bell? O ble, felly? Cymru?'

'Ychydig ymhellach, syr. O'r Amerig.'

'O'r Amerig? Wel, wel,' meddai, dan chwerthin. 'Tybed pwy fydd hwn. Peidiwch â dweud dim – rwy'n hoff o syrpréis. Dywedwch wrtho esgyn y grisiau, ac am y milfed tro, paid â'm galw i'n ddoctor.' Gwenodd Mary, gan baratoi i ymadael.

'Paid â mynd i unman; fe gei di sgwrs nawr â phwy bynnag yw'r ymwelydd yma. Bydd yn brofiad i ti. Ac iddo fe, mae'n siŵr.'

'Ond rhaid imi fynd.'

'I ble, felly?'

'Wel, i unman yn benodol.'

'Arhosa fan hyn, felly,' mynnodd. 'Ond gyda llaw, beth fydd dy gynlluniau ar gyfer y dyfodol?'

'Wn i ddim yn union. Mae gen i feddwl ysgrifennu eto, am gyflwr menywod yn benodol y tro hwn.'

'Gwych iawn. Mae yna ddirfawr angen am hynny.'

'A phwy a ŵyr, efallai yr af i Baris i gael profi'r chwyldro fy hun.'

'O, Paris, felly? Dyna braf bod yn ifanc ac yn anturus. Wel, os ei di yno, rhaid imi gynnig cyswllt iti yn y ddinas a fydd yn siŵr o ofalu amdanat ti. Ei henw yw Helena Maria Williams. Cymeriad ar y naw ac yn fenyw ysbrydoledig . . .'

Richard Price

'Renaissance Man' amlycaf y Cymry oedd Richard Price, yn ddyn amryddawn sydd yn llawn haeddu ei le ymysg mawrion y ddeunawfed ganrif megis ei gyfeillion Mary Wollstonecraft, Thomas Jefferson a Benjamin Franklin. Er iddo adlewyrchu delfryd y cyfnod cynharach hwnnw yn ei allu i droi ei law a'i feddwl athrylithgar at sawl maes, safai wrth ei bulpud fel ymgnawdoliad o'r Ymoleuad yn ei ymlyniad at reswm, rhyddid a dyneiddiaeth fyd-eang. Fe'i hadnabyddir fwyaf oll am ei rôl yn sbarduno Erbeniad y Chwyldro (the revolutionary controversy) gyda'i bregeth 'Cariad at ein gwlad' a draddodwyd yn 1789 ar drothwy'r Chwyldro Ffrengig, a'i chyhoeddwyd yn fuan wedyn – a'r miloedd o gopïau yn creu cryn gyffro yn eu cefnogaeth o'r chwyldro. Yn wir, roedd y 'rhyfel pamffledi' yn un bellgyrhaeddol a chynhyrchiol gyda chyfraniadau lu; un ohonynt oedd y nofel *Julia* gan yr adnabyddus Helena Maria Williams, ymneilltuwraig o Lundain a merch i filwr Cymreig.

Mae cynnwys athronyddol a heriol testun Price wedi'i golli braidd o safbwynt ei gyfraniad at syniadaeth wleidyddol oherwydd yr ymateb ymfflamychol, a esgorodd yn ei dro ar gyfnod arbennig y mae rhai yn ei ystyried y mwyaf dylanwadol yn hanes y meddwl gwleidyddol. Yn sicr, mae enw da Price wedi dioddef oherwydd yr ymateb ciaidd gan y ceidwadwr Edmund Burke yn ei *'Reflections on the French Revolution'*, a ystyrir fel y testun mwyaf allweddol yn hanes syniadaeth geidwadol. Roedd Price yn anffodus yn yr ystyr ei fod yn cynrychioli ysgol o feddylwyr ac ymgyrchwyr radical yr oedd Burke – rhethregwr heb ei ail – wedi bod yn ysu i ladd arnynt ers blynyddoedd. Roedd yn fwy anffodus fyth yn y ffaith bod y chwyldro wedi cadarnhau amheuon mwyaf y Gwyddel am ganlyniadau peryglus terfysg o'r fath. Buodd Price farw yn 1791, felly fe'i hachubwyd rhag gweld cyfnod y frawychiaeth (*terror*). Ei gynghreiriaid, megis Wollstonecraft a Thomas Paine, a atebodd Burke yn rhannol drosto, sydd wedi sefyll prawf amser o ran eu hadnabyddiaeth.

Nid yw'r ffaith bod y Cymry wedi eu hesgeuluso yn llawer o gymorth yn y cyswllt hwn, ac nid yw'n syndod bod Price yn cael ei edmygu, ei astudio, a'i gofio'n helaethach yn y gwledydd hynny lle bu mor ddylanwadol. Yn wir, daw'r teitl 'doctor' o'r radd a wobrwywyd iddo gan Brifysgol Yale, ar yr un pryd â George Washington, am ei gyfraniad a chefnogaeth i'r achos Americanaidd (a adlewyrchwyd yn ei destunau ar ryddid gwladol, rhyfel, a gwersi o'r chwyldro Americanaidd). Gymaint oedd eu meddwl ohono iddynt ei wahodd i'r Unol Daleithiau i helpu gyda'r broses o sefydlu'r wladwriaeth newydd – yn bennaf oherwydd ei arbenigedd ariannol, sef un o'r pynciau amrywiol roedd Price wedi cyfrannu atynt erbyn saithdegau'r ganrif (a mathemateg, yswiriant a'r ddyled genedlaethol yn eu mysg).

Mae'n bosib nad yw Price wedi dal dychymyg ei gyd-Gymry rhyw lawer oherwydd iddo dreulio ei fywyd fel oedolyn yn Llundain, ac oherwydd nad oes cyfraniad uniongyrchol amlwg ganddo at fywyd ein cenedl. Dichon mai chwalu ei deulu a sbardunodd Price i ymadael i Lundain yn ddyn ifanc ac anodd ydyw, efallai, eilunaddoli un a adnabyddir fel un o'r pennaf ymysg yr anghydffurfwyr Seisnig. Ond y tu hwnt i'r ffaith ei fod wedi cynnal ei gysylltiad â Chymru a chadw lle iddi yn ei galon – chwedl Roland Thomas – mae yna sawl rheswm inni ymfalchïo yn ei waith, sydd ddim yn gwbl amherthnasol i fywyd Cymru heddiw. Ymysg ei gyfraniadau mae ei athroniaeth foesol, ei athroniaeth wleidyddol, ei heddychiaeth a'i ddiwinyddiaeth, yr oll yn arddangos ei arwahanrwydd o'r brif ffrwd Brydeinig ac, o bosib, gwaddol ei Gymreictod.

Athroniaeth Foesol

Mae hanes athroniaeth y gorllewin yn cynnig stori adnabyddus am drywydd y pwnc o wawr yr oes fodern – cyfnod a ddechreuodd gyda datganiad enwog René Descartes, *Cogito, ergo sum* – yr wyf yn meddwl, yna rwyf yn bod. Byrdwn menter Descartes oedd ailadeiladu seiliau ein gwybodaeth o'r byd. Dechreuodd trwy ymwrthod â bydolwg Aristotelaidd a ddominyddodd Ewrop y

Canol Oesoedd. Mae'r safbwynt Aristotelaidd yn dibynnu i raddau ar ragdybiaeth am ein gwybodaeth o'r byd, sef bod yr hyn mae'r synhwyrau yn ei gyflwyno inni yn ddibynadwy (safbwynt sydd ynghlwm wrth ei gysyniad o *endoxa*). Techneg Descartes oedd gwrthod y rhagdybiaeth gan gofleidio sgeptigaeth, a dadfeilio'r fframwaith o wybodaeth a ddysgwyd iddo. Iddo ef, nid oedd modd credu'n ddigwestiwn yn y synhwyrau fel ffynhonnell wybodaeth oherwydd eu diffygion. Ni allwn fod yn sicr, hyd yn oed, nad oes rhyw athrylith ddieflig wedi ein gosod mewn rhithfyd (megis yn y ffilm enwog *The Matrix*).

Yn y pen draw, yr hyn y gallwn fod yn sicr ohono yw'r ffaith ein bod yn meddwl. Âi Descartes ar sawl trywydd o'r man cychwyn hwn, ond y pwysicaf ohonynt yw'r casgliad mai rheswm sydd yn sail i'n gwybodaeth o'r byd, nid ein synhwyrau. Hynny yw, ein gallu i anwytho, diddwytho ac ymresymu, a deall gwirebau sylfaenol am y byd megis rhifau a siapau, yw'r garreg sylfaen ar gyfer ein canfyddiad o'r byd. Mae'r synhwyrau yn allu eilaidd sydd yn dodrefnu'r meddwl â deunydd. Dyma Descartes yn esgor ar draddodiad rhesymoliaeth, a dilynwyd yn ei ôl traed gan athronwyr y cyfandir megis Spinoza a Leibniz.

Buan y daeth gwrthodiad gan y triawd adnabyddus arall, Locke, Berkeley a Hume, a drodd yn ôl at Aristoteles i raddau, gan fynnu mai'r synhwyrau yw sylfaen pob gwybodaeth a dychmygu'r deall fel llechen lân yn hytrach nag endid gyda rhagwybodaeth o'r byd. Mae'r deall fel petai'n adeiladu ei hunan wrth iddo amgyffred mwy a mwy am y byd, yn hytrach na bod fel darn o Lego wedi'i adeiladu'n barod. Dyma'r empeirwyr *Seisnig* sydd yn cael eu cymeriadu fel yr athronwyr ag agwedd bragmataidd, mewn gwrthgyferbyniad â chyfriniaeth honedig y rheini o'r cyfandir. Coleddant safbwynt ymarferol at ein gwybodaeth o'r byd, wedi'u dylanwadu gan ddatblygiadau ym meysydd y gwyddorau naturiol gan Newton, Galileo a'u tebyg.

Daw Price i mewn i'r hanes hwn yn ei drafodaethau â'r olaf o'r empeirwyr enwog, sef y Sgotyn David Hume, ac athronwyr eraill o'r un anian, yn arbennig ei ragflaenydd Frances Hutcheson. Cyhoeddodd Price ei lyfr *A Review of the Principal Questions in Morals* yn y flwyddyn 1758, wedi cyfnod o dros ddeng mlynedd fel caplan i'r teulu Streatfield, a'r hyn sydd yn drawiadol yw ei allu i ymwneud â thrafodaethau mwyaf blaenllaw ei ddydd o safle weddol ddiarffordd (astudiodd ar gyfer y weinidogaeth yn Tenter Alley yn Moorfields cyn mynd yn syth i'w swydd). Diddordeb pennaf Price oedd athroniaeth foesol, ond yr hyn sy'n nodweddiadol amdano yw bod ei foeseg yn seiliedig ar epistemoleg (hynny yw, damcaniaeth am ein gwybodaeth o'r byd), sydd yn agosach o lawer at y rhesymolwyr cyfandirol na'r empeirwyr Seisnig.

Hynny yw, cred Price bod gennym alluoedd deallusol sydd yn gofyn ymwrthod ag empeiriaeth, yn arbennig ein gallu cynhenid i adnabod y da a'r drwg. Yn wir, yn ôl Price mae gennym ddeallusrwydd moesol sydd, chwedl y rhesymolwyr, yn rhan o'n rheswm a'n rhagwybodaeth o'r byd. Hynny yw, mae gennym wybodaeth *a priori* o'r byd, ffynhonnell annibynnol sydd yn rhagflaenu gwybodaeth *a posteriori* ein synhwyrau. Dibynna'r ddamcaniaeth hon yn ogystal ar y rhagdybiaeth fod yna drefn foesol wrthrychol dragwyddol, sydd 'allan' yn y byd ac sydd yn hysbys inni drwy'r deallusrwydd moesol yma. Mae i rinwedd a drygioni wrthrychedd, yn yr un modd â gwrthrychau materol, yn ôl Price.

Mae'r safbwynt hwn ar foesoldeb yn dra gwahanol i'r dehongliad sy'n cael ei gynnig gan empeirydd fel Hume. Nid oes realiti moesol i'w ganfod gan ddeallusrwydd moesol cynhenid – deallusrwydd sydd ddim yn gallu bodoli o safbwynt y syniad o'r meddwl fel llechen lân. Mewn ffaith, mae ein syniadau a'n hegwyddorion moesol yn ddim byd mwy nag ymresymiad o'n hymateb greddfol i'r byd – arferion neu ddefoddau (*custom*) wedi'u gwneuthur dros amser wrth inni geisio rhoddi trefn ar ein canfyddiad o'r byd. Hynny yw, rydym yn dal i'r gred fod gweithred yn ddrwg, nid oherwydd bod y weithred yn meddu ar ddrygioni gwrthrychol, ond oherwydd bod ein hymateb naturiol yn un sydd yn anghysurus, anfodlon neu yn ffieiddio. Rydym yn canfod llofruddiaeth trwy ein synhwyrau, yn ymateb yn naturiol anhapus, ac yna trwy ddefnydd ein rheswm yn galw 'drwg' ar y weithred honno. Nid yw drygioni gweithred yn nodwedd o'r weithred, ond yn hytrach yn *ganfyddiad* o'r weithred – *it's all in the mind*, ys dywed y Sais. Creadigaeth ddynol yw moesoldeb yn ôl y safbwynt hwn, felly, yn seiliedig ar y rhagdybiaeth ein bod ni fel dynolryw yn gyffredinol rannu'r un 'synnwyr moesol' cynhenid ac yn profi'r un ymatebion naturiol.

I athronydd fel Price mae gwadu natur wrthrychol moesoldeb yn beryg, wrth gwrs, oherwydd ei fod yn agor y drws i'r posibilrwydd o berthynolaeth foesol lle nad oes unrhyw sail gadarn i werthoedd, heblaw fympwy'r unigolyn neu gymuned mewn cwestiwn. Mae'n debyg fod rhinwedd yn fater o chwaeth, a dim byd mwy. Mae'r pegwn arall – o gyfundrefn foesol annibynnol – yn ein harwain yn ôl at syniadau Platon am fyd arall, trosgynnol o endidau yn eu gwir ffurf. Yn wir, mae rhai wedi awgrymu bod Price yn Blatonaidd yn ei hanfod, ac yn hynny o beth yn tynnu yn erbyn prif ffrwd athronyddol Prydain y cyfnod.[8]

Yn y cyswllt hwn, wrth geisio rhoddi cyfrif dros wreiddiau moeseg nodweddiadol Price, mae damcaniaeth awgrymog gan yr athronydd adnabyddus R. I. Aaron yn cynnig ystyriaeth ddiddorol. Yn nhyb Aaron, Plotinos, y Platonydd enwog o'r ail ganrif, yw'r dylanwad mwyaf ar y meddwl Cymreig, a'i syniadau wedi ymledu trwy ddiwinyddiaeth y cyfrinydd Morgan Llwyd. Ymhellach, Llwyd oedd y meddyliwr mwyaf dylanwadol ymysg y piwritaniaid yng Nghymru, traddodiad yr oedd teulu Price yn aelodau blaenllaw ohono. Lle mae Hume yn arbennig yn adnabyddus fel athronydd a oedd yn cwestiynu crefydd, os nad yn anffyddiwr, rhaid dehongli Price fel meddyliwr a oedd yn ceisio asio ei gredoau crefyddol, diwinyddol wrth ei foeseg. Yn hynny o beth, nid afresymol byddai awgrymu bod stamp y traddodiad crefyddol Cymreig a etifeddwyd trwy ei deulu yn ystyriaeth bwysig o safbwynt ei gefnlen ddeallusol.

Diwinyddiaeth

Yn wir, roedd addysg y Richard Price ifanc yn un a oedd yn gyffredin i nifer o blant a dynion ifanc o deuluoedd uchelgeisiol de Cymru'r cyfnod. Yn wyth mlwydd oed mynychodd ysgol Joseph Simmons yng Nghastell Nedd, ac yna yn ddeuddeg mlwydd oed aeth ymhellach fyth o'i filltir sgwâr yn Llangeinor, Morgannwg, i ysgol Samuel Jones ym Mhen-twyn yn sir Gâr. I raddau helaeth,

chwedl D. O. Thomas,[9] mae modd dehongli ei ddatblygiad cref-
yddol fel rhyddfreiniad graddol o Uchel Galfiniaeth ei dad, y
gweinidog ymneilltuol Rice Price. Pryderon hwnnw am ddiwinydd-
iaeth Samuel Jones, mae'n debyg, a arweiniodd at adleoli Richard
Price i academi Vavasour Griffiths yn Nhalgarth (lle yr awgrymir
iddo rannu dosbarth â Williams Pantycelyn). Dyma ei gyrchfan
addysg olaf cyn i farwolaeth ei dad, a'r argyfwng teuluol dilynol,
arwain at ei ymadawiad i Lundain. Trwy gyd-ddigwyddiad, dyma
oedd yr academi a sefydlwyd yn wreiddiol gan y piwritan Samuel
Jones (cyfoeswr Morgan Llwyd), a oedd yn neb llai na gweinidog
i dad-cu Richard Price, Rees Price, a estynnodd cryn gymorth i
Jones sefydlu mannau cwrdd i'r ymneilltuwyr ym Mrynllywarch
a Cildeudy.

I'r anghyfarwydd mae cymhlethdodau ac amrywiaethau diwin-
yddol yn peri dryswch llwyr. Nid yw'n gymaint haws i'r sawl
ohonom sydd wedi ceisio cyfarwyddo â'r trafodaethau. Cyfeiriaf,
felly, yr ychydig bwyntiau rwyf am godi am ddiwinyddiaeth Price
at themâu sydd eisoes wedi eu crybwyll, gan nodi mai ymgais
amrwd yw hon i'w gosod mewn cyd-destun, ac sydd yn dwyn
cymorth o ysgrifau'r adnabyddus A. A. Hodge.

Yng nghyswllt y themâu o iachawdwriaeth, rhagarfaeth a'r
pechod gwreiddiol, mae modd ystyried Calfiniaeth, a fu mor
ganolog i'r biwritaniaeth yr oedd tad Richard Price yn ei harddel,
fel etifedd i'r traddodiad Awstinaidd (mae yna gryn ddadlau, gyda
llaw, ynghylch agwedd Morgan Llwyd o'r safbwynt Calfinaidd
ar y themâu yma). Credasai'r Calfiniaid fod bodau dynol yn dioddef
o lwyr lygriad ar sail y pechod gwreiddiol a'u bod yn anfedrus i
achub eu hunain rhag pechod. Duw yn unig felly, trwy ei ras, sydd
yn rhagarfaethu'r dewisedig rai i iachawdwriaeth – heb ystyriaeth
o ymdrechion yr unigolyn hwnnw yn eu bywydau beunyddiol.
Ar ben draw'r sbectrwm gellir awgrymu bod Sosiniaeth yn etifedd
i'r heresi Pelagaidd, gyda'i wrthodiad o athrawiaeth y pechod
gwreiddiol, rhagarfaeth a'r syniad bod angen Gras Duw i sicrhau
iachawdwriaeth.

Un ffurf ar undodiaeth yw Sosiniaeth – sef enwad y Richard
Price aeddfed a lleiafrif nid ansylweddol o anghydffurfwyr Cymru
– ac un sydd yn fwyaf adnabyddus am wrthod y syniad o'r Drindod.

Ystyrir Iesu Grist fel bod goruwchnaturiol, ond yn wahanol i'r enwadau eraill, nid un sydd o'r un anian nac yn gydradd urddasol â Duw. Ond tra bod ei gyfaill a'i gyfoeswr enwog Joseph Priestley yn ymlynu at yr athrawiaeth Sosinaidd, roedd Price ei hun yn Ariad. Dyma athrawiaeth a oedd yn ceisio rhyw fath o lwybr canol rhwng Calfiniaeth a Sosiniaeth, ond yn agosach at Sosiniaeth nag athrawiaeth arall o'r enw Arminiaeth, sydd eto wedi'i disgrifio gan Hodge fel rhyw fath o *via media*, ac fel olynydd i led-Belagiaeth yr henfyd. Daeth Arminiaeth i fod yn lled boblogaidd yng Nghymru trwy'r Methodistiaid Wesleaid, y Methodistiaid hynny a ddilynodd y Sais John Wesley yn hytrach na Chalfiniaeth frodorol y Methodistiaid Cymreig, dan ddylanwad Howell Harris a Williams Pantycelyn.

Roedd y safbwynt Ariaidd – neu o leiaf ddehongliad Price ohono – yn lliniaru yn sylweddol ar lymder Calfiniaeth, gan wrthod y pechod gwreiddiol, llwyr lygriad a rhagarfaeth. Fodd bynnag, er nad oedd am ddilyn y trywydd Calfinaidd sydd yn gwadu unrhyw gyswllt rhwng ymdrechion yr unigolyn a'i obaith am iachawdwriaeth, roedd am osgoi'r cyhuddiad a wnaethpwyd yn erbyn y Pelagiaid gynt o orbwysleisio holl bwysigrwydd yr unigolyn. Roedd marwolaeth Crist yn fwy nodweddiadol nag argymhelliad ac esiampl. Mae'n rhaid i'r unigolyn ymdrechu i fyw yn ôl yr ysgrythur a byw bywyd rhinweddol, ond dim ond aberth Crist sydd wedi caniatáu i Dduw faddau inni ganlyniadau ein pechod. Nid yw edifeirwch yn ddigonol; rhaid wrth ymyrraeth Iesu i sicrhau bod Duw yn ein derbyn.

Mae D. O. Thomas yn esbonio'r berthynas rhwng diwinyddiaeth Price a'i foesoldeb, gan nodi sut y mae'r athrawiaeth Ariaidd yn cyd-fynd â phwysigrwydd gweithredu'r unigolyn.[10] Ar yr un pryd mae'n awgrymu'r tensiynau sy'n bodoli rhwng safbwynt Cristnogol a rhesymoliaeth foesol Price. Yn ei hanfod mae Thomas yn awgrymu nad oes modd cysoni'r ddau oherwydd bod y cyntaf yn gofyn am edifeirwch a dibyniaeth ar ymyrraeth Iesu, tra bod y llall yn honni mai rhinwedd yn unig sydd yn ofynnol. Os yw beirniadaeth Thomas yn gywir ymddengys mai dim ond diwinyddiaeth Belagaidd/ Sosinaidd fyddai'n cyd-fynd â moesoldeb rhesymegol Price, am ei bod yn seiliedig ar y syniad o iachawdwriaeth trwy weithredoedd da yn unig.

Yn fwy sylfaenol na'r pos hwn o geisio cysoni diwinyddiaeth Price a'i foeseg yw'r berthynas fwy cyffredinol y mae'n disgrifio rhwng Duw a moesoldeb. Crëir tyndra mwy cyffredinol ynghlwm â blaenoriaeth un dros y llall. Oblegid y safbwynt amlwg, naturiol i weinidog a dyn duwiol megis Price fyddai cysylltu'r hyn sydd yn foesol ac yn rhinweddol â'r hyn y mae Duw yn ei orchymyn. Yn benodol, y safbwynt traddodiadol crefyddol fyddai dadlau bod yr hyn sydd yn dduwiol yn dda, oherwydd mai ewyllys Duw ydyw. Ond mae Price yn gwrthdroi'r drefn hon ac yn mynnu bod Duw yn gorchymyn rhywbeth *oherwydd* ei fod yn dda yn y lle cyntaf. Hynny yw, mae natur foesol a da unrhyw weithred neu wrthrych yn deillio nid o'r ffaith bod Duw wedi ei ewyllysio, ond oherwydd ei bod yn dda yn ôl y drefn foesol annibynnol.

Dyma'r cysyniad o 'awtonomi moesoldeb' sydd yn gwrthod y posibilrwydd bod y da yn ddibynnol ar rywbeth arall, boed hynny yn ewyllys Duw neu ein hymatebion naturiol. Er bod y safbwynt yma yn un sydd yn weddol hygyrch o safbwynt mwy diweddar (yn wir mae Walford Gealy yn cyfeirio at y ffaith yr hawliai'r athronydd G. E. Moore iddo ddarganfod y cysyniad yng nghanol yr ugeinfed ganrif!),[11] mae'r trefniant yma yn anoddach lle bo Duw yn rhan annatod o'r darlun ehangach. Yn ôl D. O. Thomas mae'n codi cwestiynau dyrys a phroblematig am Dduw sydd yn gyfyngedig eu natur – nid agwedd rydym yn hawdd ei chysoni â'r hollalluog. Mewn cyd-destun arall awgryma Gealy mai peth amheus yw ceisio cyd-asio ystyr y 'da' mewn cyd-destun moesol a chrefyddol.[12] Iddo ef, dau beth gwahanol, gyda gwahanol ystyron, yw'r bywyd moesol a'r bywyd duwiol.

Athroniaeth Wleidyddol

'Yr egwyddor uchaf yn ein natur yw parch at gyfiawnder cyffredinol a'r ewyllys da hwnnw sy'n cwmpasu'r byd yn gyfan.'[13] Dyma grynhoi mewn brawddeg safbwynt Price ar wleidyddiaeth, gan arddangos yr hyn mae ei syniadau pwysicaf yn troi oddi cwmpas. Yn ei hanfod mae Price yn gosmopolitan – un sydd yn gosod y syniad o gyfiawnder cyffredinol, byd-eang, yn uwch na buddiannau'r penodol, cenedlaethol. Dyma'r safbwynt mwyaf radical, blaengar a geir mewn gwleidyddiaeth ryngwladol gyfoes. Mae ar y pegwn eithaf, yn gwrthod yr athrawiaeth realaidd sydd yn mynnu mai cystadleuaeth a thrais parhaus rhwng gwladwriaethau yw natur ailadroddus y maes rhyngwladol. Âi'r traddodiad cosmopolitan yn ôl i'r Hen Roeg, o leiaf, ond roedd Price o flaen ei amser, yn yr ystyr nad oedd y cysyniad hwn wedi gwir gydio yn y meddwl gwleidyddol cyhoeddus tan wedi erchyllterau'r ddau ryfel byd, a dyfodiad y byd 'llai' y mae technoleg yr ugeinfed ganrif wedi esgor arno.

Datganiad cyffredinol hawliau dynol y Cenhedloedd Unedig, a'r apêl gynyddol i'r syniad yma o hawliau sydd â chynsail uwch, mwy sylfaenol, sydd yn adlewyrchu ysbryd yr hyn yr oedd Price yn sôn amdano yn ôl yn 1788 pan oedd yn erfyn ar bobl i ystyried eu hunain yn 'ddinasyddion y byd'. Roedd Price yn cynnig y syniad o gyfundrefn ryngwladol ffederal i angori cyfundrefn heddychlon ryngwladol, namyn chwe blynedd cyn cyhoeddiad testun arloesol y Prwsiad Immanuel Kant – 'Tuag at Heddwch Parhaol' – a osododd y cynsail ar gyfer y meddwl cosmopolitanaidd modern. Nid dyma'r unig enghraifft o Price yn rhagflaenu athronydd mwyaf yr oes fodern gyda'i syniadau gwleidyddol a moesol.[14]

Tra bod system Kant yn ddatblygedig ac yn pwysleisio'r syniad o gyfundrefnau gweriniaethol heb fyddinoedd parhaol, mae Price yn cynnig braslun llawer mwy cyfyngedig gyda phwyslais ar agweddau gwahanol – a rheini i bob pwrpas yn rhai moesol a seicolegol. Iddo ef, roedd gofyn bod gwledydd a'u gwleidyddion yn rhoi i'r neilltu eu tueddiadau siofinistaidd, cystadleuol, er mwyn sicrhau cyfundrefn sefydlog, fyd-eang. Yr hyn sydd yn achosi cymaint o drafferth a thrybini yn y byd gwleidyddol yn ôl Price yw'r tueddiad i wledydd gredu yn eu rhinwedd nhw uwchlaw eraill. Cyfiawnheir agweddau sarhaus ac ymosodol, a'r methiant i ddilyn dysgeidiaeth yr Iesu o ddangos cariad at ein cymydog – megis y Samariad Trugarog.

Methiant rhesymeg a rhinwedd i Price oedd yr haeriad bod yn rhaid i wledydd y byd fodoli mewn cystadleuaeth. Wrth geisio dirnad sut yr oedd Price yn dychmygu'r fath agweddau rhesymegol fel rhan annatod o'r byd gwleidyddol, mae'n gymorth ystyried yr elfennau mwyaf adnabyddus o'i feddwl gwleidyddol, sef ei ddamcaniaeth ar wladgarwch a amlinellir yn y testun *Cariad at Ein Gwlad*, a gyfeirir ato uchod. Gwrthodir yn amlwg yr agwedd emosiynol o waed a phridd fel sail ein gwladgarwch. Yn hytrach, rhoddai'r pwyslais ar y gymuned rydym yn rhan ohoni, a'r hawliau sydd yn cael eu hamddiffyn ganddi, fel gwrthrych ein serch. Nid nodweddion arbennig ein gwlad, felly, ei hanes na'i thraddodiad, sydd i borthi ein hymrwymiad, ond yr elfennau cyffredinol hynny sydd yn perthyn i unrhyw gyfundrefn o lywodraeth sydd yn sicrhau diddordebau'r unigolyn.

Yn yr idiom gyfoes mae modd disgrifio safbwynt Price fel cenedlaetholdeb dinesig yn hytrach na chenhedlig – er bod ei ddamcaniaeth yn cael ei hesgeuluso yn y trafodaethau ar hanes y cysyniadau hynny. Lle mae sail gwladgarwch yn un fwy cyffredinol, yn hytrach na wedi'i rhwymo â nodweddion neilltuol y genedl, yna haws ydyw dychmygu cyfundrefn ryngwladol gyda llai o siofinistiaeth a gelyniaeth. Serch hynny, mae'n bwysig cofio – fel y nodir yn bennod ddiwethaf – nad oes modd ymarferol o goleddu cysyniad cwbl bur o wladgarwch, a bod hyd yn oed y gwledydd mwyaf dinesig eu hymagwedd mewn gwirionedd yn arddangos mynegiant o hunaniaeth neilltuol, boed hynny trwy eu hanes, eu crefydd neu eu hiaith. Meddyliwn, er enghraifft, am draddodiad imperialaidd Prydain 'Fawr' a oedd yn Gristnogol, Saesneg ei iaith. Yn wir, awgryma un hanesydd nad oedd y deyrnas hon erioed wedi ceisio cysyniad dinesig Price, ac wedi ymlynu yn hytrach at wladgarwch cenhedlig Lloegr.[15] Nid cenedlaetholwr Cymreig mo Price, o bellffordd, ond dichon y byddai ei weledigaeth ef o Brydain wedi bod yn llawer mwy goddefgar o hunaniaeth gref Gymreig na'r un Eingl-ganolog a ymgododd yn y pen draw.

O safbwynt hanes meddwl gwleidyddol, yr un agwedd arall gellir awgrymu sydd yn nodweddiadol o Price – o gymharu â rhyddfrydwyr eraill yn benodol – yw'r pwyslais a roddai ar bwysigrwydd cyfraniad yr unigolyn a'i gyfrifoldeb o safbwynt bywyd gwleidyddol y genedl. Mae'n nodweddiadol oherwydd y mae'n datblygu themâu yng ngwaith John Locke ynglŷn â dal y llywodraeth i gyfrif mewn modd sydd y tu hwnt i'r arferol. Hynny yw, yn ôl yr athrawiaeth gyfoes ryddfrydol, nid yw ymwneud gwleidyddol yn rheidrwydd, ac nid yw'r syniad o'r dinesydd 'rhagweithiol' sydd yn ymarfer ei rym gwleidyddol yn gyson hanfodol. Perthyn y safbwynt hwn yn hytrach i'r traddodiad modern gweriniaethol ac i athronwyr megis Phillip Pettit, sydd yn troi at enwau eraill yn y canon gorllewinol, megis Cicero, er mwyn bwtresi eu delfryd o'r dinesydd cydwybodol.

Yn achos Price, mae'n mynnu dyletswydd ar ran yr unigolion i fod yn anifail gwleidyddol, gan adleisio Aristoteles. Eto mae'n ymestyn syniadaeth Locke trwy roddi achos cryf gerbron dros ehangu'r etholfraint i'r cyhoedd. Pwysleisiai mai rhinwedd sylweddol yw sicrhau nad ydy'r llywodraeth yn rhydd i weithredu'n ddi-hid a diegwyddor. Yn ei ddarlun o'r berthynas rhwng y dinesydd a'r wladwriaeth, mae yna bwyslais ar gyfraniad pob un ohonom. Mewn oes o sgeptigaeth tuag at y drefn wleidyddol mae crochlefain Price, yn erfyn arnom i weithredu, yn fwy amserol fyth.

Darllen Pellach

Walford Gealy, 1991. 'Richard Price, F. R. S. (1723–91)', *Y Traethodydd*, CXLVI, 620, 135–45.

Walford Gealy, 2014. 'Y person da a'r person duwiol', yn E. Gwynn Matthews (gol.), *Astudiaethau Athronyddol 3: Y Drwg, y Da a'r Duwiol* (Talybont: Y Lolfa).

A. A. Hodge, 1996. *Outlines of Theology* (Edinburgh: Banner of Truth).

E. Gwynn Matthews, 2013. 'Richard Price ar garu ein gwlad', yn E. Gwynn Matthews (gol.), *Astudiaethau Athronyddol 2: Cenedligrwydd, Cyfiawnder a Heddwch* (Talybont: Y Lolfa).

Richard Price, 1972. *Two Tracts on Civil Liberty, the War with America, the Debts and Finances of the Kingdom* (New York: Da Capo Press).

Richard Price, 1974 [1757]. *A Review of the Principal Questions in Morals*, gol. D. D. Raphael, 3ydd argraffiad (Oxford: Clarendon Press).

Richard Price, 1989 [1789]. *Cariad at ein Gwlad*, cyf. i'r Gymraeg gan P. A. L. Jones (Aberystwyth: Llyfrgell Genedlaethol Cymru).

D. O. Thomas, 1976. *Richard Price 1723–1791* (Cardiff: University of Wales Press).

D. O. Thomas, 1977. *The Honest Mind: The Thought and Work of Richard Price* (Oxford: Clarendon Press).

5

Addysg, Cymuned a Chyfalafiaeth
Robert Owen (1771–1858)

1800, Lanark Newydd

Safai dau ŵr trwsiadus yng nghanol ein golygfa. Un yn ifanc ac
yn gefnsyth; y llall yn hŷn, gyda llwydni yn britho ei wallt a
phwysau bywyd wedi gwneud argraff sylweddol ar ei ysgwyddau.
O'u hamgylch ymestynai adeiladau mawrion, iwtalitaraidd eu
golwg – blociau mawrion sgwâr gyda ffenestri petryalog yn gyson
eu maint a dosbarthiad ar hyd y paredau llwydion. Bywiogwyd
yr olygfa gan sŵn y gweithfeydd, gyda mwmian parhaol a chlecian
cyson y peiriannau yn fynegiant o'r gwaith diddiolch, di-baid a
ddigwyddai yn y melinau cotwm, y tu ôl i'r ffasâd digyfnewid.
Yn y cefndir clywid llif oesol yr afon oedd yn eu cynnal, wrth iddi
ymlwybro'n nerthol trwy'r dyffryn cul a godai naill ochr, gyda'r
coed a'r gwyrddni yn atgof parhaol o fyd ac o oes wahanol, wedi
eu tarfu arnynt gan ddyfeisgarwch dyn.

Roedd yna bwrpas i bob un o fynegiannau'r dyn ifanc, fel pe
bai'n mesur ei symudiadau a'i ystumiau'n ofalus, gan ffrwyno'r
egni a oedd yn llifo trwy ei wythiennau ar gyfrif yr hyn a welai o'i
flaen. Roedd ei bartner, ar y llaw arall, braidd yn llipa ei osgo, a'r
awgrym o ddyn oedd wedi gweld hen ddigon o bob peth, yn
edrych ymlaen at ddim byd mwy na chodi ei draed o flaen y tân
a sugno ar ei bib. Roedd yr ymgais i godi ei lygaid a chymryd cip
ar y drem o'i flaen fel petai'n ymdrech iddo, er ei fod mewn llawer
ystyr yn adlewyrchu ei lafur oes.

'Beth wnei di gyda hwn i gyd?', gofynnodd o'i bartner, bron fel
petai'n ofni'r ateb. 'Wel, datblygu ar eich gwaith ardderchog chi,
wrth gwrs, Mr Dale,' oedd yr ateb unionsyth. Nid oedd ei gyfaill

mewn unrhyw hwyl i dderbyn yr ymateb deheuig. 'Dere nawr, gad dy glyfrwch. Rwy'n dy adnabod yn llawer rhy dda i wybod bod yna rywbeth ar droed, ac nid peth mawr yw gofyn dy fod yn dangos ychydig bach o barch ac onestrwydd. Cofia di faint ohona i sydd yn y lle yma – galwyni o'm chwys a'm gwaed.'

Chwys a gwaed eraill oedd ar feddwl y llall, ond nid hynny a ddywedodd. Ac roedd yn ddigon diffuant pan drodd at Mr Dale a dweud, 'Nid cellwair ydw i. Rwy'n bwriadu cynnal y melinau a gwneud y mwyaf o'ch enw da. Dim ond fy mod am ddiwygio ychydig ar y ffordd o wneud pethau, dyna i gyd.' Edrycha yn syth i fyw llygad Mr Dale wrth iddo ddatgan hyn, a gresyna hwnnw unwaith eto ar y cymysgedd o ddiffuantrwydd a phendantrwydd a welai yn ei fab-yng-nghyfraith. Eto i gyd, fe amheua yn fawr mai ychydig o ddiwyg oedd wedi ysbrydoli Robert Owen i gasglu ffortiwn sylweddol o'i gynilion ef ac eraill, a buddsoddi yn ei weithfeydd yn Lanark. Cafodd bris digon teg, cofiwch. Digon i gadw'r hen Mr Dale yn gyfforddus tan ymhell ar ôl oes yr addewid.

'Diwygio, ife? A beth yn union sydd gen ti mewn golwg wrth ddefnyddio'r "gair diwygio"?' Roedd hanner gwên ar ei wyneb wrth iddo godi'r cwestiwn. Clywsai Robert Owen droeon yn trafod rhai o'i syniadau mawr mewn sawl achlysur cymdeithasol ym Manceinion a Glasgow, a gwyddai ddigon am ei angerdd a'i wel-edigaethau i wybod mai camau breision oedd ganddo mewn golwg pob tro. Y tu ôl i'w hanner wên, wrth gwrs, oedd mymryn o ddifrif-wch ynglŷn â dyfodol ei fusnes, a dyfodol ei ferch. Gwyddai fod ei fab-yng-nghyfraith yn ddyn egwyddorol, a fyddai'n gwarchod ei deulu hyd eithaf ei allu, ond amheuai ar brydiau a fyddai ei uchelgais yn faen tramgwydd iddynt.

Nid sensitifrwydd tuag at safbwyntiau na theimladau eraill oedd un o gryfderau Robert Owen, ond roedd ef hyd yn oed yn synhwyro ychydig o bryder yn llais David Dale. Fe drodd ato'n sydyn, ac edrych arno mewn difrif.

'Ydych chi wir am inni drafod hyn, David?'

'Ydw, Robert, mwy na dim.'

'Dyna ni, felly.' Fe drodd ar ei sawdl a chymryd ychydig o gamau, gan edrych tuag i lawr, megis pregethwr yn oedi am ychydig o ysbrydoliaeth.

Anelodd gwestiwn sydyn at ei dad-yng-nghyfraith: 'Beth welwch chi pan edrychwch chi ar y lle yma, Mr Dale?'

Oedodd y llall y tro hwn, cyn mentro ateb.

'Wel, pan wyf newydd ei werthu rwy'n gweld fy mywyd a fy ngwaith.'

Saib arall.

'Y tu hwnt i hynny rwy'n gweld yr adeiladau mawrion yma fel cewri diwydiant – yr hyn sydd yn gartref i fusnes llewyrchus sydd wedi creu ffortiwn i mi a fy nheulu. Rwy'n gweld dyfeisgarwch a dycnwch dyn yn y modd y mae'r gweithfeydd wedi ffrwyno byd natur a'i droi i'n mantais ariannol ni. Rwy'n gweld gwaddol fy ngweithgarwch a dyfodol i'm teulu – fy merch, fy wyrion ac wyresau.'

'A beth os edrychwch chi ymhellach, y bywyd sydd y tu mewn i'r paredau?'

'At beth wyt ti'n cyfeirio, Robert?'

'Wel, y rheini sydd yn cynnal y peiriant a chasglu'r cynnyrch.'

'Y gweithwyr? Wel, o safbwynt y gweithfeydd, cogau yn y peiriant ydynt, yntefe. Llafur sydd yn sicrhau bod pob dim yn gweithio mor effeithlon â phosib. O safbwynt dynol, unigolion sydd wedi'u hachub o ddiweithdra a thlodi enbyd a bywyd o ddiota. Nid gwehilion cymdeithas, efallai, ond y rheini nad oes ganddynt ddyfodol yn y byd oni bai am y cyfle i lafurio, ennill ychydig o geiniogau – a gochel rhag drygioni yn y gobaith y bydd yr Iôr Mawr yn tosturio a chynnig iachawdwriaeth iddynt.'

'Bobl o gyneddfau cyfyngedig, felly; pobl nad oes modd gwneud rhyw lawer drostynt ond cynnig to dros eu pennau a gwaith fydd yn rhwystro dwylo segur rhag drygioni.'

'Am wn i, Robert. Rwyf wastad wedi dychmygu beth fyddai'r canlyniadau i'r gweithwyr pe na bai gwaith iddynt. Trychineb i bob un, mae'n siŵr.'

'Mae'n siŵr. Ond rhaid imi gyfaddef eich bod chi'n cynnig darlun du iawn o natur ddynol – natur ddynol y mwyafrif o leiaf. Ydy hi byth wedi eich taro chi bod y bobl yna'r un yn eu hanfod â chithau? Eu bod oll a galluoedd cynhenid sydd yr un fath â'n rhai ni, a phetai cyfle iddynt eu datblygu, y buasai'r bobl yna lawn mor abl a moesol â ni?'

Gadawodd y cwestiwn i sefyll yn yr aer am eiliad, cyn bwrw ymlaen eto.

'Os ydych chi'n gofyn beth yw fy mwriad, Mr Dale, dyna ydyw yn gryno. Rwyf am geisio rhoi'r cyfle i'r bobl yna fyw bywydau sydd yn deilwng ohonynt fel bodau dynol – eneidiau o'r un anian â phob masnachwr, diwydiannwr, gwleidydd, uchelwr a brenin sydd yn y byd yma. Eu bod hwy hithau yn gallu byw bywydau diwyd, gweithgar a gwerthfawr, heb orfod iddynt aros am y bywyd tragwyddol honedig i brofi eu hiachawdwriaeth.'

Ddaeth ochenaid o enau'r hen ŵr. Ofnai mai dyma'r math o ymateb oedd ar feddwl Robert Owen. 'A sut, yn union, wyt ti'n bwriadu gwneud hynny, Robert?'

'Addysg – dyna'r allwedd i bob dim. Er mwyn sicrhau bod y bobl yna yn gallu tyfu i'w llawn dwf deallusol, cynyddu eu galluoedd a datblygu'n foesol, rhaid eu trochi mewn amgylchfyd o addysg o'r cychwyn cyntaf.'

'Â phob parch, Robert, sut fydd amser i dy weithlu dderbyn addysg pan fydd gwaith i'w gyflawni?'

'Oherwydd ni fydd eu bywydau yn un sifft hir o waith. 'Does yna ddim byd mwy difrifol i'r natur ddynol na'r arfer o weithio pobl bron fel petaent yn gaethweision, yn llafurio o'r oedran maent yn ddigon abl i bigo gwlân o lawr y felin, ac yna'n gweithio am bob un o'u horiau effro. Na, byddaf yn rhoi'r gorau i'r arfer o weithio plant ifanc yn y melinau yma. Yn hytrach na mynd i weithio yn bum mlwydd oed fe fydd y plant yn yr ysgol o ddwy neu dair mlwydd oed, tan o leiaf eu degfed blwyddyn, ac yn derbyn addysg o'r radd flaenaf. Nid dim ond addysg o lyfrau ond addysg fywiog fydd yn eu hysbrydoli ac yn rhoi cyfle iddynt fynegi eu hunain a datblygu eu doniau. Digon o ddawnsio a chanu, a dysgu trwy chwilota a chwarae. A bydd y buddsoddiad yna'n talu ar ei ganfed wrth inni fagu cenhedlaeth o bobl dda a deallus, a fydd yn weithwyr ffyddlon ac yn llawn ddeall pwysigrwydd bod yn rhan o'r gymuned.'

'A beth am eu rhieni?'

'Peidiwch chi â gofidio gormod am y rheini, Mr Dale! Fel yr awgrymais, mae angen inni roi'r gorau i'r arfer o weithio'r bobl fore, ddydd a nos. Dim mwy o ddiwrnodau pedwar ar ddeg awr – yn hytrach deg awr a hanner ar y mwyaf, neu wyth awr os caf i fy ffordd. Fe fydd amser ganddynt wedyn i fwynhau ychydig o addysg i'w hunain gyda'r nos, a cheisio gwneud yn dda am yr hyn fe'u hamddifadwyd ohono yn eu plentyndod. A pheidiwch ag anghofio y bydd angen sicrhau digon o gyfleoedd iddynt i hamddena a mwynhau ychydig ar fywyd. Dawnsfeydd o dro i dro, neu ychydig o fabolgampau, ac mae arnom angen gwneud y mwyaf o'r tirlun yn y lle yma. Ydym, rydym yn rhedeg busnes ac yn cynnal diwydiant, ond nid yw hynny'n rheswm i ddibrisio'r amgylchfyd. Dylai rheolaeth dyn o natur fynd y tu hwnt i'w hecsploetio – rhaid inni ddangos yn ogystal y gallu i gyd-fyw gyda natur a gwneud y mwyaf ohoni, a pheidio ag allgau'r bobl ohoni. Mae yna gymaint o foddhad i'w ennill o barchu ein cynefin a cheisio eu cynnal trwy ein meistrolaeth.'

'A beth arall, Robert? Wyt ti'n mynd i fynd â'r gweithlu am wyliau wythnosol i'w difyrru?'

'Ha! I'r gwrthwyneb, cartref clud rydym am geisio'i sefydlu fan hyn y bydd pob un yn hapus o gael aros yma. Rhywle y mae'r gweithwyr yn falch o gael byw, yn teimlo eu hunain yn gartrefol, ac yn gallu byw'n gytûn ac yn gyfforddus gyda'u teuluoedd. Rhaid inni wella ansawdd yr adeiladau a sicrhau bod gan bob un teulu ddigon o le, a bod y cartrefi yn rhai glân heb lygredd, lle bod gan y plant y cyfle gorau i dyfu a datblygu heb fyw dan amodau sy'n beryg bywyd. Dim ond yr arferion diweddaraf a fydd yn dderbyniol yn Lanark Newydd.'

Roedd yr hen ŵr o fewn dim i ddechrau rholio ei lygaid, ond roedd gwawdio'r dyn yn teimlo'n giaidd rywsut, felly fe frathodd yntau ei dafod a cheisio'r ffordd resymol ymlaen.

'Mae'r weledigaeth yma'n un dwymgalon, Robert, heb os. Ond cofia dy fod ti yma i redeg busnes a gwneud elw. Os wyt ti wrthi yn cynnig yr holl bethau yma i dy weithwyr, a melinau eraill yn gallu torri costau a chynnig prisiau is, sut fydd modd inni lwyddo?'

'Dyna'r union agwedd rwyf am ei herio. I mi, nid yw manteisio ar y gweithwyr a'u gweithio'n ddi-baid yn sicrhau'r elw mwyaf a'r busnes mwyaf llewyrchus yn y pen draw. Meddyliwch chi am yr holl wastraff sydd yn digwydd mewn safle fel Lanark Newydd oherwydd ein harferion drwg. Yn un peth, mae diffyg addysg foesol y gweithwyr yn creu problemau. Mae gormod ohonynt yn gaeth i'r botel ac yn gweithio'n wael oherwydd hynny. Mae damweiniau yn digwydd yn aml am yr un rhesymau, ac mae eraill yn dioddef oherwydd blinder. Meddylia am y gost o orfod gwneud yn iawn am y camgymeriadau dirifedi, a'r driniaeth sydd angen ar y cleifion.

Mae pobl sydd yn anhapus wrth eu gwaith yn weithwyr sâl. Nid oes parch ganddynt at yr hyn maent yn ei wneud, na'r hyn maent yn ei gyfrannu tuag ato. Os oes modd inni greu cymuned glòs lle'r ydym yn gwarchod y bobl a gofalu amdanynt, lle mae pobl yn gweld llwyddiant y busnes yn cael ei adlewyrchu yn ansawdd eu bywydau, yna fe welwn ni gynnydd yn eu gweith-garwch a chynnydd yn ansawdd y gwaith, a fydd yn sicrhau bod ein cwsmeriaid am inni barhau i'w cyflenwi. Rwy'n argyhoeddedig mai'r ffordd o sicrhau llwyddiant masnachol yw trwy greu gweithlu hapus, moesol ac aeddfed, sydd yn falch o fod yn rhan o orchwyl sydd yn adlewyrchu buddiannau pawb. Cymuned gydweithredol, dyna yw'r hyn rydym yn anelu ati yn y diwedd, lle mae pawb yn rhannu yn llwyddiant y gwaith, ac nid dim ond ni fel y rheolwyr a pherchnogion. Os daw llwyddiant, fe fydd yna fwy na digon i bawb.'

'Ond â phob parch, Robert, rwyt ti fel petaset yn cymryd yn ganiataol y bydd modd i bob un ddysgu, astudio a gwella, gan gyrraedd yr uchelfannau.'

'A beth sy'n bod ar hynny?'

'Does dim byd yn bod gyda'r syniad, mewn egwyddor, ond onid oes angen cadw cyswllt gyda'r byd go iawn? Mae hanes wedi profi nad oes gennym oll y galluoedd a chyneddfau i fod yn bobl oleu-edig, ddeallusol. Nid casineb neu greulondeb yw cydnabod hynny, ond deall y byd fel y mae. Onid ffolineb, ac yn wir greulondeb o'r math eithaf, yw cynnig gobaith di-sail, a swyno'r lliaws i feddwl bod ganddynt y dichonolrwydd i wella ar ei gyflwr?'

'Â phob parch, rydych chi'n siarad fel dyn o oes yr arth a'r blaidd. Nid yn aml rwyf yn teimlo'n ddig tuag atoch chi, ond rydych chi'n arddel syniadau distrywgar, di-sail am y natur ddynol sydd yn ddim byd mwy na'r Calfiniaeth roeddwn i wedi ei gadael ar ôl yng Nghymru – ein bod ni wedi ein difwyno gan y pechod cyntaf ac nad oes modd ein gwaredu o wendid a llesgedd. Ond damcaniaeth ac ofergoel yn hytrach na dealltwriaeth o wir natur ddynol yw hyn.

Rydych yn mynegi'r amheuaeth am alluoedd pobl nid ar sail gwyddoniaeth, ond ar sail yr hyn sydd wedi trwytho yr hen gymdeithas. Dyna pam mae crefydd yn fy llesteirio gymaint. Mae fel petai am gyfyngu dynolryw, nid ei ryddfreinio. Sut allwn ni sefyll fan hyn yn dedfrydu'r lliaws pam nad ydynt wedi cael yr un cyfle i brofi eu hunain? Rydych chi'n edrych yn unig ar y byd fel y mae ac yn ei dderbyn fel ffaith a phrawf o'r hyn sydd yn wir. Ond beth petai'r byd sydd ohoni yn llurgunio a chuddio'r gwir? Beth petai'r gwirionedd yn rhywbeth sydd yna i'w ddatguddio? Safbwynt a meddylfryd yr offeiriad rwyt ti'n ei fynegi – meddylfryd sy'n gweithredu i ormesu a rheoli'r bobl a'u gochel rhag goleuedigaeth.'

'Ond, Robert bach, mae'n wir dy fod yn gallu gwella amodau fan hyn, ond rwyt ti'n siarad am wyrdroi hanes dynol.'

'Ydw, dim byd llai. Rhaid inni gamu o'r hen drefn i'r un newydd. Ond gwyrdroi *hanes* dynol yw'r bwriad, ac nid gwyrdroi *natur* ddynol. Yn hytrach, am greu amodau, cymunedau a chyfundrefnau ydwyf sydd yn caniatáu i bobl fodoli yn eu gwir gyflwr, yn ôl cyfraith natur. Nid wyf am geisio troi'r bobl i fod yn rhywbeth nad ydynt – y bwriad yn hytrach yw caniatáu iddynt wireddu'r hyn y maent. Nid natur ddynol yw'r rheswm bod cymaint ohonom yn ddrygionus, yn ffaeledig, ac yn ddiobaith. Nid oes unrhyw reidrwydd yn ein cymeriadau. Rydym oll yn cael ein geni gyda'r dichonolrwydd i ddatblygu'r un galluoedd.

Ac ymhellach, dryswch a chamddealltwriaeth sydd wedi achosi pobl i feddwl ein bod ni rywsut neu'i gilydd yn gyfrifol am yr hyn yr ydym. Nid y ni'n sy'n gyfrifol am greu'r amodau sy'n diffinio cyfeiriad ein datblygiad wedi'r cwbl – onid yw hynny'n gwbl amlwg? Celwydd llwyr yw honni ein bod ni rywsut yn gyfrifol am y bobl ydym ni. *Mae cymeriad dyn yn cael ei greu iddo – nid yw'n creu ei gymeriad trwy ei ewyllys ef ei hun.* Dyna pam mae'n rhaid inni ddechrau o'r dechrau ac ail-lunio ac ailstrwythuro ein cymdeithas.'

Roedd Robert Owen wedi magu stêm o ddifrif erbyn hyn, a hyd yn oed pe bai gan David Dale unrhyw ymateb i gynnig, annhebyg y byddai'n ei ystyried. Ymlaen ag ef fel y pistonau yn ei weithfeydd:

'Pan edrychwn ar wendidau'r lliaws, pan edrychwn ni ar y troseddi, y tlodi, a'r trais sydd yn y gymdeithas, ni ddylwn droi at ein gilydd a dweud, "Edrychwch ar ddrygioni'r bobl yma, edrychwch ar eu gwendidau, onid ydynt yn ffiaidd a diegwyddor?" Yn hytrach, dylwn nodi, "Edrychwch ar y drygioni rydym ni fel cymdeithas wedi'i greu, edrychwch ar ein gwendidau – onid ydym ni yn ffiaidd a diegwyddor i ganiatáu cymdeithas lle mae trallod a dioddef yn rhemp?" Yn ein dwylo ni, yn enwedig y rheini ohonom sydd â dylanwad, y mae dyfodol dynolryw, a dyma pam mae lledaenu addysg mor dyngedfennol i bob dim.

Dim ond trwy gydio yn ein babanod o oedran ifanc, eu gochel rhag ofergoel a chrefydd ffug a'u cyfeirio at wir grefydd, sydd yn arddel y gwirionedd ac elusen, y gallwn greu cymdeithas sy'n deilwng ohonom ac o gyfraith natur. O'u trwytho o oedran ifanc yn y gwirionedd, o'u haddysgu am ar angen am haelioni a thrugaredd, a phwysleisio caredigrwydd o flaen pob dim arall y gallwn obeithio am ddyfodol gwell. A sylwer, felly, nid newid dros nos rydym yn sôn amdano, nid chwyldro sydd yn dinistrio a rhoi'r i'r neilltu pob dim yn ein cymdeithas. Dyna'r llwybr i ebargofiant. Rhaid peidio dallu pobl â goleuni'r drefn newydd, ond yn hytrach sicrhau bod y newid yn digwydd yn raddol dros amser, wrth i'r syniadau newydd gael eu plannu a'u hau, er mwyn inni fedi'r cynhaeaf nid y tymor nesaf, na'r tymor wedyn ond yn nhymhorau'r dyfodol, pan gawn ni un cynhaeaf tragwyddol a ffrwythlon.'

Fflachiai llygaid y gŵr ifanc erbyn hyn gyda disgleirdeb ei weledigaeth, ac ar brydiau, felly, gofynnai Mr Dale i'w hunan a oedd ei fab-yng-nghyfraith wironeddol wedi diosg ei fagwraeth grefyddol, a diffodd gwres tanbaid y diwygiad a ledodd ar draws ei famwlad. Teimlai bron petai wedi gafael yn y neges o iachawdwriaeth, gan anghofio am y gweddill, a throi ei olygon at wireddu'r nefol ar y ddaear.

'Ond, Robert, rwyt yn siarad mewn modd mor obeithiol ac optimistaidd am y gallu hwn, ond onid oes yna dywyllwch mawr, rhyw dduwch di-ben-draw yn sefyll yng nghrombil dy holl weledigaeth? Pa beth mwy dinistriol sydd nag awgrymu i rywun nad y nhw sy'n gyfrifol am ei gymeriad; nad y nhw sydd yn haeddiannol o

gosb am y troseddau mwyaf dienaid? Neu o edrych arni o'r saf-
bwynt arall, pam awgrymu i rywun sydd wedi llafurio o'i fore
oes, wedi ymdrechu i wneud yr hyn sydd yn iawn, nad y nhw
sydd yn haeddu clod? Ac yn fwy byth, sut mae awgrymu i'r person
sydd am wella nhw eu hunain nad oes modd iddynt wneud hynny,
am nad y nhw sydd yn gyfrifol am greu eu cymeriad?'
'Rwy'n deall eich pryderon, ond rydych chi'n edrych ar y peth o
safbwynt pobl fel fi a chi, y sawl sydd wedi elwa ar fagwraeth dda,
y cyfle i ddatblygu ein cyneddfau, ac sydd – rhaid cyfaddef –wedi
bod yn ffodus o safbwynt ein galluoedd naturiol. Rwyf innau yn
edrych ar y sefyllfa o safbwynt yr anffodusion, y tlotyn neu'r
troseddwr. Edrychwch chi ar y bobl yma ac ymhob achos mi fydd
yna hanes truenus, diffyg addysg, diffyg arweiniad moesol yn eu
bywydau. Sut y mae modd inni honni fod y bobl yma yn gyfrifol
am eu cymeriad ac am y sefyllfa y'u magwyd ynddynt? Edrychwch
ar y gymdeithas maent yn rhan ohoni, sydd wedi'i seilio ar ang-
hyfartaledd ac ecsploetio, gyda diwrnodau erchyll o hir, neu waeth,
segurdod diddiwedd.

Nid achos anobaith yw dweud wrth y bobl yma, "Nid y chi sydd
i'w beio; mae yna fodd o wella eich cyflwr; ymostyngwch i gyf-
undrefn newydd o waith ac addysg ac fe fydd modd ichi adfer
eich sefyllfa." Ac mae'n rhaid inni gydnabod nad oes modd inni
gymryd mwy o glod am ein llwyddiannau na all y troseddwr
arferol dderbyn cyfrifoldeb am ei ddrwgweithredu. Cynnyrch ein
hamgylchfyd ydym oll – dim byd mwy. Y fantais fawr sydd gan
rai ohonom yw bod gennym wir gyfle i ddewis yr hyn rydym am
ei wneud, a'r modd rydym am fyw ein bywydau a datblygu ein
hunain. Oblegid yn y pen draw rydym wedi bod yn ddigon ffodus
i dderbyn holl fanteision addysg dda, mewn cytgord â natur a'r
gwirionedd, sydd yn eu tro wedi sicrhau inni wedd ar ryddid a
grym dros fywyd ein hunain sydd ddim yn wir i'r lliaws.

Mae'n ddim byd mwy dinistriol na tholc i'n balchder ac ymffrost,
os derbyniwn nad y ni sy'n gyfrifol am yr amodau a'r amgylchfyd
sydd wedi ein creu ni fel cymeriadau. Yn wir, fe fyddai'r sawl sydd
yn mynnu hawl dros eu henillion oll yn gwneud yn dda i gydnabod
hynny, ac yn hynny o beth i lacio eu gafael ar yr hyn y maent yn
ei gredu sydd o reidrwydd yn berchen iddynt oherwydd eu

hymdrechion. Y gwir amdani yw mai'r gymdeithas yn ei chyfan-
rwydd sydd wedi bod yn gyfrifol am lwyddiant unrhyw aelod
ohoni, ac fe ddylai dderbyn y rhywfaint yn ôl.'

'Hm,' ochneidiodd yr hen ŵr, a phenderfynu ildio mantais yr
amheuaeth i'w fab-yng-nghyfraith – am funud fach, o leiaf.

'Gallaf ddychmygu na fyddai'r casgliad hwn yn un a fyddai
mor estron i elfennau yn y gymdeithas fel y mae. Hynny yw, mae
yna ddigon o bobl yn gyfforddus gyda'r syniad o rannu cyfoeth
ac adnoddau, ac yn ei ystyried yn beth da. Wn i ddim ai'r un
rhesymeg sydd y tu ôl i gyfreithiau'r tlodion, er enghraifft, ond
mae yna nifer sy'n ddigon bodlon gyda'r syniad bod yna werth
cyffredinol mewn atal gormod o dlodi a dioddef yn y gymdeithas,
a bod pris cymharol fach i'w dalu er mwyn gwneud hyn o gymharu
â'r anhwylustod o orfod wynebu trallod rownd pob cornel. Ond
mae gen ti dalcen caled i ddwyn perswâd ar nifer mai mater o
haeddiant ac nid elusen yw bod rhai yn rhannu eu henillion serch
eraill. Ond dyna ni, nid yw'n gwbl anghredadwy.

Ac wn i ddim sut y mae pobl yn mynd i ymateb i'r syniad nad
yw troseddwr yn euog am ei gamwri a bod angen maddeuant arno
yn hytrach na chosb. Mae gen i deimlad na fyddai'r mwyafrif am
dderbyn nad oes gan yr unigolyn unrhyw gyfrifoldeb am yr hyn
y mae wedi'i gyflawni. Beth rydym i gasglu – bod modd i drosedd-
wyr a dihirod gerdded yn ein mysg heb unrhyw gerydd na sen?'

'Wel, na, bid siŵr, ac fe wyddoch chi'n iawn na fuaswn i am
awgrymu hynny. Wrth reswm, mae angen cosbi er mwyn dysgu
gwers a chadw pobl beryglus rhag eraill a rhag aildroseddu.
Ond cofia bod ein dehongliad ni o'u troseddi yn hollbwysig o
safbwynt ein triniaeth ohonynt. Petawn ni yn ystyried y troseddwyr
oll yn rhai sydd wedi gorfod dioddef eu hamgylchiadau, heb y
cysur a'r cariad i'w haddysgu'n gywir, yn rhesymol ac yn ysbrydol,
yna buaswn yn eu hystyried fel y dioddefwyr – rhywrai sydd
angen caredigrwydd ac elusen, a chyfle i gael eu hailddysgu a'u
haddasu i'r gymdeithas sydd ohoni. Felly mae'r ddalfa yn troi o
fod yn adeilad sydd yn cosbi rhywun am ei ddrygioni cynhenid
a'i ewyllys ddrwg, i fod yn dŷ diwygio, lle caiff pob un y cyfle i
edifarhau, i ddysgu'r hyn sy'n wir neu gau, a cheisio dechrau o'r
newydd.'

'Mae yna rywbeth urddasol, hardd, i'th weledigaeth o natur ddynol a'th ffydd yn y goruchaf, Robert, ond wn i ddim a yw'r gweddill ohonom yn rhannu'r un gobaith a'r un ffydd ym mywyd dynol. Nid oes modd inni waredu ein hunain o wirionedd truenus dynolryw a chodi ein golygon i'r fath safbwynt trosgynnol.'

'Oes, siŵr. A dyna ichi mewn un frawddeg y diystyrwch a'r diffeithwch ysbrydol y mae crefydd sefydliadol ein byd ni wedi ei greu. Pe na bai pob un enwad mor brysur yn hawlio'r diffiniad gorau a therfynol, gan fynnu adnabod diffygion pob un arall, yna fe fyddai mwy o egni yn cael ei neilltuo i'r pwrpas o weld sut yr ydym oll yn rhannu'r un ffawd ac yn rhan o'r un drefn naturiol. Er gwaethaf beth mae sawl un ohonynt am ei ddweud, mae gennym y modd o greu nefoedd fach ar y ddaear, cyhyd â'n bod ni'n barod i ddiosg adfeilion yr hen grefydd a phwysleisio ein mawredd. Rhaid inni beidio ymlynu at y proffwydi cau a'u crefyddau ffals, ond yn hytrach lynu at yr un wir grefydd sydd yn llawforwyn i'r gwir, ac wedi'i seilio mewn elusen a charedigrwydd.' 'Geiriau mawr, Robert, ac iwtopia i dynnu dŵr i'r llygaid. Ond sut yn y byd mae gwireddu'r gwerthoedd yma yn y byd sydd ohoni?'

Am y tro cyntaf mewn munudau lawer, fe gododd Robert Owen ei olygon o wyneb ei dad-yng-nghyfraith, a throi mewn cylch llawn gan lyncu'r olygfa banoramig yn un. 'Fe ddechreuwn ni fan hyn, wrth gwrs,' meddai'n fuddugoliaethus.

'Cymaint fydd grym esiampl a dylanwad y Lanark Newydd y bydd pobl yn heidio yma o bedwar ban byd i weld y wyrth ar waith. Bydd pobl yn rhyfeddu ar ganlyniadau'r system addysg ac yn cenfigennu at y model o fusnes a fydd yn creu llewyrch a llwyddiant. Byddwn yn sefydlu'r cyntaf o'r cymunedau cydweithredol a fydd yn gynsail i eraill, nid yn unig ar draws y deyrnas ond ar draws y byd. Yn hytrach na dinasoedd mawrion yn tyfu'n fwyfwy fel pla, fe fydd pobl yn heidio i'r cymunedau yma i fyw bywydau cyfforddus, cymundodol, a phob un ohonynt yn arbenigo yn eu cynnyrch ac yn rhan o rwydwaith cynaliadwy.

Wrth i'r llwyddiannau ysgubo'r wlad, ni fydd y llywodraeth yn llawer o dro yn sylweddoli mai dyma yw'r llwybr at hapusrwydd i'r gymdeithas trwyddi draw, ac yn diwygio'r gyfundrefn a'r gyfraith i hybu'r mentrau yma. Unwaith y mae'r gwirionedd am ddichonolrwydd dynol wedi gwawrio arnynt, fe fydd deallusion ac arweinwyr y gymdeithas fawr o dro yn ceisio eu gorau i wireddu cymaint ohonynt â phosib. Ac fel y dywedais, nid model cened-laethol mohoni, ond ffurf o fyw i'w hefelychu ymhobman gyda'r bwriad o wella cyflwr pobloedd o bob hil a lliw. Yn y pen draw byddwn yn disodli'r gyfundrefn hon o gystadleuaeth sydd mor ddinistriol i fywydau dynol, yn wyrdroad o'n natur gydweithredol, ac sydd, gwaetha'r modd, wedi'i gwau i mewn i'r drefn imperial-aidd ac yn achosi ecsploetio ar draws y byd. Yn lle cyfalafiaeth ddilyffethair sydd mor anwadal ac anhrugarog, gall y rhwydwaith o gydweithrediad ymestyn ar draws y byd gan sicrhau gwell bywydau i bawb.'

'A ble fyddi di, Robert bach, wrth i hyn oll ddigwydd? Yn y tŷ acw?'

'Maes o law, byddaf oddi yma yn sefydlu lleoedd tebyg – yn y Byd Newydd efallai. Ond yma a fyddaf, am faint bynnag amser y bydd fy angen arnaf gan bobl Lanark Newydd, ac, wrth gwrs, fy mhlant.'

Gwenu oedd yr unig beth y gallai David Dale ei wneud erbyn hyn, gan gydio yn llaw Robert Owen.

'A siarad fel dy dad-yng-nghyfraith, dy blant a dy wraig sydd yn dod gyntaf. Cofia di hynny, Robert. Cyhyd â bod y rheini'n ddiogel, wel, am y gweddill gallaf ond dymuno pob llwyddiant i ti. Ond gair i gall, er dy wrthodiad o'r Eglwys, mae'r rhan fwyaf o Gristnogion honedig y byd yma yn llawer llai Cristnogol na thithau!'

A chyda hynny, fe drodd yr hen ŵr ar ei sawdl, gan ysgwyd ei ben, a'i chychwyn hi am y tân a'r gwydred o chwisgi. Clywodd ei fab-yng-nghyfraith, fel petai'n annerch neb ond ei hunan a'r paredau o'i flaen, yn datgan, 'Ond fy mod innau yn credu mewn iachawd-wriaeth yn y byd hwn.'

Owen a Gwawr Sosialaeth

Yn achos gwelediaeth Glyndŵr, awgrymwyd ffurf ar iwtopiaeth, ond wedi'i gwreiddio yng ngwirionedd gwleidyddol ei ddydd. Yn ffigwr Robert Owen cawn iwtopiaeth 'lawn dwf' nad yw'n ystyried yr amgylchiadau na'r drefn bresennol fel maen tramgwydd; nid chwarae'r gêm wleidyddol i'r eithaf yw'r syniad, ond yn hytrach newid natur y gêm. Yn wir, dyma yw un o ffigyrau blaenaf hanes iwtopiaeth – yn rhannol oherwydd ei lwyddiant, yn rhannol oherwydd y cyfnod hanesyddol, a'n rhannol oherwydd ei waddol amlochrog.

Amlygwyd ei iwtopiaeth ar ffurf ymarferol a ffurf ddamcaniaethol. Y wedd ymarferol sydd wedi bod fwyaf dylanwadol, a Lanark Newydd erbyn heddiw yn safle treftadaeth y byd UNESCO – yn goffâd i lwyddiant ysgubol ei brosiect cydweithredol. Mae ei ysgrifau niferus, ar y llaw arall, yn cynnig casgliad eang o fyfyrio a damcaniaethu nas ystyriwyd erioed yn gampweithiau athronyddol – er bod ei *New View of Society* yn ddarlleniad difyr a beiddgar.

Bu Owen fwyaf llwyddiannus a dylanwadol wedi troad y bedwaredd ganrif ar bymtheg, yn ystod blynyddoedd ffurfiannol Lanark Newydd, ac roedd ei weithgarwch wedi'i hybu gan gyfraniadau gweledyddion eraill. Cofier mai dyma oedd y cyfnod wedi Erbeniad y Chwyldro, gyda thrafod a damcaniaethu am systemau gwleidyddol ar raddfa na welwyd mo'i thebyg o'r blaen. Ymysg yr amryw gyfraniadau o'r cyfnod oedd syniadau'r Ffrancod Saint-Simon a Charles Fourier, ill dau yn cael eu hystyried yr un mor bwysig ag Owen o safbwynt eu cyfraniadau i'r meddwl iwtopaidd.

Yn wir, nid afresymol fyddai awgrymu mai'r triawd yma sydd yn cynrychioli gwawr sosialaeth yr oes fodern gyda'u hymgeision i ddychmygu a rhoi ar waith eu prosiectau iwtopaidd. Er eu hamrywiaeth roedd yna sawl elfen a oedd yn eu cysylltu, y pennaf ohonynt yr ymgais i sefydlu cymunedau cydweithredol o ychydig filoedd. Nodweddir eu gweledigaethau gan wrthodiad y drefn gyfalafol, yr ymgais i oresgyn rhwygiadau dosbarth, y pwyslais ar gydraddoldeb ac addysg, a chydfyw clòs a hunanddibynnol.

Friedrich Engels a Karl Marx, yn eu beirniadaeth o'r tri, a fathodd y term 'y sosialwyr iwtopaidd', gan awgrymu bod eu cynlluniau gwyddonol i adfer cymdeithas yn rhai nad oedd yn cymryd digon o sylw o'r amodau hanesyddol, ac felly'n ceisio codi cestyll 'yn yr awyr'.[16] Sail y feirniadaeth hon oedd cred Marx ym mhwysigrwydd y proletariat fel y grym trawsnewidiol a allai yrru newid cymdeithasol. Yn ôl Marx roedd angen chwyldro, nid diwygiad, i ddisodli'r system gyfalafol: y gweithwyr yn cymryd awennau llywodraeth gan ddymchwel y bwrgeisiaid, a throi diwydiant i feddiant y proletariat i gynhyrchu elw i'r gymdeithas gyfan. Dim ond felly y byddai modd newid cymdeithas a dod ag ecsploetio i ben.

Er bod yr iwtopiaid yr un mor daer eu beirniadaeth o gyfalafiaeth, ac yn gweld cydweithrediad a chymunediaeth yn anhepgorol, nid oeddent o'r un meddylfryd chwyldroadol. Methiant yr iwtopiaid oedd amgyffred pwysigrwydd y proletariat yn ôl Marx, yn rhannol oherwydd nad oedd y frwydr ddosbarth wedi llawn amlygu ei hunan, ac oherwydd nad oedd y tri yn gweld y tu hwnt i'w dyhead i weld adferiad o'r gwrthdaro. Roedd Owen yn esiampl berffaith o'r safbwynt yma yn ei gred mai pobl fel efe, arweinwyr cymdeithas, oedd â'r weledigaeth a'r grym i newid y system, a bod hynny'n digwydd nid er mwyn tanseilio'r bwrgais (yr oedd ef yn rhan ohoni, wrth gwrs) ond er lles a budd pob haen o gymdeithas.

Cymodi a goresgyn gwrthdaro yw ei nod trwy ddwyn perswâd ar bawb mae ei lwybr ef yw'r un cywir, nid arddel y trais a'r gwrthdaro a fyddai'n ganolog i faniffesto comiwnyddol Marx ac Engels. Yn hynny o beth, mae yna rywbeth yn yr awgrym mai cynnig fersiwn seciwlar o'r Bregeth ar y Mynydd a wna'r sosialwyr cynnar hyn, yn gymaint â chynnig beirniadaeth o gyfalafiaeth fel system economaidd. Yn wir, yn ôl Geoffrey Powell, amhosib ydyw llawn werthfawrogi safbwyntiau Owen heb eu gosod ochr yn ochr â'r athrawiaeth Gristnogol a fagwyd ynddi.

Penderfyniaeth

Wrth wraidd gweledigaeth Robert Owen ceir athroniaeth holl-bwysig, bellgyrhaeddol, a mwy na dim, dadleuol. Conglfaen ei wyddor gymdeithasol yw'r gred ddiysgog yn y syniad nad oes yr un person sydd yn gyfrifol am ei gymeriad. Hynny yw, mae'r dybiaeth bob dydd mai ni sydd yn gyfrifol am y math o berson ydym ni – ac yn gysylltiedig, felly, ein gweithredoedd a'n pen-derfyniadau – yn rhith. Mewn termau amrwd, rhaid inni dderbyn nad oes gennym mewn unrhyw fodd reolaeth dros y gymdeithas y'n magwyd ni ynddi, na'r bobl sydd yn rhieni inni, y gwerthoedd rydym yn dysgu fel plant, y math o addysg rydym yn ei derbyn, y galluoedd rydym yn eu hetifeddu, ac yn y blaen. Mae'r cymeriad rydym yn ffurfio yn ddibynnol ar ffactorau ac amgylchiadau sydd y tu hwnt i'n dylanwad.

Mae Owen yn darlunio goblygiadau'r safbwynt hwn mewn modd trawiadol ym mhennod gyntaf *New View of Society*, gan sôn am ddiniweidrwydd y troseddwyr gwaethaf yng nghymdeithas, yn yr ystyr nad oes modd inni ystyried y bobl yma'n foesol gyfrifol am eu cymeriad sydd wedi bod wrth wraidd eu drwgweithredu. Yn wir, mae'r bai yn cwympo ar y gymdeithas am ganiatáu'r fath amodau sydd yn creu cymeriadau mor ddienaid. Ochr arall y geiniog, wrth gwrs, ac agwedd sydd yr un mor anodd ei dirnad i rai, yw'r syniad nad ydym ychwaith yn gallu hawlio'r clod am ein gweithredoedd rhinweddol, ein cyraeddiadau a'n cymeriad dilychwin. Yn benodol, nid oes modd inni hawlio cyfrifoldeb am yr enillion ariannol rydym yn eu gwneud ar sail ein medrau a'n gwaith caled.

Dyma agwedd a fyddai'n ganolog i'r ddadl egalitaraidd dros ailddosbarthiad, sef bod pob un person yn gorfod cydnabod bod eu llwyddiannau yn rhai sydd yn y pen draw yn seiliedig ar ffawd, ac yn diolch i'r cyd-destun cymdeithasol sydd yn creu'r amodau ar gyfer llwyddiant. Yn wir, i ddychwelyd ato eto, gwelwn yng ngwaith John Rawls ddadl i'r un perwyl – er nad ydyw'n ymrwymo i'r ddadl yn ei chyfanrwydd. Yn hytrach, y mae am awgrymu bod synnwyr yn dangos nad oes modd credu yn y gwrthwyneb, sef ein bod ni'n gwbl gyfrifol am ein cymeriad. Dywed Rawls mai un agwedd ar ein syniadau ystyriol am gymdeithas sydd yn gwbl gadarn yw'r dybiaeth nad oes yr un ohonom yn *haeddu* nac yn gallu cymryd *cyfrifoldeb* am ein medrau naturiol, nac ychwaith ein safle cychwynnol o fewn y gymdeithas. Ymhellach,

mae'r honiad bod dyn yn haeddu'r cymeriad gwell sydd yn ei alluogi i ymdrechu er mwyn meithrin ei fedrau, yr un mor broblematig; oherwydd mae *ei gymeriad yn dibynnu yn helaeth ar deulu ffortunus ac amgylchiadau cymdeithasol, nad oes modd iddo hawlio unrhyw glod o'u herwydd.* Nid yw'r cysyniad o haeddiant fel petai yn berthnasol.[17] (Fy mhwyslais i)

Nid oes modd gor-ddweud pa mor feiddgar a heriol oedd y saf-
bwynt a fynegwyd gan Owen, ac i ba raddau y mae'n parhau'n
ddadleuol (er gwaethaf honiad Rawls am eu cadarnrwydd). Yng
nghyfnod Owen roedd credoau ceidwadol cryfion yn parhau
ynghylch y drefn hierarchaidd naturiol, fel y mynegwyd gan
gymeriad megis Edmund Burke. Roedd hyd yn oed y rheini â
syniadau mwy gobeithiol am natur gyffredinol dynolryw, megis
Richard Price, yn awgrymu ôl gwaith Duw ar ein cydraddoldeb
cynhenid. Byddai'r syniad mai dyn ei hun a oedd yn gyfrifol am
natur ddynol, a bod ganddo'r grym a'r gallu i newid y natur honno
trwy newid yr amodau, yn drawsnewidiol.

Roedd Jean-Jaques Rousseau, gyda'i feirniadaeth o ddylanwad
niweidiol cymdeithas ar yr 'anwariad bonheddig', wedi cynnig
elfen o'r mewnwelediad yma, tra bod Wollstonecraft a'i dadleuon
soffistigedig am saernïaeth y gymdeithas o'r cymeriad benywaidd
o flaen ei hamser. Ond Robert Owen sydd yn hoelio'n sylw yn
ddidrugaredd ar y pwynt sylfaenol a'i oblygiadau. Ac iddo ef,
neges obeithiol o ffyniant dynoliaeth y mae'r sylweddoliad hwn
yn ei gynnig, oherwydd ei fod yn awgrymu lle bo modd inni
sicrhau'r amodau cywir, mae modd inni ryddfreinio'r boblogaeth
yn gyffredinol.

Fodd bynnag, nid pawb a oedd yn derbyn y dehongliad hwn a
byddai athronydd rhyddfrydol amlycaf yr oes, John Stuart Mill,
yn daer yn ei wrthwynebiad i'r hyn a alwai'n athrawiaeth yr
Oweniaid (erbyn i Mill ddechrau ar ei athronyddu, dilynwyr Owen,
yn hytrach nac Owen ei hun, oedd bellach yn adnabyddus am y
ddadl). Yn wir, roedd y mater yn un personol i Mill, am fod
wynebu'r posibilrwydd nad efe oedd yn gyfrifol am ei gymeriad
wedi cyfrannu at gyfnod o afiechyd meddwl yn ei ugeiniau. Roedd
y syniad mai 'gŵr gwneud' (*manufactured man*) ydoedd yn pwyso
arno megis incubus, yn ôl ei hunangofiant.[18]

Ymhellach, roedd penderfyniaeth, wrth reswm, yn fygythiad i
ryddfrydiaeth Mill, a oedd yn rhoi cymaint o bris ar bwysigrwydd
unigoliaeth, ein natur ddigymell, a'n gallu i fod yn bobl echreiddig.
Lle bod Owen yn gweld cynnydd cymdeithas yn seiliedig ar
gyfundrefn drwyadl o addysg, a chymdeithas wedi'i chynnal gan
strwythurau pendant, roedd Mill yn gweld ysbrydoliaeth yr

unigolyn a'i allu cynhenid i dorri ymaith o gonfensiwn fel y ffordd ymlaen. Roedd y syniad felly ein bod ni'n gyfyngedig i ddylanwadau nad ydym ag unrhyw reolaeth drostynt yn annerbyniol.

Yn ei hunangofiant mae Mill yn cysuro ei hunan trwy gydnabod dylanwad cymdeithas ac addysg, ond gwrthod yr hyn y mae'n ei ystyried fel 'tynghediaeth' Owen. Mynna bod elfen o hunanreolaeth a rhyddid yn parhau yn ein gallu ni fel unigolion i gynyddol ddewis a dethol yr amodau a'r amgylchiadau hynny sy'n ffurfio ein cymeriad, a bod hynny yn fynegiant o'n hunigoliaeth sylfaenol. Mae modd i Owen ymateb, fodd bynnag, fod y dewisiadau yna yn rhai sydd eisoes wedi cael eu rhagarfaethu gan y cymeriad rydym yn berchen arno'n barod.

Ymddengys fod penderfyniaeth Owen yn anodd ei dianc – os dianc sydd angen, wrth gwrs. Nid oedd Owen yn gweld unrhyw beth o'i le â'i athrawiaeth ganolog, yn ôl pob tebyg oherwydd ei fod yn gweld ei hunan fel prawf o'r hyn y gallai ddynoliaeth fod trwy ei dinoethi i amodau ffafriol. Ac er bod ei gymeriad wedi'i ffurfio iddo, roedd ei fywyd yn brawf o'r rhyddid di-ben-draw sy'n berchen i unigolyn o gymeriad sylweddol, addysg a medrau eang.

Athroniaeth ar Waith

Felly, er nad yw Robert Owen yn cael ei gydnabod fel athronydd o sylwedd, mae yna'n sicr sylwedd athronyddol i'w weithredoedd a'i athrawiaeth sydd yn ei osod o fewn y *milieu* athronyddol uchaf un ei gyfnod. Serch hynny, rhaid cydnabod bod ei waddol pwysicaf yn y byd cymdeithasol a gwleidyddol. Fe'i hystyrir mewn sawl maes fel ffigwr arloesol, yn bennaf oherwydd yr hyn a brofodd yn llwyddiannus yn Lanark Newydd. Yn wir, teithiodd nifer o ymwelwyr o bwys i Lanark Newydd i dystio i'r arbrawf, gan gynnwys y Tsar Nicholas o Rwsia. Y tu hwnt i'r iwtopiaeth a'r syniadaeth fwy aruchel, mae'r mudiad cydweithredol, yr undebau llafur, yr addysg sefydliadol i fabanod a phlant, a'r diwrnod gwaith wyth awr i gyd yn gonfensiynau o safbwynt ein bywydau heddiw y mae modd eu holrhain i Robert Owen, mewn un ffurf neu'i gilydd.

Un o'r agweddau ar ei weledigaeth a bywyd Lanark Newydd sydd heb dderbyn cymaint o sylw yw ei barch at yr amgylchfyd, a'i gred yn yr angen am berthynas gynaliadwy a chlòs â dynoliaeth. Dichon fod tueddiad y syniadaeth sosialaidd ganlynol i anwybyddu gofynion amgylcheddol yn cyfrif am y ffaith nad yw hyn yn un o'r prif bwyntiau o ddiddordeb yn ei waith. I gyffredinoli, roedd anghenion yr amgylchfyd yn beth digon eilradd i fudiad a oedd a'i olygon ar sicrhau'r hawliau mwyaf sylfaenol i weithwyr. Fodd bynnag, mae'n ddiddorol bod Owen a'r iwtopiaid eraill yn cynnig sylfaen amgylcheddol i'r mudiad sosialaidd droi yn ôl ati, pe bai'r awydd i wneud hynny o ddifrif.

I bob pwrpas, agwedd ddyn-greiddiol a oedd gan Owen sydd yn awgrymu amgylcheddiaeth yn hytrach nag ecoleg ddofn yr oes sydd ohoni. Hynny yw, nid ein cymell i wyrdroi ein safbwynt y mae Owen, gan roi natur yn gyntaf, ond yn hytrach ei gwarchod a'i pharchu am resymau hunanlesol yn y pen draw. Er agwedd fas ei safbwynt ar yr amgylchedd, mae yna wersi i'w hystyried o'i athrawiaeth ar natur, a oedd yn bod cyn i broblemau amgylcheddol gynnig unrhyw reswm i betruso.

I gloi rhaid nodi nad oedd Owen ei hun, na'i syniadau, wedi creu rhyw lawer o argraff uniongyrchol ar ei famwlad. Yn wir, honnir iddo ddychwelyd i Gymru dim ond dwywaith ar ôl gadael y Drenewydd yn fachgen ifanc. Roedd ei dad, haearnwerthwr a chyfrwywr, wedi penderfynu ei anfon i hel ei ffortiwn yn Lloegr, gan gydnabod ei gyneddfau anghyffredin. Mae'r enw dodi *the Father of English Socialism* yn dweud y cwbl o safbwynt pwysigrwydd ei Gymreictod i'r rheini sydd wedi astudio ei waith a'i fywyd yn helaeth. Mae'n debyg bod yna ddau ymgais yng Nghymru i geisio efelychu ei lasbrint o gymuned gydweithredol, gyda'r ddau ohonynt yn fethiant.[19]

Gellir honni, fodd bynnag, fod dylanwad anuniongyrchol Owen ar Gymru wedi bod yn bellgyrhaeddol, os ystyriwn ef fel un o gorff o feddylwyr sosialaidd sydd wedi ysbrydoli'r amryw fudiadau dosbarth gweithiol hyn. Yn hynny o beth, mae hanes diweddar Cymru yn amlygu bod y meddwl sosialaeth gymedrol a nodweddir gan Owen wedi cydio mwy na'r neges chwyldroadol o du'r Marcswyr. Mae undebaeth, y glymblaid Ryddfrydol-Lafur a gafael y

Blaid Lafur oll yn awgrymu bod agwedd gydsyniol, ddiwygiadol Owen yn un sydd wedi eistedd yn fwy cyfforddus gyda'i gyd-wladwyr. Dylid cofio bod hyd yn oed y penboethyn a'r radical Aneurin Bevan yn ymgorfforiad o'r agwedd hon, yn ei gofleidio o ddemocratiaeth a gwrthodiad o Farcsiaeth uniongred.

Ar lefel fwy beunyddiol mae atgof o athroniaeth addysg Owen ym mholisïau diweddar gan y Cynulliad i hyrwyddo 'dysgu trwy chwarae', tra bod llwyddiant parhaol un siop yng nghanol ein prifddinas, ni ellir mo'i henwi, yn dyst i hirhoedledd yr egwyddor o gwmni cydweithredol. Y gwir amdani yw bod yna adlais o athrawiaeth Owen ar draws bedwar ban byd, fel un o grŵp o weledyddion a oedd yn adlewyrchu'r dyhead cynyddol ar droad y bedwaredd ganrif ar bymtheg i sicrhau mwy o ddyneiddiaeth ac urddas ym mywydau'r gweithwyr a'r tlawd – neges sydd yr un mor berthnasol heddiw, wrth gwrs.

Darllen Pellach

John Stuart Mill, 1989. *Autobiography* (London: Penguin Classics).

Robert Owen, 1991. *A New View of Society and Other Writings*, gol. G. Claeys (Harmondsworth: Penguin).

Roger Paden, 2002. 'Marx's critique of the utopian socialists', *Utopian Studies*, 13, 2, 67–91.

R. O. Roberts, 1948. *Robert Owen y Dre Newydd* (Aberystwyth: Y Clwb Llyfrau Cymraeg).

Geoffrey Powell, 2011. 'The greatest discovery ever made by man', yn Noel Thompson a Chris Williams (gol.), *Robert Owen and his Legacy* (Cardiff: University of Wales Press).

Chris Williams, 2011. 'Robert Owen and Wales', yn Noel Thompson a Chris Williams (gol.), *Robert Owen and his Legacy* (Cardiff: University of Wales Press).

6

Heddychiaeth a Gwleidyddiaeth Ryngwladol
Henry Richard (1812–1888)
a David Davies (1880–1944)

David Davies yn ei wisg filwrol, Ionawr 1916

Gregynog, Canolbarth Cymru 1928

Mae'r Barwn wedi galw eto. Nid oes eiliad i'w wastraffu. Llwnc o de cryf a thri llwyed o siwgr. Pwy a ŵyr faint fydd ef yn parablu ymlaen y bore 'ma! Dyw'r cig moch a'r wyau heb dreulio eto, ond dyna ni, yn y sesiynau ysgrifennu di-baid yma, daw bola'n gefn. Rwy'n rhyfeddu at egni'r dyn. Dros gant o ddudalennau o fyfyr-dodau gennym yn barod, ac rŷm ni'n dal i fod ar y rhagarweiniad a seiliau athronyddol y gwaith. Os yw ei ymrwymiad i'r dasg yn unrhyw fath o linyn mesur, nid oes ryfedd iddo gyflawni gymaint dros y blynyddoedd diwethaf yma.

Dyma'r dyn, cofiwch, a sefydlodd y gadair wleidyddiaeth ryng-wladol ym Mhrifysgol Aberystwyth – y cyntaf o'i bath yn y byd – a noddodd y Cyngor Cymreig o Undeb Cynghrair y Cenhed-loedd. Dyn diedifar yn ei ymdrechion i hybu achos heddwch trwy feithrin mudiadau ar lawr gwlad yng Nghymru, ac fel gwleidydd a chennad yn Llundain a thu hwnt. Ac fe gofiwch chi'r ymgyrch anhygoel i ddwyn perswâd ar yr Unol Daleithwyr i ymuno â Chynghrair y Cenhedloedd, llofnodion 400,000 o ferched Cymru yn cael eu cyflwyno i Eleanor Roosevelt yn Washington, a'r digwydd-iad penigamp hwnnw yn Aberystwyth? Gwahoddwyd dros gant o gynrychiolwyr o ddegau o wledydd i gynnal cynhadledd flynyddol Ffederasiwn Rhyngwladol Cymdeithasau Cynghrair y Cenhedloedd yno (ar ôl i'r awgrym o Dresden cael ei wrthod!). Cafwyd trên dosbarth cyntaf o Lundain i'r holl ddirprwyon, a thripiau yn eu hamser hamdden i bentrefi cyfagos, a'r menywod oll yn gwisgo'r wisg draddodiadol! A'r cwbl wedi ei gyllido gan y ffortiwn anferth a etifeddwyd o'i dad-cu, yr hen 'Top Sawyer' – *David Davies the Ocean.* Mae'r teulu hwn wedi gwneud yn fawr o aur du cymoedd y de; ond dyna ni, o leiaf y mae rhan sylweddol o'r elw yn mynd at achosion da fan hyn yng Nghymru, fel y gymdeithas gwrth-diwbercwlosis a sefydlodd y Barwn cyn y Rhyfel Mawr.

Tipyn o foi hefyd, yr hen Farwn. 'Dai Bob Man' yw un o'i lys-enwau, oherwydd ei duedd i droi ei law at gymaint o bethau a mynnu cymryd rhan – neu fusnesa, fel y byddai rhai yn dweud – mewn achosion fan hyn, fan draw. Aeth yn ormod i'r hen Lloyd George, yndo? Ac efe'r Barwn wedi gwneud ei orau glas i wthio'i gyfaill i frig y Llywodraeth, buodd y 'Dyn a enillodd y Rhyfel' yn fawr o dro yn cael ei wared!

Mae rhywun yn gallu cydymdeimlo, cofiwch chi. Yr hen Dai Bob Man wedi cael swydd yn y *War Cabinet* ac yn treulio siâr go lew o'i amser yn beirniadu'r holl ymdrechion – gan gynnwys rhai'r Prif Weinidog ei hun! Ie, dyna'r math o ddyn rwy'n ceisio ymdopi ag ef o ddydd i ddydd.

Ac eto roedd y Barwn yn llygaid ei le, onid oedd? Efallai ei fod e'n hy ac yn hunanbwysig, ond roedd yn ddigon diymhongar i weld bod yr elît wedi gwneud cawlach o bethau, ac i gydnabod cymaint o wastraff bywyd, adnoddau ac arian oedd yr hen ryfel. Ac yn wahanol i rai fe welodd yr holl beth â'i lygaid ei hun, yn hyfforddi a mynd a chatrawd ei hun i'r ffrynt yn Ffrainc. Anghredadwy, a dweud y gwir.

Erbyn hyn mae wedi dechrau cael digon ar yr ymgyrchu diflino. Mae wedi bod wrthi ers bron i ddegawd. Na, erbyn hyn mae wedi penderfynu bod angen paratoi'r tir yn drwyadl os am hau heddwch. Dyna pam mae wrthi gyda'r llyfr hwn, fe welwch – mae eisiau dwyn perswâd ar bobl trwy syniadau, a newid eu ffordd o feddwl.

Er ei salwch diweddar mae'n mynd amdani, fel y gallwch ddychmygu! A lle bod ei orchestion cynt yn gofyn iddo oresgyn rhwystrau man hyn, man draw – a sugno rhywfaint o wynt o'i hwyliau – nid oes yna ddim byd i atal y llif parhaol, di-ben-draw o syniadau! Y drafferth fwyaf yw cadw i fyny a cheisio rhoi trefn ar ei syniadau. O Hobbes, i Abbe Saint-Pierre, i Rousseau, i Kant, i Henry Richard.

Ie, Henry Richard, dyna pwy fuom ni'n trafod neithiwr fin nos, a'r Barwn wedi cymryd un chwisgi bach yn ormod. Roedd yn falch ofnadwy i drafod syniadau'r Cymro mawr hwnnw a chysylltu ei ymdrechion ei hun â'r Apostol Heddwch – ond, wrth gwrs, fel pob meddyliwr arall ar y pwnc, camgymeriad Henry Richard oedd peidio â mynd yn ddigon pell, a dod i'r un casgliadau â'r Barwn!

Mae cyflafareddiad (*arbitration*) a thribiwnlys rhyngwladol yn syniadau digon synhwyrol, ond pa iws, meddai, heb fraich gadarn y gyfraith? Ie, mae gan y Barwn ei fryd ar heddlu rhyngwladol i wireddu delfryd Henry Richard, a sicrhau bod herwyr y gyfraith ryngwladol yn cael eu cosbi a'u hatal, a'u hanghymell rhag mentro.

* * *

I fyny â fi trwy goridorau hirion Gregynog, heibio'r darluniau ofnadwy yna o Ffrainc sy'n darlunio dim mewn gwirionedd (beth yn y byd oedd ar bennau chwiorydd y Barwn, dywed?). I mewn â fi i'r stafell fwyta, lle mae'r Barwn yn gorffen ei frecwast. Dyna fe wedi'i wisgo'n drwsiadus fel yr arfer, yn eistedd ar ben y bwrdd hir yn llymeitian ar ei de a'r mwstas sylweddol yn eistedd ar rimyn ei baned. Tybed beth fydd ar ei feddwl y bore yma?

'Wel, Edwards, falch o dy weld di fel hyn ben bore. Mae'n hollbwysig, anhepgorol, ein bod ni'n dechrau ar bethau mor fuan â phosib bore yma. Dwi wedi cael noswaith oleuedig tu hwnt.'

'Noswaith oleuedig, Syr?' Mae'r un bwrlwm yn perthyn iddo'r bore yma, fel yr arfer, ond a ydw i'n synhwyro rhyw dinc anghyfarwydd yn ei lais? Ychydig o amheuaeth efallai? Neu flinder?

'Dim llawer o gwsg, felly?'

'I'r gwrthwyneb, Edwards, i'r gwrthwyneb. Cwsg hir a llesol. Nawrte, Edwards bach, rwy'n gwybod dy fod ti'n ddyn eangfrydig ac amyneddgar, felly dwi ddim am oedi wrth ymddiried ynot.'

'Diolch ichi', meddwn i. Nif wyf yn rhy siŵr beth i'w ddisgwyl fan hyn.

'Wel, mae'n dipyn o beth, mae'n rhaid imi gyfaddef, ond fe fues i'n cyfryngu gyda'r Aelod dros Gymru neithiwr!'

'Yr Aelod dros Gymru, Syr?'

'Wel, ie, siŵr. Paid â dweud wrthyf nad yw dyn diwylliedig o'r radd flaenaf fel ti yn gwybod pwy rwy'n sôn amdano?'

'Wel, ydw, siŵr, ond am y rheswm yna rwyf ychydig yn ansicr am yr hyn rydych chi'n ei ddweud. Cyfryngu?'

'Hm.' Am y tro cyntaf erioed teimlaf ryw fymryn o hunanamheuaeth yn ystum y Barwn.

'Wel, buom ni'n trafod yn fy mreuddwyd, a dweud y gwir. Od ar y naw, rhaid imi gyfaddef – annaearol, byddai rhywrai yn dweud. Ond dyna lle'r oedd, yn eistedd yn y sedd yng nghornel yr ystafell. Ac roedd e'n rhyfeddol o resymegol a miniog ei feddwl. A'r prawf mwyaf o hynny oedd ei fod yn fodlon addef bod gen i bwyntiau pwysig iawn.'

'Wrth gwrs, wrth reswm, Farwn.' Gallwn wedi'i annog i esbonio'r amgylchiadau annisgwyl yma ymhellach, wrth gwrs, a gwneud iddo ymbalfalu am eiriau i fynegi'r digwyddiad anghyffredin yma – ond roedd yr eiliad yna o anesmwythdod, a'r drefn fel petai wyneb i waered, yr un mor anodd i mi. Peth rhyfedd, yndife, bod eiliad o rym felly yn fyrdwn i rywun sydd ddim yn gyfarwydd neu'n dyheu amdani? Dim rhyfedd, efallai, nad yw cymdeithas yn diwygio'n gynt, pan fo angen pobl o anian ac ewyllys arbennig i wyrdroi'r drefn draddodiadol.

Mae wedi'i fodloni, debyg, fy mod yn ddigon cyfforddus gyda'r syniad o gyfryngu gyda'r meirw. Mae'n ailgydio yn ei sicrwydd unwaith eto.

'Wel paid â gwagswmera, Edwards, mae gwaith gennym i'w wneud. Fe godwyd sawl pwynt yn y drafodaeth ac mae angen inni fwrw ymlaen.' Allan felly â'r llyfr nodiadau.

'Ceisio gweld ei safbwynt ef oeddwn i fel man cychwyn. Mae'n rhaid iti ddeall, Edwards, mae'r agwedd hon o heddychiaeth bur sydd yn mynnu nad wyt yn ymladd yn ôl yn estron iawn imi. Beth petai'r un agwedd gan bawb? Buasem yn fawr o dro rhag gweld y byd yn cael ei lethu gan drais a drygioni. Os oes yna rywun neu rywrai yn bygwth dy fywyd yna'r peth naturiol yw ymladd yn ôl – ac rwy'n dweud hynny nid fel dyn sy'n hoff o'i hela a'i saethu, ond fel rhywun sydd â'r parch mwyaf at sancteiddrwydd bywyd.'

Hoff o hela? A dweud y lleiaf! Mae angerdd y Barwn dros hela'n chwedlonol, ac yntau'n arwain dau helfa. I feddwl bod ei olud sylweddol wedi'i etifeddu o ddyn cyffredin – y peiriannwr a drodd yn ddiwydiannwr, yr hen David Davies Llandinam – mae'n syndod mor naturiol a hapus ei fyd mae'r Barwn yn gwisgo lifrau a byw bywyd y bonedd. *To the manor born*, ys dywed y Sais. Dyna fawredd addysg, am wn i – ychydig flynyddoedd mewn ysgol fonedd ac mae rhywun yn addasu'n ddigon buan! Ust nawr, mae'r llif ar ddechrau.

'Ond amyneddgar a digon hamddenol oedd yr Apostol wrth esbonio'i hunan. Aeth yn ôl at y Beibl, wrth gwrs, a chyfeirio at y Bregeth ar y Mynydd. "Os bydd rhywun yn dy daro ar dy foch de, tro'r llall ato hefyd," . . . "Carwch eich gelynion," . . . "Gwyn eu byd y tangnefeddwyr, oherwydd cânt hwy eu galw'n feibion Duw," . . . ac yn y blaen.

Nid oeddwn am ei amharchu, wrth gwrs, ond rwyf yn hen ddigon hyddysg yng ngeiriau'r Beibl. Rwy'n ystyried fy hunan yn Gristion gyda'r gorau.

Ond rhaid imi gyfaddef, roedd yn fwy o agoriad llygaid wrth iddo sôn am y Cristnogion cynnar a'u hagwedd tuag at ryfel. Taerai eu bod yn ymlynu at yr athrawiaeth fod rhyfel, ym mha bynnag ffurf, yn anghyfreithlon, ac oherwydd hynny yn gwrthwynebu gwasanaeth milwrol dan yr Ymerodraeth Rufeinig – a hwythau wedi cymuno gydag olynwyr yr apostolion. Hanes Cristnogion wedi hynny yw'r hanes o droi eu cefnau yn raddol ar ddysgeidiaeth yr Iesu, yn ôl yr Apostol Heddwch o leiaf. Am gyfnod ystyriodd yr Eglwys ei hunan fel cymodwr ymysg y cenhedloedd, ond buan y ciliodd y traddodiad hwn gyda gŵyr yr Eglwys yn troi'n arglwyddi a chodi arfau. Erbyn i'r Croesgadau ddirwyn i ben roedd Cristnogaeth wedi'i thrawsnewid yn gyfan gwbl, a hynny'n cael ei adlewyrchu yn ymddygiad y Gwledydd Cred.'

Am yr eildro heddiw mae'r Barwn fel petai'n llai siŵr o'i hunan – fel petai'r llefaru dychmygol wedi creu argraff arno.

'Rŷch chi'n cydymdeimlo â dadleuon Mr Richard, felly?'

'O, na, ddim o gwbl. Paid â bod mor ffôl,' meddai, ychydig yn rhy frysiog, mentraf. 'Hynny yw, rwy'n methu'n lân â deall y ddadl na ddylid ymladd yn ôl. Trafod materion personol oedd y Bregeth ar y Mynydd, bid siŵr, nid trafferth a thrybini'r cenhedloedd, lle'n aml ddigon mae cymdeithas gyfan yn wynebu dydd y farn.

Ond eto, rhaid cydnabod mai sôn am un agwedd ar yr heddych-iaeth hwn rydym ni, wrth gyfeirio at wrthwynebiad cydwybodol. Y broblem bennaf, fel roeddwn i'n ei deall hi o enau'r Apostol, oedd bod y Gwledydd Cred erbyn hyn yn rhwym i ddiwylliant o ryfela, ynddo hyd at eu pen a'u clustiau, a dim ond trwy bregethu'r heddychiaeth bur hon y gall Cristnogion obeithio ein troi yn ôl at drywydd cyfiawnder. Cam gwag, ffugiol, yw ceisio dadlau dros ryfela fel peth cyfiawn, a chytunaf yn hynny o beth. Nid ceisio cyfiawnhau eich gwendidau ac erchyllterau trwy apêl at ddelfrydau simsan yw'r ateb i'r broblem. Rhaid wynebu'r ffaith mai peth anwar, ofnadwy, dienaid yw rhyfel, pa reswm bynnag y mae rhywun yn ymladd. Celwydd yw'r cysyniad o ryfel cyfiawn.'

'Felly rhyw geisio dangos bod yna ddewis arall mae heddychwyr pur, felly, trwy wrthwynebu rhyfel? Agor cwr y llen, fel petai, ar ffordd arall o feddwl, a ffordd arall o weithredu.'

'Wel, ie, am wn i, dyna un ffordd o'i gweld hi. Da iawn, Lewis, rwyt ti'n fwy na sgrifellwr wedi'r cyfan! Ie, yr hyn mae'r Apostol yn dweud yw bod ein gwareiddiad – os ydym yn haeddu'r disgrifiad hwnnw – ynghlwm wrth system o ryfela, ac mae'n rhaid torri allan ohoni. System sydd yn pennu bod symiau anferth o gyfoeth gwlad yn cael eu gwario ar arfau, bod cyfnodau o heddwch yn cael eu trin fel ysbeidiau rhwng yr ymladd i ymbaratoi at y frwydr nesaf, bod byddinoedd parhaol ymhob man ac ieuenctid gwlad yn cael eu trwytho mewn trais a chasineb, a bod rhyfela – yn hytrach na rhywbeth sy'n cael ei ystyried fel llygredigaeth o'n natur a'n cymunedau – yn cael ei fawrygu. Yn y cyd-destun hwn anghenraid o'r mwyaf yw ymdrechion lleiafrif bach i newid y byd. A'r angen mwyaf yn ôl yr Apostol yw bod yr Eglwys yn collfarnu rhyfel yn giaidd a barbaraidd, ac yn fwy na dim, yn anghristion.

'Anodd ydyw anghytuno â hynny, bid siŵr.'

'Llygaid eich lle, unwaith eto, Lewis. Rwyt ti ar dân heddiw! Ond yn anffodus ddigon, rwy'n methu'n lân â rhannu ffydd yr Apostol yn ei waith. Mae'n gweld cyfle gwirioneddol, welwch chi, gwir bosibilrwydd bod dynolryw yn gallu adfer y sefyllfa trwy ddiwyg tymor hir. Bod ymdrechion y lleiafrif yn gallu trawsnewid barn y lliaws, sicrhau goleuedigaeth, a gweithio yn erbyn grymoedd anferthol gwleidyddiaeth ryngwladol.

Yn y pen draw mae ei alwad am greu tribiwnlys rhyngwladol, sicrhau cyflafareddiad, a diarfogi, yn dibynnu ar ewyllys y mwyafrif i sicrhau ei lwyddiant. Rhyw fath o gred optimistaidd sydd ganddo, mae'n debyg, yn y gallu dynol i greu tangnefedd ar y ddaear trwy ddeall a dewis y peth iawn. Dryswch yw hwn i mi, yn gynnyrch trafodaeth ein hanghydffurfwyr yn y ganrif ddiwethaf wrth iddynt geisio lleddfu ar Galfiniaeth draddodiadol. Collwyd golwg ar y

ddiwinyddiaeth honno yn rhywle a dod i gredu, yn y modd Fictor-
aidd, fod hanes yn ein dangos bod yna reswm dros anghofio ein
cysyniadau mwyaf anobeithiol o natur ddynol. Bod modd credu'n
ddi-gwestiwn mewn cynnydd a gwelliant dynoliaeth.'

'Ac rydych chi'n anghytuno?'

'Wel, nid yn gyfan gwbl. Rwy'n gweld gobaith o adferiad, ydw,
ond nid yn yr un modd â'r Apostol mae'n siŵr. Diwinyddiaeth
Galfinaidd gymharol anniwygiedig sydd gen i, mae'n rhaid, ar
ochr geidwadol y ffurf boblogaidd lled-Galfinaidd. Wedi tystio i
erchyllterau rhyfel, rwyf yn fwy cadarn fy marn, am resymau
trychinebus o amlwg.

Does yna ddim byd all ddifodi'r blys hwnnw sydd yn enaid dyn,
y dyhead yna i ddominyddu a dinistrio ei gyd-ddyn, ac yn y maes
rhyngwladol, sydd yn gymharol ddigyfraith, mae'r blys hwnnw'n
rhemp. Gallwn gyfyngu ar y nwydau hyn a'u rheoli i raddau, a
thrwy hynny creu trefn feidrol sydd yn dynesu at ysblander a
thangnefedd y nefoedd, ond mae angen ymyrraeth gadarn ac nid
ffydd mewn ysbryd esgynnol dynoliaeth. Aros am byth y byddwn
ni os ydym yn disgwyl i flaengarwch dyn ein hachub.'

'A dyma pam mae angen heddlu rhyngwladol?' Dyma droi at hoff
thema'r Barwn!

'Wel, ie, siŵr, ond cofier nad heddlu "annibynnol" mohono; nid y
rebel o siryf yn y gorllewin gwyllt, ond yn hytrach braich gyfreithlon
y gyfraith. Dyma heddlu a fydd yn gweithredu'r gyfraith ryngwladol
ar ran y math o dribiwnlys rhyngwladol roedd gan yr Apostol
mewn golwg, ac a grëwyd fel un o gonglfeini Cynghrair y Cenhed-
loedd. Trueni nad oes gennym gorff grymusach, gyda chyfamod
llawer ehangach yn gynsail iddo. Ond yn y bôn, dadlau ydw i am
estyniad o safbwynt heddychiaeth, ar sail y syniad nad yw'r gyfraith
na thribiwnlys yn ddilys nac yn effeithiol heb rym i'w cefnogi a'u
gweithredu. Rhaid bod yna heddlu sydd yn gweithredu ar ran y
cyfamod, sydd â'r grym i ddwyn y drwgweithredwyr i'r llys.'

'Felly, heddlu sydd yn cynrychioli'r gwledydd oll dan faner y
cynghrair? Ond sut mae sicrhau llu sydd yn ddiduedd, sydd ddim
yn gweithredu ar ran y pwerus?'

'Mae yna angen system, oes, gydag elfen o gydbwysedd y tu mewn
iddi er mwyn ceisio sicrhau nad yw'r heddlu hwn yn cael ei droi at

anghenion y mwyaf grymus. Yr hyn rwyf yn ei argymell yw
gweithredu o dan uwch-gwnstabl a phedwar dirprwy, pob un i'w
ddewis o fawrion y gynghrair. Am y fraint o dderbyn diogelwch yr
heddlu, fe fyddai gwledydd llai yn prydlesu eu tiriogaeth ar ei gyfer.

Adlewyrcha'r drefn hon un o brif egwyddorion y gyfundrefn
newydd, sef bod yr arfau mwyaf datblygedig megis awyrennau,
tanciau a nwy, i'w trosglwyddo i'r heddlu rhyngwladol er mwyn
sicrhau "grym llethol". Dim ond yr arfau hynny sydd yn ofynnol
i'r heddlu gwladol i gadw'r heddwch y bydd gwledydd yn medd-
iannu o dan y gyfundrefn hon. Bydd yr heddlu rhyngwladol yn
gweithredu os nad yw gwlad yn fodlon cyd-fynd â dedfryd y llys
rhyngwladol, sydd i sicrhau proses o gyflafareddiad yn achos pob
un anghydfod rhwng gwledydd. Bydd hyn oll i weithredu fel rhan
o gyfundrefn newydd lle mae'r pwerau mawr yn gweithredu ochr
yn ochr â nifer dethol o bwerau llai fel corff gweithredol y cynghrair
rhyngwladol.'

'Heddlu tipyn yn wahanol i'r hyn sydd gennym ers dyddiau Robert
Peel, felly!'

'Wel, ydy a nac ydy. Mae'n dibynnu ar y syniad o droi'r gwladol
yn rhyngwladol: mai gwireddu'r berthynas o gyfraith, llys a heddlu
y'i gwelir mewn gwladwriaeth ar lefel conffederal, rhyng-wladwr-
iaethol, yw'r unig ateb *rhesymegol* i'r broblem o ryfel. Yn yr un
modd y mae grym yn llawforwyn cyfiawnder o fewn y drefn
wladol, felly hefyd y gall grym, yn nwylo'r heddlu rhyngwladol,
sicrhau teyrnasiad "Ymerodraeth Iawnderau".

Dyma sy'n creu rhwystredigaeth i mi yng nghyswllt yr Apostol
a dynion eraill o'u ffydd – nad ydynt yn fodlon adnabod y gall
grym weithredu er cyfiawnder ac er gwell, pan fo'n sicrhau bod
y gyfraith yn cael ei pharchu. Gwell, wrth gwrs, yw ei safiad o
blaid heddwch na'r agwedd draddodiadol, sef bod y maes rhyng-
wladol yn un cwbl diegwyddor lle mae'r hen drefn o *duelling* nes
marwolaeth mewn grym. Ond fel y dywedais eisoes, nid yw'n wir
dweud bod yr ysgrythur yn gwrthod grym yn y byd politicaidd,
mai ar wahân ym mywyd dyn yw hwnnw.'

'Os caf i fod mor hy ac awgrymu, Syr, nad ydych mor bell o syn-
iadau athroniaeth wleidyddol Immanuel Kant, yn enwedig wrth
ddefnyddio termau megis *the Empire of Right*.'

'Mae yna gwmni gwaeth i'w gadw ym myd y meddyliau, Lewis, felly ni wrthwynebaf yr awgrym hwnnw! Yn wir, y mwyaf rwy'n ei ddarllen o waith y Prwsiad hwnnw, y mwyaf rwy'n teimlo y gall fy syniadau sefyll ar sail dehongliad o'i waith, fel cynsail syniadaethol i'm ddelfryd. Mae hyn yn arbennig o wir yng nghyswllt y cwestiwn hollbwysig o'r defnydd o rym. Rwyf eisoes wedi dweud, a dywedaf eto, ni thycia i'r heddychwyr wadu fod trais yn gallu bod yn rym er da – rwy'n argyhoeddedig y gall fod yn briodol a chyfiawn o dan yr amodau cywir. Yr amodau rheini yw awdurdodaeth y gyfraith, er mwyn cadw'r drefn. Yn y cyd-destun gwladol, nid oes modd cadw'r drefn ac amddiffyn y gyfraith heb rym llethol y wladwriaeth, a ystyrir yn ymgorfforiad o'r cytundeb cymdeithasol. Felly hefyd y mae angen y gallu i osod ataliaethau a gweithredu cosb fel rhan o drefn gyfreithiol ffederal, ryngwladol.' 'Felly, rydych chi'n gweld lle am gyfreithloni rhyfela – rydych chi am gysegru trais fel rhan o'r gyfundrefn ryngwladol.' Rhaid imi weithiau fod yn ddadleuydd y diafol, onid oes? Fydd na ddim siâp ar y llyfr hwn oni bai fod rhywun yn ei gwestiynu o dro i dro. 'Lewis bach, rwyt ti mewn perygl o swnio fel yr Apostol a heddychwyr eraill sydd yn benderfynol o gamddehongli fy safbwynt. Rhywbeth tra gwahanol i ryfel rydw i'n sôn amdano fan hyn. Yn wir, rwyf innau a'r Apostol yn unfryd yn ein barn bod creadigaeth Grotius a'u tebyg, sef cyfreithiau rhyfel, yn rhai cwbl ddisynnwyr ac anfoesol – yr enghraifft fwyaf trychinebus o oruchafiaeth grym dros reswm a chyfiawnder. Dyma rym yn gorfodi ei reolau mewn clogyn o gyfreithlondeb, gyda'r enw chwerthinllyd o "gyfreithiau rhyfel". Hawdd yw camddefnyddio'r fath gysyniad: y grymus yn ei ddefnyddio fel esgus dros ryfel, a chofier mai dyma'r union gyfreithiau ac egwyddorion a alwyd arnynt gan Lloyd George fel cynsail i grefu ar ddynion ifanc y wlad hon i ymuno yn y frwydr. Nid fy mod yn gwrthod yr angen i ryfela a sefyll yn erbyn grym drygionus, ond peidied neb â cheisio enwi rhyfela yn gyfiawn!

Mae rhyfel o anghenraid yn anghyfiawn; mae'n anochel ac yn amddiffynadwy mewn rhai achosion lle mae'r dewis o beidio gweithredu'n waeth, ond rhyfel yw'r hyn sydd yn digwydd pan nad oes cyfraith na threfn, na llys i ddedfrydu'r hyn sy'n iawn neu'n anghyfiawn. Mae'r penderfyniad gan wladwriaeth i ryfela yn ddim byd mwy na mynegiant o'i hewyllys, nid ymgais i ymlynu at gyfraith go iawn.

Yr hyn sydd ei angen yw awdurdod rhyngwladol gyda'r hawl i osod ataliadau ar ddrwgweithredwyr – nid un genedl ar ôl y llall yn ymosod ar ei gilydd yn ôl mympwyon y cyfnod. Defnydd o rym fuasai hynny, bid siŵr, ond nid rhyfel mohono, o leiaf yn ystyr traddodiadol y gair. Heddlua yw'r gair, yn fy marn i, gan mai gweithredu'r gyfraith mewn amodau sy'n cyfateb i'r gyfundrefn wladol fuasai defnydd felly o rym. Hynny yw, pan fo'r drwg-weithredwyr wedi gwrthod ymgymryd â chyflafareddiad, ac wedi gwrthod dyfarniad y llys rhyngwladol.'

'Felly grym cyfreithiol, nid rhyfel, fuasai unrhyw weithred gan yr heddlu rhyngwladol, gan ei fod yn cynrychioli'r gyfraith a grewyd gan gyfamod y gymdeithas ryngwladol. Does yna ddim cyfreithlondeb yn perthyn i'r defnydd o rym fel y mae oherwydd nid oes cytundeb, na thribiwnlys, na chyfraith.'

'Dyna ni, Lewis. Duw, defnyddiol yw cael rhywun o dy gynedd-fau cyfyngedig dithau – mae'n fy ngorfodi i geisio esbonio pethau'n fwy trwyadl.'

'Rydych chi'n rhy garedig, syr.' Nid cynildeb yw ei gryfder, rhaid dweud. 'Ond sut mae'r syniadau yma'n berthnasol i Kant?'

'Wel, mae'n berffaith amlwg i mi y byddai dilyn Kant trwy waredu byddinoedd sefydlog mewn ffederasiwn byd-eang yn arwain at greadigaeth un grym rhyngwladol, er mwyn ei amddiffyn ac i sicrhau teyrngarwch i'r gyfraith a'r cyfansoddiad. Rydw i wedi bod wrthi yn darllen ei destunau, ac mae'r awgrym yn un amlwg. Rho eiliad imi, rydw i wedi nodi ambell frawddeg yn ei waith enwog, *Tua Heddwch Parhaol*: *no other beginning of a law-governed society can be counted upon than one that is brought about by force; upon this force, too public law afterwards rests.*[20] Ac nid dyna gyd. Â ymlaen i sôn am reoli gelyniaeth o fewn y bobl, sydd yn gofyn *that they may even compel one another to submit to compulsory laws and thus necessarily bring about the state of peace in which laws have force.*[21]

Rydw i wedi bod wrthi yn darllen y traethawd *Principles of Progress*, yn ogystal, ac mae'n awgrymu nad oes modd mynd i'r afael ag anarchiaeth Ewrop heb *a system of International Right founded upon public laws conjoined with power, to which every State must submit.*[22]

Rwyt ti'n gweld, felly, Lewis, fod Kant ei hun, yr athronydd pwysicaf yn y drafodaeth ar heddwch, yn gweld bod grym yn ganolog i unrhyw gyfundrefn gyfreithiol. Yn hynny o beth fe all grym, o anghenraid, fod yn foesol a gwasanaethu cyfiawnder – dim ond ei fod yn gweithredu ar ran cyfraith ryngwladol, sydd wedi ei hesgor gan drefn ffederal, lled-ddemocrataidd. Awn ymlaen, felly, i greu sancsiynau rhyngwladol, nid fel y nod yn ei hunan, ond fel y draffordd sydd yn arwain at gaerau cyfiawnder a heddwch.'

'Ysbrydoledig, Syr. Ysbrydoledig. Ond un peth sydd yn peri penbleth imi, ac mae hynny mae'n sicr o ganlyniad i'm cyneddfau cyfyngedig: onid yw Kant, fel athronydd yr Ymoleuad, yn fwy ffyddiog yng ngallu dynolryw i oresgyn ei broblemau na chithau, ac yn gallu dychmygu'r drefn gyfreithiol ddelfrydol honno oherwydd hynny? Hynny yw, onid yw Kant yn agosach at yr Apostol yn ei weledigaeth o ddatblygiad dynolryw?'

'Cwestiwn dyrys, ben bore, Lewis, yn enwedig os yw dyn wedi bod yn cyfryngu trwy'r nos gyda'r Apostol. Ond mi wnaf fy ngorau i esbonio ymhellach. Does dim dwywaith, rwyf yn gweld ffaeleddau a llygredd dyn ymhobman, ac yn hynny o beth ni ystyriaf fy hunan yn wahanol i nifer yn y canon gorllewinol – Rousseau a Penn, i enwi ond dau. Gallaf ond mynegi'r gred bod yr Apostol ac eraill, yn eu moeseg o berffeithiaeth, wedi camgymryd gwir natur ddynol. Maent wedi rhoi gormod o ffydd yn y syniad y buasem maes o law yn dod i ddeall a goresgyn y gwendidau hyn.

Cofier, gyda Kant, y mae'n agor ei lith ar yr heddwch tragwyddol gyda'r darlun o fynwent ddynolryw – a dyma i mi yw allwedd ein dealltwriaeth o'i waith. Yr hyn mae Kant yn awgrymu, yn fy marn i, yw bod dynolryw ar lwybr uniongyrchol tuag at ddifodiant, oherwydd y tueddiadau tuag at ddathlu a chlodfori rhyfel fel rhan o'n bywyd gwleidyddol. Y fynwent fydd ffawd dynolryw oni bai ein bod ni'n newid ein harferion.

Ond nid natur ddyrchafedig na rhesymeg neu ddeallusrwydd dyn sydd yn mynd i'n hachub yn y pen draw. Yn hytrach, y ffaith ein bod ni'n cyflawni'r un camgymeriad dro ar ôl tro fydd yn mynd â ni o fewn trwch blewyn i wireddu'r fynwent hon, a fydd yn ein siglo hyd at ein seiliau a'n gorfodi ni i newid ein meddyliau. Hynny yw, ein tueddiad tuag at drais, yr awydd diflino am bŵer, fydd yn y pen draw yn ein harwain at lwybr heddwch oherwydd ni fydd dewis arall.

Dyna rwy'n ei gymryd fel awgrym Kant, a dyna lle rwy'n mynd yn ôl at ein natur bechadurus, a'r syniad hwn ein bod ni heddiw yn gweld bod ein difodiant o fewn cyrraedd. Rhaid wrth gyfundrefn gyfreithiol, wedi'i gweithredu trwy rym, er mwyn osgoi cloddio beddau ein hunain. A chyda llaw, Lewis, yn fy oriau mwyaf tywyll rwyf yn gweld nad rhith yw mynwent Kant. Nid yw'r gyfundrefn ryngwladol wedi sefydlogi; mae Cynghrair y Cenhedloedd yn rhy wan o lawer heb yr Unol Daleithwyr; ac ni all ddim da ddod o'r cyflwr y mae Cytundeb Versailles wedi gadael yr Almaenwyr ynddi. Mae yna holocost ar y gweill.'

Yn anffodus, nid smalio mae'r Barwn wrth ei olwg, ond mae'n rhy gynnar yn y bore imi fynd ar y trywydd tywyll hwnnw. Mae'r brecwast dal i wasgu. Yn ôl at y mater ysgafn o Kant, felly.

'Rwy'n gweld. Dehongliad diddorol o Kant, os caf ddweud, yn yr ystyr ei fod yn ymddangos fel meddyliwr llawer mwy pesimistaidd, digalon, annelfrydol yn ôl y ddealltwriaeth hon.'

'Realistig, fuaswn i yn cynghori, Lewis. Ac nid oes ond rhaid edrych ar ein hanes diweddar i weld ei fod yn llygaid ei le. Dyma fethiant rai o'n rhagflaenwyr yn y mudiad heddwch, megis yr Apostol, a oedd yn dibynnu ar foeseg berffeithiaeth. Ni cheir gwell enghraifft o ffwlbri ei safbwynt na hanes – neu ddiffyg hanes – diarfogi. Ni fydd hyn fyth yn digwydd o wirfodd. Dim ond trwy sicrhau diogelwch a threfn ryngwladol yn y lle cyntaf y bydd gobaith o weld gwladwriaethau'n aberthu eu harfau a'u hystyried yn ddi-anghenraid.

A rhaid imi gyfaddef, nid cynnig gobaith o gyfundrefn berffaith, dragwyddol heddychlon yr wyf. Ni thycia gynnig math o iwtopia o ddechrau gyda darlun tywyll o natur ddynol. Dim ond pobl ddwl fel yr hen Robert Owen hwnnw o lan y ffordd sydd â syniadau mor fondigrybwyll. Pobl od yn y Drenewydd, cofia di!' meddai, gyda gwên lydan ar ei wyneb.

Na, ni fydd trais yn cael ei waredu o'r system ryngwladol, yn yr un modd nad yw'r llysoedd na'r heddlu wedi gwaredu trosedd o gymdeithas, ac oherwydd llesgedd a breuder dyn y mae yna wastad siawns na fydd cyfiawnder yn cael ei weinyddu'n gywir. Ond er nad oes modd gwaredu trais, rhaid ymestyn ffiniau ataliad mor bell â phosib, a symud o'r agwedd realaidd sydd yn treiddio gwleidyddiaeth ac yn annog y drifft tuag at ryfel.'

'Diddorol tu hwnt, syr". Am unwaith rwyf yn ddiffuant yn fy ngeiriau. 'Os byddech chi mor garedig â chaniatáu imi ymestyn fy nghyneddfau cyfyngedig ryw ychydig?'

'A phob croeso, Lewis, fe gei di drio. Ond dim ond iti wybod bod ymdrechion y nos a'r bore yma'n dechrau dweud arnaf i.' Dyma'r amser i'w herio, felly – nid wyf erioed wedi'i glywed yn cyfaddef ei fod e'n flinedig!

'Diolch, Syr, a digon dealladwy o gofio'r ddwy sgwrs hir rydych chi wedi eu cael. Nawr, rhaid imi gyfaddef nad oes rhyw lawer o wybodaeth gen i ar yr athronwyr mawr, ond rwyf i, fel pob Cymro diwylliedig, yn gwybod rhyw ychydig am hanes ein Cristnogaeth ddiweddar. Nawr, i'm meddwl i nid oes modd anwybyddu dylanwad radicaliaeth ac Anghydffurfiaeth Gymreig ar eich syniadau. Mae'n amlwg eich bod chi'n un o'r Davieses – Methodist cadarn. Rhaid ichi gyfaddef nad oes rhyw lawer o ostyngeiddrwydd yr hen ymneilltuaeth yn perthyn i chi!'

'I le yn union mae'r sgwrs yma'n mynd, Lewis?'

'Wel, os caf i fod mor hy, fe hoffwn i awgrymu bod yna nifer o elfennau'r meddwl anghydffurfiol diweddar yn amlwg yn eich syniadau, hyd yn oed gan dderbyn nad ydych wedi llwyr ymroi i'r optimistiaeth sydd yn nodweddu rhai. Ond meddyliwch chi am rai o'ch rhagdybiaethau sylfaenol: eich cred mewn dylanwad heddychlon masnach; y pwyslais ar bwysigrwydd y gymuned ryngwladol a deheuad i symud y tu hwnt i wladwriaethau; canfyddiad o Brydain Fawr fel pŵer uwchraddol gyda'r gallu i ddylanwadu er da; y syniad canolog yna i'ch heddlu, bod gwybodaeth a gwyddor yn fodd o wella cyflwr moesol a materol dynolryw, ac yn anad dim, y posibilrwydd o newid y byd. Er gwaethaf ffaeleddau dynolryw, mae yna fodd creu byd sydd ddim, wrth gwrs, yn cyrraedd perffeithrwydd Dinas Dduw, ond sydd yn sicr yn agos ati. Trwy gofleidio'r arfau a thechnolegau diweddaraf, atgyfnerthu cyfundrefn gyfreithiol gadarn gyda grym, ac adnabod y dinistr a fygythid gan barhad o'r *status quo*, fe all ddynoliaeth ddatgloi'r gallu i sicrhau heddwch – o fath – ar y ddaear.'

'Diddorol iawn. Ac oes gen ti fwy i'w ddweud?'

'Ddim felly. Dim ond i ategu bod y Galfiniaeth sy'n amlwg yn eich cyfeiriadau cyson at wendid anorchfygol dyn yn cael ei lleddfu gan yr optimistiaeth an-athrawiaethol honno sy'n nodweddiadol o Anghydffurfiaeth Gymreig. A bod yna awgrym cryf o ryw fwriad dwyfol ond anchwiliadwy sydd yn gwthio dynolryw tuag at nod anweladwy.'

'Dyna ni, rwy'n cymryd?' A heb aros am ateb, ymlaen ag ef.

'Craff iawn dy fod yn sylwi ar hynny. O'm safbwynt i mae'n wir dweud nad oes modd dibynnu ar newid moesol yn natur dyn, ond bod unrhyw ganlyniad heddychlon, hirdymor a sicr yn mynd i fod o achos elfen o ragluniaeth, ac nid ewyllys dyn. Doethineb dwfn, cudd yn eiddo i achos uwch, yn gyrru ei hun tuag at derfyn ymarferol eithaf dynolryw. O'r safbwynt hwn nid yw erchyllterau rhyfel, yn enwedig ein rhyfel diweddar, yn gwbl ofer, nac yn aberth gwbl ddiwerth, oherwydd ei fod yn ein symud tuag at gydweith-rediad yn y pen draw. Y dewis arall ydyw difodiant dyn yn gyfan gwbl – mynwent Kant. Mae dyfodiad yr arfau dinistriol a welwyd yn ystod y Rhyfel Byd Cyntaf yn ein prysuro ni ar y llwybr at y dinistr yma, gan adael dim ond un dewis rhesymegol inni er mwyn osgoi holocost o'r math gwaethaf.'

Mae'r Barwn yn cymryd saib am eiliad, cyn edrych i fyw fy llygaid. 'A yw hyn yn gwneud synnwyr i ti, Lewis? Er nad wyf wedi rhoi ystyriaeth lawn i'r peth, mi wyt ti'n gywir, rwy'n siŵr, i ddweud fy mod i'n arddel syniad sydd yn sylfaenol ynghlwm wrth fy ffydd. Ond ai gwendid yw hynny? Onid oes raid wrth ffydd os ydym yn gweld gobaith yn ein byd, a chysuro ein hunan bod modd gwella ar bethau ac osgoi un trychineb ar ôl y llall?'

Eto dyma fi yn teimlo'n anghysurus, wrth i'r gŵr mawr yma edrych arnaf, bron petai'n ymbil am gadarnhad. Ni ddisgwyliodd am ateb – bron fel petai'n ofni'r ateb.

'Wel, wrth gwrs, beth yw bywyd heb ffydd, ond ildio i fodolaeth ddienaid, anifeilaidd ac atgas.'

Er mawr fy rhwystredigaeth gyda'r Barwn, ac er gwaethaf ei ddiffyg amynedd, ei ymffrost a'i ddiffyg dealltwriaeth o safbwyntiau eraill, dim ond edmygedd sydd yn fy llenwi wrth ei glywed yn myfyrio. Y ffydd, y weledigaeth, y teimlad amlwg yn ei eiriau. 'Does bosib y byddai modd osgoi rhyfeloedd pellach, pe bai mwy yn ei safle breintiedig ef yn rhannu ond ychydig o'i rinweddau?

Henry Richard gan John Thomas, *c.*1885

Heddychiaeth

Nid afresymol byddai awgrymu bod heddychiaeth â rhan fwy blaenllaw yn y gyhoeddfa yng Nghymru nac mewn nifer o wledydd eraill. I rai, mae heddychiaeth yn rhan annatod o'r hunaniaeth

Gymreig, ac yn rhan o'n traddodiad gwleidyddol sydd yn ein gwahanu o eraill. Heb os, mae heddychiaeth ynghlwm â'r mudiad cenedlaethol mewn modd sy'n drawiadol o wahanol i rai gwledydd eraill, tra bod yr athrawiaeth yn rhan sylweddol o'r rhyngwladol-iaeth y mae gwleidyddion ac unigolion o bob lliw yn hawlio. Mae gan Gymru fach galon fawr.

Wrth gwrs, rhaid edrych y tu hwnt i'r canfyddiad cyffredinol yma a nodi mai traddodiad pur newydd yw'r cofleidio cyfunol hwn o heddwch. Dyma wlad, wedi'r cwbl, sydd yn dathlu ei *gwrol ryfelwyr*, gyda hanes gwaedlyd a thraddodiad balch milwrol. Yn wir, byddai pennod ar Henry Lloyd a'i fyfyrdodau ar gelfyddyd rhyfel yn y ddeunawfed ganrif yn llawn haeddu ei lle yn y gyfrol hon, o safbwynt ei gyfraniad at y meddwl milwrol a'i statws fel symbol ohonom fel pobl ryfelgar. Milwr ac awdur blaenllaw ei ddydd, fe wasanaethodd Ffrainc yn erbyn y Saeson, a dylanwadodd ar Napolean a'r meddwl milwrol enwocaf, Claus von Clausewitz. Mae David Davies ei hun, yr *heliwr heddwch*, chwedl John Graham Jones, yn ymgnawdoliad o'r ddeuoliaeth yma. Dechreuodd y rhyfel trwy fynd â chatrawd i Ffrainc, ac fe'i gorffennodd yn ei ddiarddel.

Dylid cofio, felly, mai eithriad oedd heddychwyr cynnar megis Henry Richard a S.R. Llanbrynmair yn y bedwaredd ganrif ar bymtheg – fel ymhob gwlad. Dichon fod yna heddychwyr ymhob oes, ond yn y gorllewin ni amlygwyd yr athrawiaeth tan yr ail ganrif ar bymtheg, gyda grwpiau Protestannaidd megis y Crynwyr yn mabwysiadu'r gred, ac elfennau o'r elit academaidd megis Rousseau a Kant yn dadlau dros yr achos fel rhan annatod o ymoleuad gwareiddiad. Yn wir y Crynwyr oedd hoelion wyth y mudiad heddwch y daeth Richard yn rhan mor flaenllaw ohono. Roedd Richard a ffigyrau eraill megis Richard Cobden yn gyfrifol am godi statws heddychiaeth yn y Deyrnas Gyfunol i'r prif-ffrwd gyda'u gwaith diflino, rhyngwladol ei natur, dros Gymdeithas Heddwch Llundain.

Roedd Richard yn ysgrifennydd arni am ddeugain mlynedd. Ei phrif amcanion oedd cyflafareddiad a sefydliad tribiwnlys rhyng-wladol, codi ymwybyddiaeth a lobïo gwleidyddion y dydd i gwtogi ar ryfel ac arddel diarfogi, a hybu'r achos rhyngwladol trwy deithio Ewrop a thu hwnt i greu cysylltiadau a chenhadu. Yn sicr, fe gafodd y mudiad wrandawiad a chryn gydymdeimlad. Fodd bynnag, yn oes aur yr ymerodraeth ac awyrgylch ymladdgar gwleidyddiaeth ryngwladol y cyfnod, roedd y frwydr yn un unochrog braidd.

Yn ystod y Rhyfel Mawr, fel yng ngweddill y Deyrnas Gyfunol (DG), bwriodd y mudiad heddwch wreiddiau dwfn yng Nghymru ar sail mwy nag un athrawiaeth, gan gynnwys sosialaeth a Christnogaeth. Ond dim ond yn y cyfnod rhwng y rhyfeloedd y datblygodd arlliw torfol iddo. Nid yw'r ffaith bod David Davies wedi bod mor weithgar yn y blynyddoedd hyn yn gyd-ddigwyddiad. Roedd yn un o'r mwyaf blaenllaw ymysg carafán o bobl a aeth ati i ymgyrchu'n frwdfrydig dros yr achos – yn nhyb Kenneth O. Morgan dyma'r mudiad rhyddfrydol niferus yn chwilio am brosiect newydd wrth iddo sylweddoli bod yr haul yn gwawrio ar ei oruchafiaeth wleidyddol.[23] Tystiolaeth o lwyddiant ef a'i debyg oedd y 63 y cant o Gymry a gymerodd ran yn y bleidlais heddwch a drefnwyd gan Undeb Cynghrair y Cenhedloedd yn 1935, o gymharu â 38 y cant ar draws y DG.[24]

Heddychiaeth neu Ataliaeth?

O ddiddordeb athronyddol y mae'r ddwy wedd ar yr athrawiaeth a awgrymir gan Henry Richard a David Davies; er y byddai rhai yn cwestiynu cymeriadu Davies fel heddychwr. Roedd Richard, fel yr awgrymwyd uchod, yn heddychwr egwyddorol o safbwynt ei gred, yn dilyn yn ôl traed yr arloeswyr o'i flaen. Hynny yw, nid oedd yn cytuno â'r defnydd o drais o dan unrhyw amodau, hyd yn oed mewn achosion amddiffynnol.

Nid oedd yn gibddall yn ei agwedd ychwaith. Roedd yn deall nad pawb fyddai'n ymlynu at achos heddwch oherwydd dehongliad tebyg o'r efengyl, ac yn ei waith ymarferol roedd yn awyddus i geisio uno heddychwyr o bob lliw i ymgryfhau'r mudiad. Ymhellach, roedd yn bragmatydd yn ei arddull, dro ar ôl tro yn ymosod ar wastraff bywyd ac adnoddau'r diwylliant o ryfel. Ond serch yr agweddau ymarferol hyn, dylid cofio mai ymrwymiad crefyddol a safai fel cynsail i'w weledigaeth, fel sy'n deilwng o weinidog, wrth gwrs.

Digon anuniongred oedd ei agwedd am fab i bregethwr Method-istaidd, a'i benderfyniad i drosglwyddo i'r Annibynwyr wedi iddo ymgartrefu yn Llundain yn awgrymu pellhau oddi wrth ei wreidd-iau crefyddol, megis Richard Price ganrif yn gynt. Fodd bynnag, nid peth syml yw gwneud cysylltiad pendant rhwng diwinyddiaeth Richard a'i ddehongliad o'r broblem o ryfel. Ni allwn ond awgrymu bod ei agwedd ar y pwnc yn dangos mwy o ffydd yn natur ddyrch-afedig dynoliaeth na'r ddealltwriaeth draddodiadol Galfinaidd. Wedi'r cwbl, roedd ei ymgyrchu yn awgrymu'r gobaith bod modd dwyn perswâd ar wleidyddion a'r werin dros achos heddwch ar sail rheswm. Yn hynny o beth roedd athrawiaeth Richard yn adlewyrchu cyfuniad o'r ddau rym a oedd yn gyrru'r mudiad ymlaen: rhinwedd Cristnogol a rheswm yr Ymoleuad.

Dyma'r argraff a geir yn un o'i destunau pwysicaf, *On Defensive War* (1845). Ynddi mae'n gosod gerbron yr achos yn erbyn rhyfel, o dan hyd yn oed yr amodau mwyaf cymhellol. Arwyddocaol yw ei ymlyniad at athroniaeth Joseph Butler, dyn a adnabyddir fel neb llai na 'mentor Richard Price', chwedl D. O. Thomas.[25] Yn benodol mae Richard yn dibynnu ar ei ddadl greiddiol fod Duw wedi sicrhau bod ein hawyddau a'n natur wedi'u hisraddio i'n rheswm a'n cydwybod.

Yn achos athroniaeth Price mae tra-arglwyddiaeth ein rheswm yn caniatáu inni adnabod y drefn foesol annibynnol (cofier y cysyniad o otonomi moesol). Yn achos Richard, fodd bynnag, mae rheswm wedi'i israddio, neu i'w ddefnyddio, i adnabod y gyfraith ddwyfol a ddatguddiwyd gan Grist y gwaredwr. Mae pob ystyr-iaeth yn ufudd iddo Ef. Mae'r fath bwyslais ar Grist a'r gyfraith ddwyfol yn awgrymu bod Richard ymhell o foesoldeb Price, ond eto mae'r awgrym o botensial dyn i ymresymu a gweithredu yn ôl yr hyn sy'n ddwyfol yn Arminaidd (neu led-Belagaidd) ei naws, ac yn hollbwysig i'r gobaith o sefydlu heddwch trwy reswm ac nid grym.

Mae gwrthodiad Richard o'r achos dros ryfel amddiffynnol yn dibynnu ar ddadansoddiad grymus o'r ddadl. Yn y lle cyntaf ceir honiad mai dim ond ffurf llawer mwy synhwyrol a dibyn-adwy ar hunan-ddiogeliad yw heddychiaeth, o gymharu â rhyfela. Yn yr un modd y mae rhyfelgwn yn clodfori'r achos dros ryfel amddiffynnol er mwyn sicrhau goroesiad, mae Richard yn dadlau dros system ryngwladol sydd â'r strwythurau i sicrhau ymwneud heddychlon yn hytrach na threisgar.

Mae'n mynd i'r afael ymhellach â'r enghraifft safonol o'r wrth-ddadl a gyflwynir i heddychwyr, sef yr hyn y byddai rhywun yn ei wneud â throseddwr peryglus yn ei dŷ a oedd â'r bwriad o'i ladd ef a'i deulu. Onid ymladd yn ôl, a'u lladd, petai rhaid, yw'r unig ymateb rhesymol a naturiol? Yn gyntaf, gwneir y pwynt gan Richard mai peth peryglus ac afresymol yw creu egwyddorion neu athrawiaethau moesol ar sail man cychwyn cwbl eithafol. Profi'r rheol y mae'r eithriad i fod i'w wneud, nid bod yn gynsail iddi (gwelir yr un ymresymu amheus yn achos y rhai sydd yn cyfiawnhau artaith ar sail senario annhebyg y *ticking time-bomb* lle mae angen gwasgu'r gyffes angenrheidiol o'r dihiryn).

Ymhellach, awgryma bod yna opsiynau eraill y tu hwnt i drais: gellir ceisio ymresymu â'r ymosodwr (megis cyflafareddiad yn y sffêr ryngwladol); gellir ceisio dianc; neu mae yna fodd rhwystro'r ymosodiad trwy rym, ond heb achosi niwed. Mae Richard yn cydnabod y byddai modd, mewn egwyddor, trosglwyddo'r ddadl dros rym ataliol i faes gwleidyddiaeth, ond ni fyddai'n tycio. Amhosib, yn ei farn ef, fyddai gwybod pryd yn union y mae croesi'r llinell o rym angenrheidiol, moesol, i drais niweidiol, diangen ac anfoesol.

Yn y pen draw, os nad yw'r un o'r tri opsiwn yn bosib, yna, i Richard, ni all y Cristion ond dewis marwolaeth, am mai hyn sydd yn caniatáu iddo aros yn driw i'w gred a'i waredwr. Gwell marw'n ferthyr a cheisio iachawdwriaeth na phechu'n dragwyddol. Digon posib fod y ddadl hon yn ddiystyr i'r anffyddiwr modern, ond dylid cofio yn ogystal nad athrawiaeth unigryw Gristnogol mohoni. Dadl debyg iawn sydd gan Socrates yn y *Gorgias*, a bod hwnnw hefyd yn credu yn natur dragwyddol, a phwysigrwydd purdeb yr enaid.

Yr hyn y mae David Davies yn ei gynnig i'r broblem o ryfel amddiffynnol yw pedwerydd opsiwn. Hynny yw, i'r person sydd o dan fygythiad yn ei gartref ei hun, mae Davies yn awgrymu y dylid galw ar yr awdurdodau. Fodd bynnag, mae'r ymateb yma â goblygiadau pellgyrhaeddol o safbwynt ei gymhwyso at y cyd-destun rhyngwladol, oherwydd hanfod y sffêr hon yw nad oes 'awdurdodau' yn bodoli. Anarchiaeth yw'r term a ddefnyddir i'w disgrifio, oherwydd nid oes yna rym sofran sydd ag awdurdod dros y gwahanol aelodau o'r system ryngwladol. Lle nad oes grym o'r fath, bregus, os nad di-sail yw'r cysyniad o gyfraith – a hyd yn oed yn fwy mympwyol yw'r syniad o lu arfog i weinyddu'r gyfraith honno.

Yn wir, mae Davies yn gofyn am ddim byd mwy na thrawsnewid y system ryngwladol er mwyn iddo gyfateb yn fwy uniongyrchol i natur y wladwriaeth. Yn yr ystyr hwn mae'r cysyniad o gyf-atebiaeth ddomestig (*the domestic analogy*) yn ganolog i weledigaeth Davies, fel yn achos sawl meddyliwr o'r un anian. Seiliwyd ei obaith am heddlu rhyngwladol ar y rhagdybiaeth fod yna gym-ariaethau addas rhwng y ddwy sffêr a bod modd cymhwyso'r model gwladol i'r rhyngwladol – yn bennaf trwy sefydlu trefn ffederal ymysg gwledydd y byd gyda chyflafareddiad, cyfraith, tribiwnlys a grym i'w gweinyddu.

Ni ddylid gorbwysleisio'r gwahaniaethau rhwng Richard a Davies, ac yn wir o safbwynt gweledigaeth yr 'Apostol Heddwch' o'r drefn ryngwladol y mae'n coleddu nifer o'r un elfennau. Cyf-lafareddiad oedd canolbwynt ei ymgyrchu (ac un o'i fuddugol-iaethau pwysicaf oedd sicrhau cymal yng Nghytundeb Paris yn 1856 yn ffafrio'r broses). Ond roedd Richard yn cydnabod bod angen fframwaith ehangach a grymusach fel sail i gefnogi'r broses, felly roedd cyfraith ryngwladol a thribiwnlys i'w gweinyddu yn ategolion hanfodol. I raddau helaeth, fersiwn grymusach o weled-igaeth Richard oedd gan David Davies mewn golwg, a honno'n seiliedig ar ddatblygiadau yn y drefn ryngwladol (roedd y byd yn lle gwahanol iawn wedi'r Rhyfel Mawr o gymharu â'r bedwaredd ganrif ar bymtheg – roedd Cynghrair y Cenhedloedd yn realiti ymarferol erbyn hynny, po leiaf o rym oedd ganddi).

O safbwynt cyffelybiaeth Richard, y dewis cyntaf o geisio rhesymu gyda'r ymosodwr oedd yr unig ddewis iddo ef yn y sffêr ryngwladol. Ni fyddai David Davies yn anghytuno â hynny o ran y cam cyntaf, ond yn ei farn ef roedd angen creu'r amodau lle'r oedd modd galw ar yr awdurdodau i ddatrys y broblem, a gorfodi'r dihirod i blygu i'r drefn. Byddai hyn yn ogystal yn osgoi problem anorchfygol y trydydd opsiwn, sef yr amddiffynnwr yn ceisio defnyddio grym 'cyfiawn', oherwydd yr heddlu rhyng-wladol a fyddai'n gwneud ar ei ran. Ymhellach, o safbwynt Davies, grym cyfiawn fyddai hynny bob tro – pa faint bynnag o drais a ddefnyddiwyd – oherwydd yn y pen draw dyma fyddai braich y gyfraith. Nid rhyfel mohoni – sef i Davies y cysyniad o drais diegwyddor, diderfyn yn nwylo troseddwyr – ond atal torcyfraith. Byddai trais a marwolaeth, gwaetha'r modd, yn sgileffeithiau anffodus.

Yn y modd yr awgrymwyd yn yr ymddiddan uchod, mae gan Davies y tueddiad yn y llyfr o dan sylw – *The Problem of the Twentieth Century* – i ystyried syniadau meddylwyr eraill o safbwynt penodol ei weledigaeth ef. Hynny yw, yn amlach na pheidio nid ydynt wedi datblygu eu syniadau'n ddigon pell i gyrraedd ei gasgliad digamsyniol ef. Mae yna le i gwestiynu, er enghraifft, ei ddehongl-iad o Kant (er bod ei ddarlleniad o'r Prwsiad yn un diddorol yn yr ystyr ei fod yn ein hatgoffa nad breuddwydiwr nac un iwtopaidd mohono yn y ffordd y mae rhai yn ei gymeriadu erbyn heddiw). A diddorol fyddai gwybod beth fuasai ymateb Richard wedi bod i'r syniad o heddlu rhyngwladol.

Amhosib fyddai iddo fod wedi dychmygu'r fath beth yn ei oes ef, gan fod syniad Davies yn ddibynnol ar fygythiad a di-gyfryngedd grym yr awyrlu. Eto, mae un yn tybio na fyddai heddychwr o anian Richard yn fodlon â chyfundrefn o rym llethol fel ateb i'r broblem o ryfel. Pen draw ei weledigaeth ef oedd byd heb arfau; rhaid gomedd pob math o rym a dibynnu ar reswm a gobaith i ddwyn perswâd ar arweinwyr y byd i ddiarfogi ac atal y peiriant rhyfel. Yn y gobeithion hyn y clywir atsain o filflwydd-iaeth meddylwyr megis Price ac Owen, ac adlewyrchiad, mae un yn tybio, o ddiwinyddiaeth fwy Arminaidd ei naws na'r Galfiniaeth amlwg sydd yn bywiocáu safbwynt Davies ar y byd.

Gellir dehongli athrawiaeth y Barwn fel un sydd yn adlewyrchu prif deithi meddwl y Methodistiaid Cymraeg, wedi'i ymestyn i'w lawn botensial. Yn greiddiol iddo mae llwyr lygredd dynoliaeth, ond yn ysbryd Calfiniaeth ddiwygiedig y bedwaredd ganrif ar bymtheg, ac ysbryd yr Oes Fictoria a leddfodd gymaint ar lesgedd honedig dyn, ceir ymgais i greu'r system fwyaf effeithiol i reoli blys a natur ryfelgar dyn. Nid yw'r nefoedd ar y ddaear yn bosib, ond mae modd creu cyfundrefn gyfiawn a grymus, a thrwy hynny nid atal peiriant rhyfel, ond ei ddofi, gan ddidoli arfau mewn modd trefnus a rhesymol yn ôl galwadau'r sefyllfa.

Heddychiaeth, Realaeth, Delfrydiaeth

Erys y cwestiwn ai heddychwr oedd yr Heliwr Heddwch, mewn gwirionedd? Mae'n dibynnu pwy sydd yn ateb y cwestiwn. I heddychwr egwyddorol megis Henry Richard anodd iawn fyddai cofleidio'r weledigaeth yn ei chyfanrwydd, er y byddai'r ddau ar yr un ochr y ddadl. Mae Richard yn caniatáu y syniad o ddefnyddio grym ymataliol yn sefyllfa'r unigolyn ond nid yng nghyd-destun gwladwriaethau. Er bod Davies yn gwneud yr achos dros heddlu rhyngwladol yn gweinyddu cyfiawnder, anodd ydyw credu na fyddai Richard a'r un pryderon ynglŷn â mesur priodoldeb y grym ataliol hwnnw ar 'faes' y gad (mae trafodaethau cyfoes am farwolaethau dinasyddion trwy fomio yn enghraifft dda o'r broblem o rym priodol mewn sefyllfaoedd o frwydro rhagataliol (*pre-emptive*)).

Yn wir, mae parodrwydd Richard i gydnabod gwahaniaeth y domestig a'r rhyngwladol yn ei wahanu oddi wrth David Davies. Efallai na fyddai'n anghytuno â hwnnw bod drwgweithredu'n anochel o fewn y gyfundrefn wladol, ond yn y pen draw mae ei ffydd yn y syniad o ddiarfogi yn awgrymu nad yw'n credu bod creu cyfundrefn ryngwladol cwbl heddychlon – heb ddibynnu ar fygythiad trais – y tu hwnt i alluoedd cyfunol dynoliaeth. Ac efallai fod yna reswm i hynny; nid yw cadw trefn rhwng rhyw ddau gant o wladwriaethau'n ymddangos yn gymaint o her â cheisio dileu drwgweithredu mewn poblogaethau o ddegau a channoedd o filiynau.

Am fod Davies yn dibynnu yn y pen draw ar y bygythiad o drais, nid oes modd ei gymharu â heddychwr pur fel Henry Richard. Fodd bynnag, pe bai un o'r *realwyr* yn ystyried eu hachos fel heddychwyr, dichon na fyddent yn gwahanu rhyw lawer rhwng y ddau. Buasai Richard a Davies yn eu tro yn cynrychioli pen eithaf yr ysgol honno o feddwl sydd wedi gwrthwynebu'r realwyr ers talm – y delfrydwyr. Dyma draddodiad o feddylwyr penchwiban – yn ôl y safbwynt realaidd – sydd yn peryglu bywydau ac yn gwahodd rhyfel oherwydd eu diffyg dealltwriaeth o natur y rhyngwladol, a'u hymgais i ddiarddel rhyfel, yn hytrach na chymryd camau ymarferol, pragmataidd i'w leihau. Mae'r ffaith y bu'r ddau yn arddel achos heddwch, ac yn ei ystyried yn bosibilrwydd, yn ddigonol i'w gosod o fewn yr un ffrwd o feddwl.

Yn wir, mae Davies ei hunan yn cael ei ystyried yn un o nifer o feddylwyr blaenllaw delfrydiaeth a ddaeth i'r amlwg yn y blynyddoedd rhwng y rhyfeloedd. Yn gyffredinol, dyma gyfnod pan oedd y syniad a'r gobaith o greu cyfundrefn ar sail cyfamodi, rheswm a thrafodaeth yn eu hanterth, am resymau digon amlwg. Credent mewn cynnydd a'r posibilrwydd o ailgreu'r system, a sylweddolent eu rheidrwydd. Am y rheswm hwn roedd diffygion Cynghrair y Cenhedloedd yn achos cryn rwystredigaeth.

O safbwynt realaeth – yr adroddiant trechaf yn nisgyblaeth gwleidyddiaeth ryngwladol – dyma oedd y cyfnod trychinebus a nodweddid gan gamsyniadau a gobaith ffug y meddylwyr hyn. Wedi erchyllterau'r Ail Ryfel Byd fe gafodd y realwyr eu gafael ar y maes gan ddefnyddio'r hanes trist hwnnw fel prawf o fethiant delfrydiaeth. 'Profwyd' yr angen i feddylu bob tro am y gyfundrefn ryngwladol fel system sydd â rhyfel a gwrthdaro yn rhan anochel ac annatod ohoni.

Yng nghyd-destun y drafodaeth honno rhydd ychydig iawn o sylw i'r modd y mae Davies, mewn gwirionedd, yn herio ystrydebau delfrydiaeth. Collir gwir sylwedd a gwreiddioldeb ei safbwynt mewn trafodaethau plentynnaidd braidd o'i orchestion niferus, ei amryfal gynhennau a gwleidyddiaeth gydag 'g' fach. Yn un peth, mae ei fan cychwyn o safbwynt ei ddehongliad o natur ddynol yn llawer agosach at y realwyr clasurol a ymddangosodd wedi'r Ail Ryfel Byd – a'u pwyslais nhw ar y modd y mae natur gwympiedig dyn, chwedl Awstin, yn milwrio yn erbyn gwleidyddiaeth heddwch. Yn ogystal, nid yw'n wfftio trais fel rhan annatod o'r drefn na rhywbeth sydd yn tresmasu pob rheswm a synnwyr. Nid yw ychwaith yn gwadu na fydd trais a chynnen yn rhan annatod o'r gyfundrefn ryngwladol fwyaf heddychlon.

Ymhellach, mae cwynion Davies am y gyfundrefn rhwng y rhyfel yn realaidd eu gwedd – diffyg grymuster, diffyg ewyllys, diffyg plwc i ymladd. Yr hyn sydd yn ei wahanu o'r realwyr ac yn ei osod yn ysgol y delfrydwyr yw ei bendantrwydd bod modd mynd i'r afael â'r broblem trwy ddulliau rheswm a chyfiawnder yn hytrach na pharodrwydd i ryfela. Nid Cysurwr Job mohono ond rhywun a gredodd yn y gallu i newid y byd. A rhaid cofio nad goleuedigaeth ddynolryw na'i ffydd mewn cynnydd oedd yn sail i'r gobaith hwn, ond yn hytrach hunanoldeb dyn a'i sylweddoliad bod angen achub ei hun rhag difodiant.

Heddlu Heddiw?

Yn anffodus ni wireddwyd rhybuddion Davies a bu farw yn 1944, a'i obeithion yn deilchion. O'r hyn a wyddwn o'i gymeriad diludded, efallai iddo barhau i gredu, pe byddai dynoliaeth yn goroesi'r rhyfel, y buasai cyfundrefn newydd yn cael ei hesgor arni. I raddau, dyma oedd y canlyniad, yn yr ystyr bod y Cenhedloedd Unedig yn gorff llawer mwy blaengar, cyfanfydol ac effeithiol na Chynghrair y Cenhedloedd.

Ond fe drawsnewidiwyd natur rhyfel a thrais ryngwladol gan y chwyldro niwclear nas gwelwyd na rhagwelwyd gan Davies. Pwy a ŵyr sut fyddai'r newid hwnnw wedi dylanwadu ar ei weledigaeth? Gallwn ddweud i ryw raddau bod y gyfundrefn niwclear wedi creu sefyllfa y byddai'r Barwn yn ei chymeradwyo mewn rhai agweddau. Gymaint sydd yn y fantol bellach oherwydd y 'grym llethol' hwn, bod pwerau mawrion y byd yn gyndyn o gymryd y cam cyntaf ar lwybr trais, ac mae rhyfel rhyngwladol wedi lleihau o'r herwydd – rhwng y gwledydd mwyaf grymus o leiaf.

Ar yr un pryd rydym wedi gweld rhyfeloedd o natur arall yn parhau ac yn gwaethygu o safbwynt gallu dyn i ladd a chreu dinistr – boed hynny yn ffurf rhyfel procsi'r Rhyfel Oer ledled y byd, ymyrraeth uniongyrchol gan y gwledydd mawrion, neu ryfeloedd cartref dinistriol. Nid yw arfau niwclear yn cynnig ateb i'r problemau hyn, ac efallai fod cred Davies ym mhosibiliadau dihysbydd yr awyrlu yn un sydd yn parhau'n berthnasol. Yn sicr mae awyrennau – boed yng nghyswllt *parthau dim-hedfan* Irac, cefnogaeth i wŷr traed Affganistan yn y rhyfel diweddaraf, neu yn ffurf y bygegyr di-beilot – yn cael eu defnyddio'n helaeth yn yr oes sydd ohoni. Ymhellach, awgryma rhai bod yr Unol Daleithiau yn arbennig wedi ymddwyn fel rhyw fath o heddlu rhyngwladol ers diwedd y Rhyfel Oer a dechrau eu goruchafiaeth wleidyddol – ond yn ôl model siryf y gorllewin gwyllt yn fwy na llu trefnus a chyfiawn y Barwn Davies.

A dyma ddangos pa mor bell yr ydym o ddelfryd Davies a'i debyg – sydd yn awgrymu gwendidau eu syniadau yn ogystal. Er gwaethaf y Cenhedloedd Unedig, y Cyngor Diogelwch, y Llys Troseddwyr Rhyngwladol a'r Datganiad Cyffredinol o Iawn-derau Dynol, mae'r corff sylweddol o gyfraith ryngwladol sydd wedi datblygu yn parhau i fod yn fregus, ac ymyrraeth ar ran y diamddiffyn mor fympwyol ag erioed. Mae'r chwarter canrif ddiwethaf yn frith o dorcyfraith ac anghysondeb ar ran y pwerau mawr – mae Rwanda, Somalia, y Balcanau, Affganistan, Irac, y Congo, Zimbabwe a Syria yn ddim ond rhai o'r enwau sy'n dyst i broblemau hirhoedlog ein 'cymuned' ryngwladol.

Er gwaethaf y datblygiadau mewn 'isadeiledd' rhyngwladol, naïf a chamarweiniol fyddai awgrymu bod yr ateb o fewn ein cyrraedd. Un broblem y mae'r gyfundrefn gyfredol yn ei har-ddangos – nad oedd Davies yn sensitif iddi – yw'r cwestiwn o rym ac anghyfartaledd y tu mewn i strwythurau sefydledig, bron fel petai Davies yn credu unwaith y byddai corff grymus, sefydlog mewn lle, y byddai ymddygiad y gwledydd yn dilyn trywydd cyfiawnder a moesoldeb. Ac er nad yw'r trefniadau cyfredol mor bellgyrhaeddol â'i weledigaeth ef, mae'r ffaith bod gwledydd yn torri'r gyfraith pan fo'n siwtio (yr Unol Daleithiau a'r Deyrnas Gyfunol yn Irac, er enghraifft) neu'n rhwystro cydweithrediad pan fo o fudd hunanol (Rwsia yn achos Syria) yn amlygu'r angen i ddiwygio er mwyn ffrwyno grym y gwledydd pwerus, a sicrhau cyfundrefn drwyadl ddemocrataidd.

Byddai mwy o gydbwysedd ar gyrff megis y cyngor diogelwch yn enghraifft o hyn, a byddai'r dilysrwydd ychwanegol yn siŵr o gyfrannu at gydweithrediad mwy cyson a chyfiawn o safbwynt cynnal y gyfraith a chydlynnu ymyrraeth ddyngarol. Yn hynny o beth, roedd Davies yn greadur ei amser, a'i ffydd yn y Deyrnas Gyfunol, y gwledydd gorllewinol a'r ymerodraeth yn syndod braidd, o ystyried ei feirniadaeth hallt o'r rhyfel. Mae'n syndod iddo ddisgwyl y byddai gosod cydbwysedd grym yn nwylo'r lleiafrif yn ennyn y math o ganlyniadau roedd yn dyheu amdanynt. Dichon fod ffiniau i radicaliaeth hyd yn oed y gweledyddion mwyaf mentrus, a dyma oedd 'ffrwyn dywyll' y Barwn.

Wele'r un agwedd yn ei safiad ar Gymru fel cenedl. O gymharu â nifer o ryddfrydwyr ei oes roedd yn flaengar dros ben ac yn awyddus iawn i weld ymreolaeth go iawn i'w famwlad. Byddai un o lysenwau eraill yr Apostol Heddwch – 'Yr Aelod dros Gymru' – yn awgrymu bod Henry Richard o'r un anian ac yn deisyfu annibyniaeth. Ond, wrth gwrs, ymreolaeth oddi mewn i'r gyfundrefn Brydeinig, imperialaidd, oedd dyhead y ddau, ac yn hynny o beth nid oeddent yn barod i danseilio'r *Albion* anferthol yn y sffêr ryngwladol, nac ar y stepen drws ychwaith. Ond ys dywed y Sais, *that's another story*.

Darllen Pellach

David Davies, 1930. *The Problem of the Twentieth Century* (London: Ernest Benn).

Gwyn Griffiths, 2013. *Henry Richard: Heddychwr a Gwladgarwr* (Dawn Dweud) (Caerdydd: Gwasg Prifysgol Cymru).

J. Graham Jones, 2000. 'The peacemonger', Journal of Liberal Democrat History 29 (gaeaf 2000/1).

J. Graham Jones, 2012. 'David Davies and the Problem of the Twentieth Century', *Llafur* 10/4.

David Long and Peter Wilson (goln), 1995. Thinkers of the Twenty Years' Crisis: Interwar Idealism Reassessed (Oxford: Oxford University Press).

Henry Richard, 1845. *Defensive War* (London: Barrett). Ar gael ar *Google Books: https://books.google.co.uk/books/about/Defensive_War_ extracted_from_a_lecture_d.html?id=0bxYAAAAcAAJ&hl=en*

Glanmor Williams, 1952. 'Seiliau optimistiaeth y radicaliaid yng Nghymru', *Efrydiau Athronyddol*, 15, 45–55.

7

Sosialaeth
Aneurin Bevan (1896–1960) a
Raymond Williams (1921–1988)

Cwm
Mehefin 2015

Cymrais lwnc arall o'r can o lager cryf wrth fy ochr a dechrau ar
y gwaith o rolio mwgyn, heb ddala nôl ar y cynhwysion. Diwrnod
arall o ddiota canol haf, a bywyd prifysgol fel pe bai'n freuddwyd
bellennig. Roedd bod yn ôl yn y cwm yn gwneud y syniad o waith
yn fwy estron byth. Bois fel fi nôl o brifysgol yn cymryd hoe cyn
ystyried symud i'r byd go iawn. Ffrindiau ysgol wedi hen ymadael
i borfeydd breision. Rhai eraill wedi aros ar ôl ac wedi bod yn
ddigon gweithgar, i greu bywoliaeth yn eu milltir sgwâr. Eraill
wedyn fel pe baent yn rhoi'r gorau i obeithio a mabwysiadu bywyd
diogyn – pam gwastraffu egni cyn gorfod plygu i'r anochel? Ond
dyna ni. Roedd pawb fel pe baent yn joio'r ŵyl heddiw. Mae eisiau
joio, chi'n gweld.

Tynnais eto ar y mwgyn a chymryd llowc arall o'r cwrw, gan
deimlo sgileffeithiau'r dydd a dicter y dyfodol yn cau amdanaf.
Cyn imi ddechrau meddwl gormod estynnais am y *wanger* a throi'r
teledu ymlaen, gan osgoi unrhyw raglenni yn gofyn am ronyn
o ddeallusrwydd neu fyfyrio. Bwriais ar y sioe berffaith ar ei
chychwyn. Llenwai'r ystafell â theitlau'r *Valleys* ar MTV a'r geiriau
cyfarwydd Cymraeg yn cael eu hadrodd gan acen ddeheuol gref:
"Mae'r rhaglen hon yn cynnwys golygfeydd o natur rywiol . . ."
gydag ambell ddarlun ystrydebol o'r cymoedd yn rhagarweiniad
at fontage o 'sêr' y sioe mewn cyfres o olygfeydd gogleisiol – a
dweud y lleiaf – yn ffeuau ffiaidd y brifddinas. Cyfeddach o'r radd
flaenaf.

Wrth i'r gerddoriaeth dawelu i lun o un o'r merched hanner noeth yn ymdrechu i godi o'i gwely, dyma lais maen yn ymddangos yn fy nghlust chwith.

'Beth yn y byd bach yw'r rwtsh yma?'

Bron i fi gael haint. Trois i weld genau'r geiriau ond nid oedd neb i'w weld. Yna, o'm hochr dde, 'Haleliwia, welais i ambell beth nôl yn y 30au ond buaswn i byth yn disgwyl eu gweld ar y teli-bocs!'

Yna'n eistedd ar y soffa gyferbyn oedd dyn trwsiadus, anhynod canol oed, mewn siwt lwyd a thei coch, gyda phen iawn o wallt wedi'i sgubo i'r ochr, a llygaid glas, pefriol, yn syllu'n ddireidus ond eto'n ddyfal ataf. Roedd rhywbeth amdano (ac eithrio'r ffaith ei fod wedi ymddangos o unman) yn fy anesmwytho, ond cyn cael cyfle i ddod ataf fy hun, ymunodd llais arall yn y sgwrs. Llais dwfn, cyfoethog y tro hwn, gydag arlliw o foneddigeiddrwydd.

'Dyma benllanw cyfalafiaeth yn ein rhan fach ni o'r byd, Nye.' Am yr eildro, bron imi gael haint. Y tro hwn roedd yna ddyn mwy anffurfiol, ddidaro ei olwg yn eistedd yn y gadair gyferbyn, mewn trowsus melfaréd a chrys agored. Roedd rhywbeth yn ei osgo hamddenol, ei dalcen crychiog, a'r llygaid yn sbecian o du ôl i'w aeliau trwchus a oedd yn fy ymlacio, ond roedd ei eiriau yn peri imi boeni. Edrychais yn ôl at y llall.

'Nye . . .?' Straffaglais wrth geisio dweud rhywbeth.

'Mr Bevan i ti, gwboi.' Neidiodd ar ei draed. 'Pensaer y gwasanaeth iechyd cenedlaethol, un o hoelion wyth y Blaid Lafur Brydeinig, ffrewyll y Torïaid a Winston Churchill, arweinydd y Bevaniaid, ysbrydoliaeth yr asgell chwith, y Bollinger Bolshevik . . .' ac wrth iddo draethu ar ei lwyddiannau gydag osgo nodweddiadol, fe wawriodd arnaf.

"'Ti yw'r bachan yna ar ddiwedd Heol y Frenhines yng Nghaerdydd gyda'r baw adar ar ei ben e!'

Nid oedd fy eiliad o oleuedigaeth yn plesio, er rwy'n amau imi weld awgrym o wên ar wefusau'r cymeriad arall. Wrth i Mr Bevan droi'n biws tynnais ar y mwgyn unwaith eto a llyncu gweddill y cwrw ar ei ben, gan syllu ar y ddau am eiliad wrth imi geisio esboniad am y sefyllfa anarferol braidd roeddwn i'n rhan ohoni. Roedd Mr Bevan yn fawr o dro yn ailddarganfod ei lais.

'Fe gei di wneud hwyl ar fy mhen i pan fydd cerflun ohono ti yn
y brifddinas, y snichyn bach.'

'Gad iddo fe, Nye', meddai'r llall, 'mae'n amlwg ei fod e mewn
llewyg, ac wedi'i ddal hi dipyn bach, wrth ei golwg hi.'

'A phwy wyt ti, tad-cu?' meddawn innau'n ewn, ac fel plentyn
braidd ar ôl cael stŵr gan ei fam. Er gwaethaf cilwenu Mr Bevan
fe ymatebodd yn bwyllog:

'Neb llawer, fachgen. Raymond ydw i. Rwyf wedi ysgrifennu
ambell lyfr. Rwy'n dod o du hwnt pen draw'r cymoedd.'

Hanner-Sais felly.

'Pam ydych chi yma 'te, yn fy mhoeni i?'

'Wel, roeddem ni'n gobeithio y byddai ateb gen ti, a dweud y gwir,'
meddai Raymond.

'Fi?'

'Wel, ie. Anaml iawn y mae rhywun yn galw ar bobl fel Nye a
minnau y dyddiau yma. Mae pobl fel pe baent eisiau siarad â chriw
gwahanol y dyddiau ma. Adam Smith yn boblogaidd iawn, John
Stuart Mill, Hayek yn cael sawl gig . . .'

'Salma?' meddwn, yn cydio mewn gwelltyn erbyn hyn.

'Na, y meddyliwr asgell dde, Hayek. Ayn Rand hefyd – mae mynd
mawr arni hi y dyddie yma.'

'A phaid â sôn wrtha i am y fenyw ofnadwy yna, Thatcher,' lluch-
iodd Nye y geiriau i mewn i'r sgwrs.

'Bydd yn falch nad oedd yn rhaid iti fyw trwy ei chyfnod hi' oedd
ymateb swta Raymond.

Roeddwn i'n dechrau colli amynedd, a fy mhen yn troi.

'Â phob parch, dydw i ddim callach beth sydd gennych chi i'w
ddweud wrtha i!'

Ymateb yn amyneddgar a chyda cydymdeimlad a wna Raymond.

'Wel, meddylia – wyt ti wedi bod yn erfyn am atebion yn
ddiweddar? Yn gofyn cwestiynau? Yn pendroni beth yw pwrpas
ac ystyr pob dim?'

'Wel, do, am wn i, ond rwy'n gwneud hynny bob tro rwy'n ei
gorwneud hi – y troeon yna y mae rhywun yn feddw gaib ac yn
mwydro ffrindiau . . .'

'Ac mae hynna'n digwydd o bryd i'w gilydd?'

'Wel, dwywaith neu dair gwaith yr wythnos . . .'

Cododd Raymond ei eiliau ac edrych draw ar Nye yn hengall.

'Dere i siarad â ni 'te boi bach,' meddai yntau gan gerdded draw ataf a gosod ei ddwylo ar fy ysgwyddau, 'Be sy'n dy fwyta di?'

'Wn i ddim yn iawn,' meddwn wrth iddo anwesu ac ymlacio fy ysgwyddau, a dechrau gwthio'r tyndra a'r rhwystredigaeth ohonof. Dwylo gwydn am ddyn o eiriau, fel pe baent yn mynnu gwasgu'r geiriau allan. A dyma fi'n boddio'r ddau trwy ddechrau bwrw fy mol.

"Wel, os ydych chi wirioneddol eisiau gwbod, rwy'n credu erbyn hyn fy mod i'n digalonni oherwydd mae'n ymddangos nad oes ffordd arall o fod yn y byd yma, chi'n gwybod? Mae pawb a phopeth yn dilyn yr un trywydd . . . ti'n mynd i'r ysgol i ddysgu, ti'n mynd i'r coleg neu i'r brifysgol i gymhwyso, ti'n gwneud hynny i fynd am swydd, a deugain mlynedd yn ddiweddarach rwyt ti'n ymddeol er mwyn marw. A pham? Er mwyn ennill jest digon o arian i feddwi, gwylio'r teledu a chreu mwy o bobl bach digyfeirad – os wyt ti'n ddigon ffôl i eisiau teulu.'

'Be sydd angen arnat ti, gwboi, yw ychydig bach o Marx!' bloeddiodd Nye.

'Y boi yna gyda barf? Ond fe gafodd e pob dim yn anghywir naddo fe? Aw!' Roedd y mwytho wedi troi'n fanglo wrth i Nye wingo mewn ymateb i'r cwestiwn. Tro Raymond oedd hi i gynnig cysur y tro hwn, gan roi ei ddwylo ar ysgwyddau Nye a'i anwesu rhyw ychydig yn ei dro.

'Dywedwch chi wrtho ni'r hyn sy'n cael ei ddweud am Marx rownd ffordd hyn, felly. Fydd rhaid iti faddau inni ryw ychydig – rŷm ni wedi bod i ffwrdd ers tro.'

'Wel, onid oedd e'n credu bod yn rhaid i'r wladwriaeth berchen ar bopeth, a chreu popeth, a threfnu popeth, a bod rhaid iti gael gwared ar unrhyw un a oedd yn anghytuno? A bod dim etholiadau i fod. A bod pawb yn gwybod bod yr Undeb Sofietaidd a dwyrain Ewrop wedi profi mai syniad twp oedd yr holl beth oherwydd bod pawb yn byw mewn tlodi, yn gorfod ciwio pythefnos am bopeth, a'u bod nhw wedi colli i ni yn y pen draw? O, ie, a bod dynion o wledydd comiwnyddol yn cystadlu fel menywod yn y Gemau Olympaidd er mwyn ennill medalau?'

Saib, ambell ochenaid, yna cwestiwn.

'Dyna beth maen nhw'n ei ddysgu dyddiau yma, ife? A ble fuest ti i'r ysgol sbargo, Eton?'

'Yr ysgol gyfun Gymraeg lleol, diolch yn fawr i ti.'

'Ysgol Gymraeg? Fan hyn? Wel, mae rhai pethau'n newid er gwell 'te. Ond does dim lot o siâp ar ei gwleidyddiaeth hi wrth ei sŵn hi. Dim digon o Niclas y Glais, mae'n siŵr. Nawr, gad i fi a Nye fan hyn roi bach o wers i ti.'

Roeddwn i wrthi'n ystyried a oedd gwerth mewn gofyn pwy oedd Niclas y Glais, ond roedd Nye wedi cychwyn arni heb dderbyn unrhyw wahoddiad.

'Y peth mae'n rhaid i ti ei gofio am Marx yw dyneiddrwydd y dyn. Oherwydd yr hunllef a ddatblygodd o dan Stalin yn yr Undeb Sofietaidd, rŷm ni'n dueddol o weld ei syniadau trwy niwl dryslyd a ddisgynnodd ar y dystopia yna. Y diwydiannu dros nos, y pwyslais ar economi canoledig, y diffyg democratiaeth a rhyddid, trais y wladwriaeth. Gwrthdroad o ddelfryd Marx oedd y rhain, wrth reswm. Ond os ewch chi nôl i'r cychwyn a darllen ei waith cynnar, ymateb oedd Marx i ffawd y person cyffredin fel rhan o beiriant didostur cyfalafiaeth.

Mae ecsploetio'n rhan fawr o'i feddwl e – yn poeni'n arw am sut roedd y system economaidd newydd yma'n rhoi grym a phŵer yn nwylo'r ychydig ac yn eu caniatáu i ddefnyddio'r lliaws at eu dibenion nhw eu hunain. Eu gweithio nhw'n ddi-baid mewn swyddi diddiolch y ffatrïoedd, a dim ond ceiniog neu ddwy i ddangos am eu holl waith. Rwyt ti'n methu dychmygu cyflwr y bobl yma yr oedd Marx yn eu gweld mewn dinasoedd fel Manceinion, a'r dirmyg ohonynt. Ac roedd e'n iawn i boeni – dyma'r union gyflwr roeddwn i yn ei weld yn fy mlynyddoedd cynnar yn y pyllau glo. Pobl yn byw mewn cyflwr o ofn. Wir i ti.'

Fe ddywedodd hyn gydag ymdeimlad y person hwnnw sydd wedi profi'r arswyd, gan edrych i fyw fy enaid: 'Rydych chi bobl ddim yn gwybod eich geni; yr hyn ydyw i fyw mewn ofn, ac i ddyheu am ffeindio rhyw lygedyn o obaith yn ei le.'

Mae'n debyg bod Raymond wedi sylwi ar fy anesmwythdra yn y cwmni angerddol yma, gan geisio symud y sgwrs yn ôl at gywair mwy ymenyddol.

'Rwyt ti'n gweld y peth mawr a welai Marx oedd nid yn unig bod pobl yn dioddef, oherwydd y system gyfalafol, ond eu bod nhw'n cael eu hamddifadu o'r cyfle o fod y bobl greadigol, gyflawn y gallent fod. Roedd e'n cytuno â'n ffrind ni o'r canolbarth, Robert Owen, fod gan bobl y potensial i fod yn bobl dda, bobl ddeallus, bobl foesol yn byw bywydau llawn.'

'Robert pwy?' Roeddwn i'n difaru holi yn syth – suddodd ysgwyddau'r ddau.

'Peidiwch â phoeni, fe edrychaf ar Wikipedia,' meddwn, gan geisio achub fy ngham.

'Wiki beth? Beth yn y byd yw hwnnw?' Gallai hyn fod yn gymhleth. Yn ddigon ffodus, fe ddaeth rhyw atgof pell o dŷ fy mam-gu i'r meddwl.

'*Encyclopedia Britannica*, ie, dyna ni – fersiwn diweddar o hwnnw.' Edrych yn amheus a wnaeth y ddau ond nid oedd awydd ganddynt ddarganfod mwy. Yma i ddarlithio oeddent wedi'r cwbl. Dyma Raymond yn parhau.

'Fel roeddwn i'n ei ddweud, roedd y cyfalafwyr, perchnogion y ffatrïoedd a'r rhai a oedd yn berchen ar gyfoeth cymdeithas, yn gorweithio'r bobl i greu elw, ac yn eu hestroneddu o'r gwaith. Yn ôl Marx, ac economegwyr eraill, fel mae'n digwydd, mae gwerth pob cynnyrch yn adlewyrchu'r maint o waith sydd angen i'w greu. Camp y cyfalafwr yw talu digon i'r gweithiwr i'w gynnal, ond dim digon i adlewyrchu gwerth ei waith. Lle mae'r gwarged? Lle mae'r gwerth coll yna'n mynd? I boced y cyfalafwr, wrth gwrs – mae'r gorwerth yna'n troi i mewn i elw iddo ef.

Ymhellach na dim ond cynnig y lleiafswm mwyaf pitw fel tâl, mae natur y gwaith a orfodir trwy'r gyfundrefn gynhyrchu yn un sydd yn dieithrio'r dyn cyffredin o'r hyn mae'n ei greu. Oriau hir mewn amodau caled, yn ailadrodd yr un dasg fecanyddol dro ar ôl tro, heb unrhyw berthynas â'r cynnyrch gorffenedig. Mae natur fywiog, greadigol a deallus yr unigolion yn cael ei llethu a'i mygu gan y system gyfalafol.'

Roedd Nye wedi pwyllo erbyn hyn, ac yn nodio'i ben wrth wrando ar y llall. 'Darlun moesol, gobeithiol o ddyn sy'n bywiocáu gweledigaeth Marx, a'r syniad bod yna le i bawb fwynhau eu bywyd yr un fath – paid ti anghofio hynny.'

'Gallaf eich sicrhau chi y bydd y sgwrs yma'n aros yn hir yn y cof', meddwn. Erbyn hyn roedd y niwl yn teneuo rhywfaint ac roedd ychydig o synnwyr yn amlygu ei hunan yn y wers, ac yn cymell ambell gwestiwn hyd yn oed.

'Ond sut felly roedd ffeindio ffordd mas? Mae pethau wedi gwella arnom ni ers hynny, ond o le dwi'n sefyll, mae cyfalafwyr mawr yn dal i wneud elw mas o ecsploetio a gorweithio pobl.'

'Pwynt digon teg,' meddai Raymond, a thinc athro a oedd yn falch o weld cynnydd yn un o'i fyfyrwyr wedi hir ymaros yn ei lais. 'A dyna un o elfennau mwyaf dadleuol athroniaeth Marx. Sut mae sicrhau newid? Un peth y mae Marx a'i ddilynwyr oll yn cytuno yw nad peth hawdd yw newid y drefn. Mae hynny nid yn unig oherwydd grym amlwg ac echblyg y cyfalafwyr – mae'r sefyllfa'n fwy soffistigedig na hynny ac mae'n rhaid ystyried elfennau meddyliol yn ogystal â rhai materol. Problem enfawr yw'r diffyg ymwybyddiaeth ymysg y gweithwyr, neu'r proletariat, i ddefnyddio'i derm ef. Yn fwy aml na heb maen nhw'n methu gweld yr hyn sy'n amlwg – mae syniadau, tueddiadau a chredoau o fewn y gymdeithas gyfalafol yn eu twyllo nhw i feddwl eu bod nhw yn rhannu'r un diddordebau â'r cyfalafwyr – ac yn celu'r ffaith eu bod nhw'n byw o fewn system sy'n eu hecsploetio nhw ac yn cynnig iddynt lai na'u haeddiant.'

'Ond mae'n rhaid bod pobl yn gallu gweld y pethau yma!'

'Rwyt ti'n dweud hynny, ond cofia beth ddywedest ti gynnau fach – nad wyt ti'n gweld ffordd mas, bod dim modd gweld y byd fel arall – dyma'r union fath o agwedd roedd Marx yn ei gweld yn y dosbarth gweithiol yn ei ddydd. Ac mae esbonio hynny'n gofyn ein bod ni'n mynd at graidd y peth, at seiliau ei syniadau.'

'Paid â dweud dy fod ti'n mynd i falu awyr a siarad yn athronyddol – gas gen i'r rwtsh yna!'

'Agwedd oleuedig dros ben, os caf ddweud', meddai Raymond yn bwyllog unwaith eto. 'Rŷm ni i gyd yn athronwyr o fath, mae arnaf ofn, yn ein daliadau gwaelodol am y byd yma. A chofia beth ddywedodd Marx – "Ni wnaeth yr athronwyr ddim byd ond dehongli'r byd mewn amryw ffyrdd; beth sydd yn rhaid ei wneud

ydyw ei newid". Nid athronydd y gadair esmwyth mohono!'
Dyma fi'n ymwregysu am y dasg o wrando'n astud.

'Nawr 'te,' aeth Raymond ymlaen, 'i ddeall Marx yn gyflawn rhaid
i ti fynd nôl i'r dechrau'n deg a deall y pwysigrwydd y mae'n
gosod ar y modd rydym yn canfod y byd. I Marx, yr hyn sy'n ein
diffinio ni a'n bywydau yw'r ffaith bod ein hamgylchiadau materol
yn cyflyru'r hyn rŷm ni'n ei feddwl. Nid oes modd edrych ar y
byd gyda meddwl cwbl annibynnol sydd yn rhoi safbwynt gwrth-
rychol. Nid yw dy ymwybyddiaeth di o'r byd yn uniongyrchol
nac yn caniatáu i ti weld, deall a chreu darlun annibynnol o'r byd
– yn hytrach, mae'r amgylchiadau materol, yn enwedig y gwaith
rwyt ti'n ei wneud o ddydd i ddydd, yn cyflyru dy syniadau, dy
hunaniaeth, dy broses o feddwl. Dyna pam rydym yn defnyddio'r
term "materoliaeth". Mae'r gymdeithas rwyt ti'n rhan ohoni, ac
yn benodol y perthnasau cynhyrchu sy'n ei diffinio, yn mowldio
dy ymennydd i ddeall y byd mewn ffordd arbennig.'
'Beth?'
'*Perthnasau cynhyrchu* – y ffordd y mae'r drefn gynhyrchu wedi'i
strwythuro sydd yn caniatáu i'r gymdeithas weithredu. Mae pob
era yn hanes dyn yn gweld math gwahanol ar y perthnasau yma.
Yn y gymdeithas gyfalafol, y berthynas rhwng y *bwrgeisiaid* – sef
y manwerthwyr – a'r *proleteriat* – sef y gweithwyr – sydd bwysicaf.
Mae ein lle ni o fewn y perthnasau yma, a'r drefn economaidd yn
gyffredinol yn diffinio'r modd rŷm ni'n meddwl – dychmyga dy
ymennydd yn cael ei fowldio gan sawl mewnbwn gwahanol wrth
iddo ddatblygu ac aeddfedu. Yn fwy na hynny, y tueddiad yw i'r
mewnbynnau yna fowldio dy ymennydd er mwyn i ti gredu yn y
system – i weld bod y gymdeithas yn gweithio'n rhesymol a'i bod
yn cwrdd â dy anghenion.

Mae'r casgliad hwn o syniadau, ein ffyrdd o feddwl ac yn y blaen,
yn cael eu galw'n ideoleg gan Marx, neu roedd ei ffrind Engels yn
defnyddio'r term "ymwybyddiaeth ffug". Ac mae'r hyn sy'n wir
am yr unigolyn yn wir am y gymdeithas yn gyffredinol – mae'r
sail, y gyfundrefn economaidd a'r system o gynhyrchu sy'n ei
diffinio yn dylanwadu a chyflyru'r hyn sy'n digwydd yn yr uwch-

adeiladwaith – y byd cymdeithasol, os mynnwch chi, lle mae diwylliant, syniadau, credoau, ac yn y blaen, yn bodoli. Y broblem fawr, felly, yw sut mae goresgyn ideoleg i beidio â gweld y byd mewn modd unllygeidiog sydd yn cael ei gymell gan rymoedd gormesol, fel bod y gweithwyr yn gweld y sefyllfa mewn modd gwrthrychol, ac yn gweld nad yw'r gyfundrefn er eu lles nhw.'

'Chwyldro?'

'Wel, ie, yn y pen draw, ond mae pethau ychydig yn fwy cymhleth na hynny.'

'Dyna roeddwn i'n ei ofni.'

'Wel, er mwyn i chwyldro ddigwydd mae'n rhaid i'r gweithwyr ddatblygu ymwybyddiaeth ddosbarth – hynny yw, mae'n rhaid i rai ohonynt o leiaf ddod i ddeall eu bod yn perthyn i ddosbarth ar wahân, y proletariat, a bod eu diddordebau yn gorwedd o fewn brawdoliaeth ymysg y grŵp yma, nid trwy geisio cymodi a chyd-weithio â'r cyfalafwyr. Yn y pen draw, os ydynt yn parhau mewn grym, pa faint bynnag o rym a chyfoeth maen nhw'n ildio, maent yn parhau i ecsploetio'r gweithwyr.

Nawr, yn ôl Marx mae yna lygedyn o obaith yn y ffaith bod yna groesosodiad wrth galon cyfalafiaeth. Mae'n gosod y gweithwyr ochr yn ochr â'i gilydd ar lawr y ffatri ac ymysg y gymdeithas yn gyffredinol, ac mae hyn yn gosod y seiliau ar gyfer gwyrdroi'r ymwybyddiaeth ffug yma, wrth iddynt fesul tipyn ddod i ddeall a gweld bod y system yn eu hecsploetio *en masse*. Wrth i'r syniadau ledu a'r proletariat ddeffro, fe fydd chwyldro yn dilyn.'

'Ie, ie. Ie, ie,' meddai Nye, braidd yn ddiamynedd, 'mae'r proletariat yn dymchwel y wladwriaeth, sydd ddim ond yn greadigaeth y bwrgeisiaid i amddiffyn eu buddiannau, ac ar yr un pryd maen nhw'n cipio moddion cynhyrchiad – maen nhw'n meddiannu'r holl gyfalaf yn y gymdeithas fel bod y bobl ac nid y bwrgeisiaid yn berchen ar gyfoeth ac adnoddau'r gymdeithas, ac yn bwrw ati i ail-greu a threfnu'r economi er lles pawb, ac nid y lleiafrif. Un-bennaeth y proletariat sydd mewn lle er mwyn llethu'r *bourgeoisie* unwaith ac am byth, ac yn ein symud ni tuag at gyfundrefn gomiwn-yddol lle mai dim ond un dosbarth sydd, a lle nad oes angen gwladwriaeth yn y pen draw. Iwtopia fydd hon lle bydd pob unigolyn yn gallu datblygu i'w lawn botensial.'

'Dwyt ti ddim yn swnio'n rhy siŵr, os caf ddweud.'

'Wel, 'machgen i, paid â meddwl am funud nad ydw i'n gredwr mawr yn llawer o'r hyn y mae Marx yn ei ddweud, a bod yna wirionedd yn ei ddadansoddiad o broblemau cymdeithas gyfalafol. Ond fi fy hun nid wyf yn meddwl bod yn rhaid dilyn y trywydd chwyldroadol i wireddu cymdeithas wâr. Yn sicr, mae grym yn hollbwysig, ac i'r graddau hynny mae Marx yn llygaid ei le. Er mwyn i'r dosbarth gweithiol ffynnu, er mwyn amddiffyn eu hunain, er mwyn iddynt osgoi bywyd o ofn a thyndra parhaol, rhaid cipio grym. Nid wyf am wadu hynny. A thrwy gipio grym mae'r gweithwyr yn gallu cael eu dwylo ar gyfalaf, yn benodol y diwydiannau mawrion, a'u cenedlaetholi – rhoi yn nwylo'r llywodraeth ac felly'r gymdeithas – er mwyn sicrhau eu bod yn gweithio er lles y gweithwyr, a'r gymdeithas gyfan – yn hytrach na'r elw yn cronni yn nwylo'r lleiafrif cyfoethog.

Ond nid oes angen dymchwel democratiaeth i wireddu'r ddelfryd sosialaidd yma. Rwyf i fy hun yn meddwl mai cyfeiliornus yw'r syniad bod yr iwtopia sosialaidd yn un heb wladwriaeth a'n un lle nad oes angen pleidlais. Mae gwleidyddiaeth yn llygru yn yr ystyr bod y rheini mewn grym am amddiffyn ac ychwanegu at eu pŵer bob tro, ac mae democratiaeth yn wrthglawdd yn erbyn y math o wleidydda sydd yn dinistrio cymdeithas. Ond mae'n fwy na hynny i mi.

Pan rŷm ni'n sôn am wleidyddiaeth a sosialaeth a diwyg, ac yn y blaen, am beth rŷm ni'n sôn amdano yn y pen draw? Beth yw'r nod? I mi, yr unigolyn yw'r peth pwysicaf – ceisio gwella ansawdd ac amodau byw rydym ni. Ydy, mae'r gymdeithas, brawdoliaeth, solidariaeth, a threfniadau economaidd yn hollbwysig, ond mae hyn oll er mwyn yr unigolyn yn y pen draw. A'r hyn sy'n hanfodol i fywyd yr unigolyn yw rhyddid, a rheolaeth dros ei fywyd. Yn hynny o beth mae democratiaeth yn system nid yn unig sy'n gallu gweithio i amddiffyn buddiannau'r gymuned ac felly'r unigolyn, ond mae yna werth cynhenid ynddi yn yr ystyr y mae'n rhoi'r rhyddid i'r unigolyn ymwneud â gwleidyddiaeth a bod yn rhan o'r broses – a bod yn unigolyn hunanymwybodol a beirniadol.

Un math ar sosialaeth yw Marcsiaeth, ond i'm meddwl i mae democratiaeth ei hunan yn rhy werthfawr a'n llawer rhy bwysig i'w aberthu i'w delfryd. Nid bod y gwledydd comiwnyddol yma sydd wedi codi yn adlewyrchu'r hyn yr oedd gan Marx mewn golwg. Maent wedi troi'r cysyniad o unbennaeth y proletariat i mewn i hunllef barhaol, a hynny ar seiliau simsan iawn. Nid oedd ffordd yn y byd yr oedd gwledydd fel Rwsia'n barod ar gyfer comiwnyddiaeth yn ôl dadansoddiad Marx. Datblygiad anochel o gymdeithas gyfalafol ddatblygedig yw comiwnyddiaeth i fod, lle mae grymoedd hanes yn eu gwthio tuag at bwynt o dyndra anorchfygol sydd yn ffrwydro mewn chwyldro. Roedd Rwsia yn dal i fod yn gymdeithas amaethyddol, heb gyrraedd y man priodol yn ei datblygiad hanesyddol, ac yn ôl materoliaeth hanesyddol nid oedd wedi pasio trwy'r cymal dilechdidol . . .'

Roedd fy mhen i'n teimlo'n ysgafn eto, fel petawn i ar fin llewygu. Rhaid bod Raymond wedi fy ngweld yn troi lliw, gan iddo ymyrryd jest mewn pryd.

'Dyna ni, Nye, efallai gallwn ni adael trafodaeth ar y dilechdid tan y tro nesaf. Mae golwg ar hwn fel rhai o fy myfyrwyr nôl yn y chwedegau ar ôl noswaith mas.'

Roeddwn i'n falch o'r ymyrraeth, er gwaethaf y cellwair yn ei lais! Ond os oeddwn wedi gobeithio am saib ac ychydig o ddiddanwch roedd gan Raymond syniadau eraill.

'Nid wyf am danseilio dim mae ein ffrind ni fan hyn yn dweud wrthyt ti, gyfaill, ond mae'n rhaid iti gofio mai gwleidydd oedd Nye ac felly mae'n dueddol o edrych ar y pethau yma o safbwynt penodol, a gwleidyddiaeth y blwch pleidleisio. Dim bod hynny'n anghywir ond mae gwerth mewn cadw pethau eraill mewn golwg hefyd – rhai o'r pethau yna nad wyt ti o reidrwydd yn eu hystyried yn amlwg wleidyddol.'

'Dyma ni eto . . .', meddai Nye yn y cefndir. 'Amser i ti dynnu dy bib a sliperi mas, gyfaill, a gwneud dy hunan yn gyfforddus yn y gadair esmwyth – y man gorau i wleidydda.'

Gwenu'n dawel a wna Raymond gan ddweud, 'Nid oes raid i rywbeth swnio fel pregeth o'r pulpud er mwyn bod yn werth ei ddweud . . . Nawr, 'machgen i, fel y mae Nye wedi sôn, mae angen i rywun werthfawrogi er gwaethaf mawredd Marx nad oedd e'n llygaid ei le ymhob agwedd. Rwy'n dueddol o gredu nad oedd e'n rhoi digon o sylw i'r gafael sydd gan y byd diwylliannol arnom ni, a faint mae hynny yn ei hunan yn diffinio posibiliadau ein bywydau ni.'

'Oes modd inni ddechrau eto . . .?', meddwn innau'n gegrwth.

'Olréit, awn ni yn ôl rhyw ychydig. Rwyt ti'n cofio inni sôn gynnau fach bod y broblem o drawsnewid yn ganolog i Marx, a bod angen chwyldro economaidd i bob pwrpas er mwyn creu ym-wybyddiaeth a dealltwriaeth newydd o gymdeithas? Hynny yw, mae'r syniadau traddodiadol yn creu'r argraff bod y sail econom-aidd yn hollbwysig ac yn diffinio'r hyn sy'n digwydd ar y lefel gymdeithasol.'

'Y sail yn cyflyru aradeiledd?', meddwn yn betrusgar, gan gofio un o fy narlithwyr yn y coleg yn taranu am y pethau yma. Nid fy mod wedi gwrando arno. Efallai byddai gwahodd y ddeuawd yma i'w ddosbarthiadau'n gwneud gwahaniaeth . . .

'Da iawn ti, mae mwy o fin ar y meddwl yna na beth mae dy wep yn ei awgrymu! Nawr, beth roedd nifer ar ôl Marx wedi dangos neu dynnu sylw ato yw'r ffaith bod yr hyn sy'n digwydd yn yr aradeiledd cymdeithasol yr un mor bwysig. Antonio Gramsci, er enghraifft, comiwnydd Eidalaidd a ysgrifennodd waith sylweddol pan oedd yn garcharor gwleidyddol. Nawr, roedd Gramsci am ddatblygu'r syniadau o ideoleg ac ymwybyddiaeth ffug y buom ni'n eu trafod gynnau fach, a rhoi mwy o ddylanwad i'r proletariat dros eu hymwybyddiaeth.

Hynny yw, nid yn unig rhyw fath o offeryn goddefgar yw'r gweithwyr sy'n cael eu mowldio'n uniongyrchol gan ideoleg y cyfalafwyr. Mae'n wir dweud bod y cyfalafwyr yn ceisio gor-uchafiaeth lwyr yng nghyswllt yr aradeiledd – eu bod yn ceisio diffinio i'r eithaf y ffordd rydym yn deall ein cymdeithas a gwir-eddu'r hyn mae Gramsci'n ei alw'n hegemoni. Ond yn ôl Gramsci mae'r proletariat yn medru datblygu i ddeall a dylanwadu ar eu hymwybyddiaeth, ac ymgymryd â'r *bourgeois* i frwydro a than-seilio'r hegemoni yma. Mae hyn yn newid sylweddol, oherwydd nid yn unig y mae Gramsci'n dadlau bod y proletariat yn fwy deallus a gweithgar, ond yn ogystal â hynny mae maes y gad, fel petai, yn symud o'r perthnasau economaidd ac yn ymestyn i'r aradeiledd. Mae trawsnewid y gymdeithas gyfalafol yn gorfod digwydd yn y ddau sffêr ac nid chwyldro yn y perthnasau cynhyrchiant yw'r nod yn y lle cyntaf.'

'Felly, mae rhaid sylweddoli nad yw ecsploetio ac estronyddu yn digwydd ar lawr y ffatri yn unig, fel petai, ond ei fod yn digwydd o'n cwmpas ni trwy'r adeg yn y syniadau sy'n cael eu cyfleu yn y wasg, ar y teledu ac yn y blaen . . .?'

'Da, 'machgen i, a dyna'r math o bethau sydd o ddiddordeb mawr i mi. Ond i raddau rwyf eisiau mynd ymhellach na Gramsci. Mewn ffordd o siarad, rwy'n meddwl mai rhaniad ffug yw'r rhaniad hwnnw rhwng sail economaidd ac aradeiledd diwylliannol. Mae ein diwylliant yn fwy nag adlewyrchiad o berthnasau economaidd y gymdeithas. Mae'r perthnasau yna yn eu hunain yn rhan o'n diwylliant, tra bod yr hyn rydym yn adnabod fel elfennau diwylliannol yn gynnyrch materol: canlyniad cynhyrchiol – megis nwyddau o brosesau economaidd – ein cymdeithas. Pan rydym yn edrych ar y byd dynol, felly, nid dau sffêr ar wahân a welwn ni, yr aradeiledd diwylliannol ar y sail economaidd, ond un sffêr cyfannol – "ffordd o fyw", neu'r hyn a alwaf i yn "ddiwylliant". O'r safbwynt yma, felly, mae'r cyfryngau torfol a'u "cynnyrch" yr un mor sylfaenol i gynnal y system gyfalafol a beth yw'r ffatri. Deall?'

Roedd fy mhen i'n troi. 'A gaf i ei drio fe yn fy ngeiriau fy hun . . .?'

'Siŵr iawn, cer amdani.'

'Wel, petawn ni'n meddwl am y system gyfalafol rŷm ni'n byw ynddi fel rhyw fath o gell, neu garchar, yna yn ôl Marx mae'r gell wedi'i chreu gan bedwar wal rymus, dal, a'r to gwellt – yr aradeiledd – ar ei ben. Beth mae'n rhaid gwneud yw creu twll yn y to gwellt er mwyn gwneud yn amlwg mae dymchwel y paredau sydd raid gwneud, ond bod y gwaith yna'n galed iawn ac yn cymryd tipyn o nerth. Mae Gramsci ar y llaw arall yn gweld nad yw'r paredau mor uchel â hynny, ond bod y to yn un trwchus, nerthol, wedi'i wneud o slatiau, dyweder. Rŷm ni'n gwybod beth yw pwysigrwydd y to yna, ac rŷm ni'n trio ei ddatgymalu slaten wrth slaten er mwyn gollwng y pwysau a gwneud y gwaith o ddymchwel y paredau'n haws. Yr hyn rwyt ti'n awgrymu yw ein bod ni o dan ryw fath o babell neu gromen lle nad oes gwahaniaeth rhwng pared a tho, a bod y deunyddiau wedi'u gwau i mewn i'w gilydd ac nid

oes ots pa le rŷm ni'n cychwyn arno – mae'n rhaid dadfeilio'r
adeilad bob yn dipyn lle bynnag y gallwn, gan dynnu ar ambell
edefyn fan hyn, fan draw.'

'Os mai hynny sy'n gwneud synnwyr i ti, wel, ie. Y peth pwysig
yw bod rhywun yn gweld llenyddiaeth, teledu, ffilm, theatr, ac yn
wir bywyd pob dydd, fel adlewyrchiad o'r drefn economaidd, ond
hefyd yn rhannau neu'n elfennau cynhyrchiol ohoni. Yr elfen
ryddfreiniol at hynny yw bod herio neu ddiwygio'r elfennau mwy
"meddal" yma o'n ffordd o fyw ar yr un pryd yn ffordd yr un mor
ddilys â brwydrau economaidd. All ffilm dda, neu feirniadaeth o
ryw ffordd o fyw fod yn arf yr un mor bwerus.'

'Ie, ie, neis iawn, yr holl falu awyr damcaniaethol yma.'

'Nid malu awyr ydyw, Nye, â phob parch, ac rwyt ti'n gwybod
hynny gystal â neb!'

'Olréit, olréit, dwi'n fodlon addef bod gen ti bwyntiau teg, ond
buaswn i ddim yn gwastraffu cymaint o eiriau i ategu'r hyn rwyt
ti'n ei ddweud. Mae'n amlwg bod diwylliant yn yr ystyr ehangach
yn hollbwysig o safbwynt herio cyfalafiaeth a sicrhau nad ydym
yn colli golwg ar werthoedd ehangach a ffurfiau eraill o fyw. Yn
fy amser i, roeddwn i'n rhybuddio yn erbyn y duedd tuag at
ryw fath o lwydni cyfanfydol a bod diwylliannau, gwerthoedd a
sefydliadau nodweddiadol angen ffynnu.'

Dim dyna roeddwn i wedi'i glywed, a chyn imi gael cyfle i feddwl
am y peth, clywais fy ngheg yn dweud, 'Pob diwylliant ond yr un
Cymraeg, ife Nye? Mae pawb yn gwybod dy fod ti'n un a oedd
yn barod i ladd ar Gymru a'r iaith Gymraeg.'

Wel, os oedd y gŵr hwn wedi llwyddo i gadw caead ar ei rwyst-
redigaeth hyd yn hyn, nid oedd gobaith bellach. Lledodd rhyw
arlliw o borffor ar draws ei wyneb ac roedd y stêm bron i'w weld
yn poeri o'i glustiau!

'Felly mae, ife?' Rwy'n ansicr ai cwestiwn neu ddatganiad oedd
hyn. 'Ti-pi-cal! Oherwydd bod gen i'r weledigaeth i ddadlau dros
hawliau sylfaenol pobl, a cheisio sicrhau bod gan bawb o leiaf y
pethau hynny sy'n caniatáu bywyd heb ofn beunyddiol, mae pobl
yn fy nghyhuddo i o ladd ar werthoedd eraill! Nid wy'n mynd i

sefyll fan hyn ac ymateb i hynny na chyfiawnhau fy hun. Jest edrycha di ar yr hyn a ddywedais, nid yr hyn y dywedodd pawb amdana i!

Ond gan ein bod ni'n trafod y pwnc . . . A gaf i ofyn beth, yn y pen draw, yw'r pwynt, neu'r gobaith o wilibawan am genedl Gymreig a'r diwylliant pan fo trwch y boblogaeth yn byw mewn tlodi heb ddim byd i'w gochel rhag y trychineb nesaf? Dyna pam mae rhaid canolbwyntio ar rym, a chanolbwyntio ar y wladwriaeth – ac yn ein bywydau ni y wladwriaeth Brydeinig yw'r allwedd i'r drws sydd yn arwain at fyd tecach, mwy cydradd a diogel. Nid rhyw ddadl dros fawredd Prydain yw hon, na mynegiant o ryw gred yn ei gwerth cynhenid. I'r gwrthwyneb – yr hyn sy'n bwysig o safbwynt y wladwriaeth Brydeinig yw'r posibiliadau o safbwynt cyfiawnder cymdeithasol a sicrhau bywyd ag urddas i bawb.

Rydw i'n feirniadol o unrhyw ymgais i geisio rhoi gwerthoedd torfol neu bwysigrwydd y mwyafrif uwchlaw pwysigrwydd yr unigolyn – boed hynny'n genedlaetholdeb Cymreig neu ryw ddelfryd Prydeinig. Eisiau cydlyniad cymdeithasol, sosialaeth ddemocrataidd ac economi cymysg ydw i yn y pen draw er mwyn sicrhau rhyddfreiniau a chyfleodd yr unigolyn. Nid wy'n wahanol i unrhyw genedlaetholwr call yn hynny o beth. Ydw, rwy'n ystyried Marx yn hollbwysig wrth ddeall gwleidyddiaeth ond y darlun o'r unigolyn a'r bywyd diwylliedig sydd bwysicaf i mi.

Â dweud y gwir, rwy'n falch bod pobl yn fy ngalw'r Bollinger Bolshevik – pam? Oherwydd os dyna oeddwn i, yna roeddwn i'n ymgorffori'r hyn roeddwn i'n ei gredu. Fe ddyle unrhyw un, o ba le bynnag a ddaw, hyd yn oed Tredegar, allu byw'r bywyd a gyfyngir nawr i'r breintiedig rai. Wyt ti erioed wedi darllen unrhyw beth o du hwnt i'n byd gorllewinol . . .? Tria di waith Rodo, libetariad o fri. Delfrydiaeth a gweledigaeth pobl fel fe sy'n fy ysbrydoli i ac a ddylai ysbrydoli pawb – "cysegra rhan o dy enaid i'r dyfodol anhysbys" meddai. Os yw Cymru a'i diwylliant am ffynnu, os yw pobl yng Nghymru eisiau byw yn y Gymraeg a mwynhau bywyd felly i'r eithaf, yna cymdeithas sosialaidd sydd ei hangen, ond i wireddu hyn mae angen inni weithio tuag at sosialaeth ar bob lefel – y Prydeinig, yr Ewropeaidd, y rhyngwladol. Dyma yw ein gobaith gorau o sicrhau cydraddoldeb i unigolion a goroesiad gwahanol ffyrdd o fyw.'

'Dyma lle rwyf fi a ti yn mynd ar drywyddion gwahanol, Nye,' meddai Raymond yn llesg braidd, fel pe na bai eisiau dechrau'r ddadl. Digon teg, meddyliais i, wrth edrych ar y llall a oedd yn amneidio o gwmpas yr ystafell fel chwirligwgan.

'Ni allaf ond edrych ar y wladwriaeth yn ei ffurf fodern a gweld sefydliad sydd yn bodoli a gweithredu er lles y dosbarthiadau uwch a llywodraethol. Nid dim ond y cyfalafwyr mawr y mae rhywun yn brwydro yn eu herbyn, ond mae'r holl feddylfryd sydd yn treiddio trwy'r gwasanaeth sifil a'r dosbarth gweinyddol yn un sydd yn gweld bri yn y weithred hon o wasanaethu. Mae'r wladwriaeth Brydeinig yn un sydd yn milwrio yn erbyn yr holl grwpiau yna sydd ddim yn rhan o'r sefydliad. Nid yn unig y mae'n ecsploetio'r Cymry, yr Albanwyr, ond yn ogystal trwch y boblogaeth Seisnig. Ac nid yn unig y grymoedd economaidd a sefydliadol yna sydd raid eu herio, ond yr union feddylfryd hwnnw sy'n eu cynnal.

Roedd dy weledigaeth di yn un fwy credadwy pan oedd yna ddiwydiannau mawrion yn hinsawdd y blynyddoedd ar ôl y rhyfel, ond mae hanes wedi dangos inni fod y rhai mewn grym yn gallu rheoli ein diwylliant – ein ffordd o fyw – trwy arfau economaidd, cymdeithasol, celfyddydol, er mwyn tra-arglwyddiaethu dros ein bywydau a'n meddyliau. A buaswn i'n dy atgoffa mai ti a ddywedodd bod sosialaeth ddemocrataidd yn athroniaeth berthynoliaethol a bod angen inni felly addasu ein syniadau i'r byd sydd ohono. Dyna lle mae diwylliannau lleiafrifol fel un y Cymry yn cynrychioli mwy na modd o ychwanegu lliw i lwydni hollbresennol cyfalafiaeth a bywyd anglo-Americanaidd. Maent yn arf, yn adnodd o obaith inni gyd – yn cynrychioli ffordd arall o fod a ffordd arall o weld y byd.

Rŷm ni fel Cymry yn dechrau o fan gwahanol sy'n cwestiynu holl adeiledd y wladwriaeth a'r modd y mae'n cysylltu hunaniaeth yr unigolyn â dinasyddiaeth. Mae'r gwahanol hunaniaethau Cymreig a'r ffaith ein bod ni'n byw mewn cyflwr ansefydlog yng nghyswllt yr hunaniaethau yna yn gwneud inni gwestiynu holl gynsail y syniad ein bod ni'n gyntaf oll yn ddeiliaid i'r wladwriaeth. Ond un o'r elfennau hynny sy'n wir i'r trwch ohonom yng Nghymru yw'r ffaith bod y mwyafrif llethol ohonom wedi ein trwytho yng ngwerthoedd y dosbarth gweithiol sydd wrth reswm yn groes i'r sefydliad. Nid culni yw diwylliant lleiafrifol ond ffordd o herio'r grymoedd llethol cyfalafol.'

'Mi rwyt ti'n siarad mewn damhegion nawr, Raymond – gwna gymwynas â ni a siarada mewn brawddegau plaen!'

'Ond ymffrost yw meddwl bod modd cwmpasu'r byd o'n cwmpas mewn brawddegau felly. Nid byd felly mohono – mwy gonest yw cysyniadau bras a meddyliau sydd yn gallu llithro o'n gafael oherwydd dyna yw ein gafael ni ar y gwir. Beth bynnag am hynny . . . Rwy'n credu bod yn rhaid i'r ddau ohonom gydnabod, pa rymoedd bynnag rydym yn eu hystyried bwysicaf o safbwynt gwrthwynebu'r llif cyfalafol, nad yw'r dosbarth gweithiol yn bodoli fel yr oedd cynt. Nid yw'n cynnig yr un posibiliadau boed hynny trwy'r system etholiadol neu unrhyw ddulliau eraill.'

'Ni anghytunaf yn hynny o beth. Mae'r rhaglen ffiaidd honno ar y teledu yn dweud y cyfan. Pan af yn ôl i'r bedd i orffwys fe fyddai'n troi fel top yn meddwl amdani. Cwmni teledu American-aidd yn symud ei gyfalaf i Brydain, gan greu rhaglenni sydd yn bychanu cymunedau tlawd, ôl-ddiwylliannol, i greu diddanwch sy'n cael eu becynnu er mwyn gwerthu i'r union bobl yna, heb unrhyw barch tuag at y gwylwyr hynny. Nid cyfalafiaeth wedi mynd yn wallgof yw hynny, ond cyfalafiaeth remp yn dirmygu a gwawdio'r bobl y mae wedi eu mathru a'u gadael ar ôl.'

'Rwyt ti'n berffaith iawn, Nye, a beth yw'r diben? Elw, mae'n siŵr, ond modd o greu elw a chyfryngu sydd yn y pen draw yn bytholi'r gwerthoedd y mae'n arddangos. Nid oes ymgais yma i addysgu, na chreu celfyddyd – nid oes yna'r un ymgais i ddeall a dehongli'r gynulleidfa fel un werthfawr, resymol, ond yn hytrach fe'i deellir fel y dyrfa: hygoelus, gwamal, megis haid, yn isel ei chwaeth a'i harfer. A dyna'r union gysyniad a eilunaddolwyd yn y teledu hwn – dyma'r terfyn eithaf ar y broses o gyfalafu ein ffordd o fyw: creu delfryd o'r union beth sydd yn eu iselhau a'u tanseilio.'

Wel, dyna sbwylio'r rhaglen honno i mi! Mewn gwirionedd, roedd y ddau wedi gwneud tipyn yn fwy na hynny, ac roeddwn i'n dechrau teimlo'n ddig.

'Daliwch chi 'mlaen nawr. Roeddwn i'n meddwl bod y ddau ohonoch chi yma oherwydd bod gen i gwestiynau, a'ch bod chi'n mynd i gynnig atebion. Ond yr unig beth y gallaf feddwl nawr yw sut y gallaf wneud unrhyw beth yn y byd yma sydd ddim yn ategu'r system a'i chryfhau?'

Mae'r ddau yn edrych ar ei gilydd yn euog braidd ac yn nodio'u pennau. Meddai Nye:

'Rwyt ti'n berffaith iawn 'machgen i, nid ydym yn cynnig llawer i ti. Ond os wyt ti'n gofyn i mi, dim ond un peth all rywun yn dy sefyllfa di ei wneud, a hynny yw gwleidydda. Meddylia di faint o bobl sydd ddim yn pleidleisio, a'r holl rym maen nhw'n addef. Os oes rhywun eisiau gwthio am ddiwyg sy'n gweddnewid y gymdeithas rhaid i ti ddal yn nychymyg y mwyafrif. Does dim ffordd yn y byd bod y drefn sydd ohoni yn cynnal buddiannau'r mwyafrif, ond os nag yw'r mwyafrif yn gwleidydda, dyna beth rwyt ti'n ei gael. Efallai nad yw'r dosbarth gweithiol yn bodoli fel yn yr ugeiniau, nac yn dioddef yn yr un ffordd, ond meddylia di am yr holl bobl sydd yn protestio, y cynddaredd sydd ym moliau pobl fel ti. Lleiafrif o'r boblogaeth sydd yn ennill o'r drefn fel y mae, a pha bynnag modd mae bywiocáu ac ysgogi'r mwyafrif i sylweddoli hyn, yna rhaid gwneud y mwyaf ohono. Byddai'r unigolyn yna sydd yn hunanymwybodol a hunanfeirniadol yn gafael yn y byd ac yn ceisio disodli gwacter ac anobaith. Cysegra dy enaid i'r dyfydol anhysbys.'

'Nid yw Nye yn anghywir; nid oes yna un rheswm da i beidio pleid-leisio, ymwneud yn wleidyddol, na cheisio tanio diddordeb pobl. Ond mae'n rhaid dangos dy wrthwynebiad ym mhob agwedd ar dy fywyd, nid dim ond trwy'r blwch pleidleisio a dy ystumiau cym-deithasol. Rhaid ymwrthod â'r rwtsh y mae'r cyfryngau torfol yn bwydo i ti. Ymwrthod â'r ideoleg a'r celwyddau sy'n cael eu bwydo i ti trwy'r diwylliant ehangach. Cwestiynu pob dim sy'n ymddangos fel ei fod yn gweithredu dyheadau'r dosbarthiadau uwch. Cymer barch yn dy hunaniaeth ac yn dy wahaniaeth, ac edrycha y tu hwnt i'r byd ehangach a'r brwydrau rwyt yn eu rhannu ag eraill.'

'Gad y gweddill, Ray, mae galwad arall yn cyrraedd. Wel y Duw Duw, mae'r llinellau yn dechrau poethi, efallai fod rhywbeth ar droed . . .'

A chyda'r geiriau yna, diflannodd y ddau i'r ether.

Cymerais eiliad i ddod ataf fi fy hun. Trois at y teledu ac roedd sianel arall ymlaen – S4C o bopeth. Y tro diwethaf yr oedd honno ymlaen roedd gen i obsesiwn gyda phêl-droed Eidalaidd a'r rhaglen *Sgorio*, rywbryd yn fy arddegau. Yno ar y sgrin yn syllu arnaf ac yn bytheirio yr oedd wyneb lled-adnabyddus. Cymerodd eiliad i mi, ond sylweddolais mai fe oedd yr 'Alcoholic Llon' roedd yn rhaid i mi wylio yn yr ysgol rywdro. Dyma fi'n dal ambell air. Glowyr, cymuned, Cymru. Dyma fi'n eistedd lawr, rowlio mwgyn arall, a gwneud ymdrech i wrando yn astud.

Marx a'r Sosialwyr Cymreig

Fel y nodwyd yn y bennod gyntaf, dilys yw awgrymu mai Marx yw'r athronydd mwyaf dylanwadol ar y Meddwl Cymreig, yn sicr dros y ganrif a hanner ddiwethaf. Ni fyddai Cymru yn eithriad yn hynny o beth, wrth gwrs, ac efallai'r syndod yw nad oedd ei syniadau wedi cael eu mabwysiadu'n helaethach, o ystyried natur ddiwydiannol ardaloedd mwyaf niferus y wlad. Roedd y Blaid Gomiwnyddol yn ffyniannus ac effeithiol yng Nghymru, ond plaid gymharol fychan ydoedd o ran niferoedd, yn elfen o'r mudiad Llafur mwyafrifol a heriodd y prif ffrwd yn achlysurol, ond a fu yn aflwyddiannus yn y pen draw. Tasg enfawr fyddai rhoddi cyfrif dros hyn, ond ceir awgrym gan Kenneth O. Morgan mai adlewyrchu tueddiadau mwy ceidwadol, gofalus a chydymffurfiol y Cymry a wna'r hanes hwnnw.[26] Yn y pen draw dyma adlais o ildio cenedlaetholwyr Cymru Fydd i blaid fwyafrifol y dydd yn yr 1890au; dewis ymlyniad wrth y mudiad dosbarth gweithiol mwyafrifol, y Blaid Lafur Brydeinig a'r *Trade Union Congress* (TUC), yn hytrach na dilyn ffurf o brotest neilltuol, a chymeriadau lliwgar megis Arthur Horner, David Irvon Jones a'r Parchedig Thomas Nicholas.

Dichon fod Bevan a Williams yn adlewyrchu dylanwad mwyaf amlwg a hirhoedlog Marx – hynny yw ysbrydoliaeth a sbardun i weithredu gwleidyddol nad oedd yn drwyadl Farcsaidd ei natur, a chorff o syniadaeth ddamcaniaethol yr oedd modd ei ailddehongli ac ailgymhwyso. Yn wir, yn y cyswllt hwn mae cenedlaetholdeb Cymreig, trwy ffigyrau megis Gareth Miles a Robert Griffiths, wedi dod o dan ei ddylanwad.[27] Yn anffodus, nid oes modd cael gafael hawdd ar Marx. Profiad ymenyddol tebyg ydyw i geisio gosod pabell orfawr mewn cwdyn sydd yn rhy fach iddi – unwaith rydych chi'n teimlo bod y cwbl wedi cael ei wasgu i mewn yn llwyddiannus, mae'n anochel bod rhyw ddarn arall wedi dianc allan yn rhywle. Serch hynny, mae'n bwysig ceisio dal gafael ar rai elfennau er mwyn rhoi cyd-destun i ddeall safbwyntiau Bevan a Williams yn well. Mentraf felly gynnig dehongliadau bras o rai o'r cysyniadau pwysicaf a gododd yn y sgwrs uchod, ac sy'n cynnig y gefnlen i syniadaeth y ddau.

Mae *ymddieithrio* yn gysyniad gwaelodol a hollbwysig yn athroniaeth Marx. Fe'i hetifeddodd o Feuerbach, un o athronwyr mawr ei gyfnod ac olynydd i Hegel. Hegel oedd y gŵr a ddiffiniodd y maes ar y pryd, a dylanwadodd ar Marx yn ogystal, gyda'i safbwynt ar hanes a'r syniad o ddilechdid sydd yn gyrru hanes dynoliaeth yn ei flaen. Rhoddai Feuerbach bwyslais ar dlodi ysbrydol, yn fwy na thlodi materol dyn, ac yn enwedig y modd yr oedd Cristnogaeth yn ei dyb ef yn tanseilio'r gobaith o fod yn berson cyflawn yn y bywyd meidrol. Er bod cyflwr truenus y dosbarth gweithiol yn bryder i Marx yr agwedd ysbrydol oedd bwysicaf iddo ef hefyd – ond roedd Cristnogaeth yn symptom, nid achos o ymddieithrio yma, yn ôl ei safbwynt ef.

Amodau economaidd a oedd wrth wraidd diffygion y cyflwr dynol: cynigiant gynhaliaeth a dim byd mwy, ond yn waeth oedd natur annaturiol ac annynol gwaith y mwyafrif. Oherwydd y *rhaniad llafur* ar lawr y ffatri – hynny yw, y modd roedd y gweithlu wedi'i ddidoli – roedd pobl yn gweithio ar yr un tasgau o fore gwyn tan nos, heb unrhyw berthynas â'r cynnyrch gorffenedig. Yn yr ystyr hwnnw roeddent wedi ymddieithrio o'u llafur mewn modd nad oedd yn wir yn y byd amaethyddol a'r diwylliannau tyddyn gynt, lle'r oedd unigolion yn ymarfer crefft. Nid oedd y gweithiwr chwaith yn rhannu yn ffrwyth ei lafur yn yr ystyr mai'r bwrgeisiaid oedd piau'r *moddion cynhyrchu* – peirianwaith y ffatrioedd, er enghraifft – a byddai o ganlyniad yn cadw'r elw a ddeilliai o waith y gweithwyr ar y cynnyrch.

Yn ôl Marx, nid yn unig y diffyg rheolaeth dros y peirianwaith, ei lafur a'r cynnyrch a oedd yn ymddieithrio, ond yn ogystal y gwahanu o'r broses a oedd yn tanseilio cyneddfau creadigol a chynhyrchiol yr unigolyn. Yn y system gyfalafol nid yw llafur yn perthyn i'r unigolyn – mae'n weithred negyddol yn hytrach na'r hyn y dylai fod, sef gweithred bwrpasol sydd yn dyrchafu dynolryw yn uwch na'r anifeiliaid, ac yn fynegiant o'i hanfod. Dyma wraidd un o egwyddorion gwaelodol Comiwnyddiaeth a ddeilliai o'r sosialwyr iwtopaidd, sef yr angen i ddiddymu eiddo preifat, neu fel arall mae'r gweithiwr wedi'i ymddieithrio. 'Nid ei waith ef ydyw ond gwaith rhywun arall', a dim ond y pleserau anifeilaidd o fwyta, yfed a chenhedlu sydd ar ôl iddo.

Modd arall o ddisgrifio'r fodolaeth anifeilaidd yma yw diffyg rhyddid – neu yn yr eirfa a ddatblygodd Marx ac a etifeddodd o Hegel – methiant i gyrraedd cyflwr o lwyr hunan-ymwybod. Daw rhyddfreiniad i ddyn trwy ei adnabyddiaeth gywir o'i hunan a'i amgylchiadau. Ond nid proses feddyliol yn unig yw hon o safbwynt Marx, ac yn y cyswllt hwn yr amlygir ei *fateroliaeth hanesyddol*. Gweithgarwch ymarferol dyn – yr hyn sydd yn diwallu ei anghenion ac yn creu'r bywyd materol – yw'r hyn sydd yn gyrru datblygiad hanesyddol tuag at ryddfreiniad. Ni all syniadau yn eu hunain ein tywys tuag at yr adnabyddiaeth hon, gan fod meddyliau dyn yn adlewyrchu'r amgylchiadau materol y mae'n rhan ohoni.

O safbwynt rhyddfreiniad a datblygiad hunan-ymwybod, rydym yn ddibynnol, felly, ar newidiadau yn yr hyn a adnabyddir fel y *sylfaen economaidd*. Y sylfaen materol hwn sydd yn creu hanes yn yr ystyr bod datblygiadau yn y *dull cynhyrchu* yn creu chwyldroadau yn y gymdeithas – megis y newid o'r drefn ffiwdal o gynhyrchu ar gyfer y meistr i'r drefn gyfalafol o gynhyrchu ar gyfer y farchnad. Yn y modd hwn y mae materoliaeth hanesyddol yn esbonio sut mae newidiadau cymdeithasol yn yr hyn a elwir yr uwch-adeiladwaith – yn cynnwys y strwythurau gwleidyddol a chyfreithiol, a'r moesau a'r syniadau canolog – yn deillio yn y pen draw o newidiadau yn y sylfaen economaidd.

Un o nodweddion pwysicaf yr uwch-adeiladwaith yn y gymdeithas gyfalafol yw'r tueddiad i gloi ei haelodau o fewn ideoleg. Yr hyn y mae Marx yn ei ddeall wrth ideoleg yw dealltwriaeth o'r byd sydd wedi'i chyfyngu i un dosbarth neu grŵp, felly ffordd o feddwl sydd yn rhwystro dyn rhag cyrraedd llwyr hunan-ymwybod a rhyddfreiniad. Oherwydd natur y sylfaen economaidd, yn arbennig rhaniad llafur, mae gweithgarwch pobl wedi'i gyfyngu gan eu hymwybyddiaeth ddosbarth, sydd yn methu amgyffred buddiannau cyffredinol y gymdeithas. Dim ond lle i un ideoleg lywodraethol sydd, wrth reswm, a thra bod honno'n teyrnasu nid oes modd rhyddhau dynoliaeth. Yn ddiddorol ddigon, i Marx nid y gweithiwr sy'n dioddef yn unig ond hefyd y cyfalafwr, a 'gaethiwir gan ei gyfalaf'. Mae ariangarwch yn ymddieithrio dyn o'i natur gymaint ag y mae llafur di-nod.

Pa obaith, felly, o'r chwyldro a fydd yn sicrhau rhyddfreiniad i gymdeithas oll a'r cyflwr o hunan-ymwybod? I Marx dyma oedd rôl hanesyddol y proletariat, nad oedd ganddo fuddiannau ei hun, dim ond buddiannau'r gymdeithas yn gyffredinol. Daw'r proletariat yn ymwybodol o'r rôl yma yn y pen draw oherwydd diffygion a breuder y system gyfalafol. Mae ei natur anwadal yn achosi un argyfwng ar ôl y llall; mae llafur gweithwyr yn cael ei danbrisio'n fwyfwy mewn ymdrech i greu elw; mae'r mân-ddosbarthiadau yn cael eu llyncu gan y dosbarth gweithiol wrth i'r cyfalafwyr mawr ddominyddu'n gynyddol. Ar yr un pryd mae natur gwaith yn y ffatri, a fyn gydweithrediad rhwng y gweithwyr, yn esgor ar gyd-berthynas glòs sydd yn sylfaen i undebaeth a'r ymwybyddiaeth ddosbarth chwyldroadol.

Y nhw fydd â'r ddealltwriaeth o natur ideolegol, ddinistriol cyfalafiaeth, a nhw, trwy law eu Plaid Gomiwnyddol, fydd yn arwain y gymdeithas newydd yng nghyfnod cynnar y chwyldro. Y nhw fydd yn gosod moddion cynhyrchu, y banciau, y siopau mawr, y tir yn eiddo'r gymdeithas gyfan (ond nid, dylid pwysleisio, yn gwahardd perchnogaeth ar feddiannau personol megis cartref a chynhaliaeth). Y nhw fydd â'r hunan-ymwybod a'r ddealltwriaeth o'r nod eithaf, sef gwaredu cymdeithas o dlodi ac angen, a rhydd-freinio dynoliaeth yn ei chyfanrwydd.

Bevan

Mewn llawer ystyr mae modd ystyried Aneurin Bevan fel Marcsydd wrth reddf: gwleidydd y dosbarth gweithiol ydoedd, gyda'r union amcan o ryddhau'r boblogaeth o rwymau cyfalafiaeth. Deisyfa gymdeithas gydradd a ffyniannus i bawb, ys dywed teitl ei brif gyhoeddiad, *In Place of Fear*. Gwelir ôl addysg Farcsaidd y Coleg Canolog Llafur ar ei weledigaeth, yn bennaf oll yn ei ddyneiddiaeth a'i bwyslais ar rym. Nodweddiadol ydyw bod Bevan, fel Marx, yn pwysleisio nid y materol ond yr ysbrydol – neu o leiaf y seicolegol – wrth ddynodi ofn, nid tlodi fel y gelyn pennaf. Mater o feddiannu pŵer y wladwriaeth oedd gwleidyddiaeth sosialaidd iddo ef, nid proses hirdymor o ganolbwyntio ar berswâd a chocsio moesol y dosbarth llywodraethol – fel yr awgryma Robert Owen. Roedd rhyfel dosbarth yn rhywbeth a oedd yn fyw ac yn bod i ddyn a oedd wedi profi dioddefaint ei gymuned yn Nhredegar yn ystod blynyddoedd blin ei lencyndod, y streic gyffredinol a sgileffeithiau'r dirwasgiad.

Yn wahanol i Marx, roedd Bevan a'i ffydd yn y system ddemocrataidd a sicrhau cyfundrefn sosialaidd trwy'r blwch pleidleisio, yn hytrach na chwyldro. Rhoddai mwy o fri ar y pwysigrwydd o'r bleidlais na Marx, fel gweithred ac iddi werth cynhenid. Roedd cyfundrefn awdurdodaidd yr Undeb Sofietaidd – y buodd Bevan yn feirniad hallt ohoni – yn ategu'r angen i warchod yr hawl sylfaenol hon. Eto i gyd, nid sicrhau cymodi rhwng y dosbarthiadau trwy ddemocratiaeth oedd gobaith Bevan, ac yn hynny o beth nid oedd byth yn rhan o briflif sosialaeth ddemocrataidd a goleddwyd gan y Gymdeithas Fabian a syniadaeth Eduard Bernstein.

Roedd yn gefnogol o'r syniad o economi cymysg. O fewn cyfundrefn egalitaraidd gyda system les ac ailddosbarthiad o gyfoeth, roedd yna le i fusnesau o wahanol feintiau i fodoli heb danseilio'r unigolyn na'r gymuned. Ac eto, roedd yna arlliw Marcsaidd i'w agwedd at fusnesau a diwydiannau mawrion – rhaid wrth genedlaetholi glo, haearn a'r gwasanaethau cyhoeddus i rwystro ecsploetio ac amddiffyn y natur ddynol. Efallai'r cymysgwch hwn o elfennau – yr ymlyniad wrth gredoau Marcsaidd ond ymrwymiad i ryddid ehangach i'r unigolyn – a arweiniodd K. O. Morgan i'w alw'n 'Farcsydd Libertaraidd'.[28]

Er nad oedd Bevan yn flaenllaw ymysg y mudiad Llafur Prydeinig yn y 1930au, roedd ei athroniaeth wleidyddol yn un a adlewyrchai dueddiad diddorol y cyfnod, yn yr ystyr bod Marcsiaeth, am y tro cyntaf, yn herio sosialaeth ddemocrataidd y sefydliad asgell chwith Prydeinig. Roedd yna ddyhead am atebion newydd yn sgil dinistr y dirwasgiad a'r ergyd sylweddol, seicolegol ei natur. Hwnnw oedd methiant Llafur ym 1931 i ddiwygio taliadau diweithdra yn wyneb gwrthsafiad y Trysorlys; dyma oedd prawf digamsyniol mai arf cyfalaf a'r bwrgeisiaid oedd y wladwriaeth na fyddai'n ildio i amcanion sosialaidd go iawn. Nid oedd daliadau ynglŷn â chynnydd graddol tuag at sosialaeth bellach yn dal dŵr, na grymuster moesegol y dadleuon yn ennill y dydd. Fodd bynnag, fel yr adlewyrchir yn syniadaeth Bevan, trechwyd y tueddiadau mwyaf radical Marcsaidd yn y pen draw gan yr ymrwymiad sylfaenol at ryddid yr unigolyn – egwyddor foesol a atgyfnerthwyd gan agwedd ddi-hid yr Undeb Sofietaidd at rai o'u pobl, a'r cynghrair gyda'r Natsïaid.

Daeth daliadau lled-Farcsaidd Bevan i'r amlwg yn y modd mwyaf dylanwadol yn nhrafodaethau mewnol y Blaid Lafur wedi'r rhyfel, ac wedi'r llwyddiant cychwynnol wrth sefydlu'r wladwriaeth les. Bevan oedd arwr y chwith a phrif wrthwynebydd yr arweinydd Hugh Gaitskill a'i gabal, a'r drafodaeth ar berchnogaeth gyhoeddus a amlygodd y gwahaniaethau mwyaf. Pwynt canolog Bevan oedd yr anhawster o geisio sicrhau cymdeithas gydradd hebddi.

Ni fyddai modd cynnal yr ailddosbarthiad o gyfoeth yr oedd ei angen mewn economi wedi'i nodweddu gan berchnogaeth breifat drwyadl. Gan ddangos ei ddealltwriaeth o safbwynt Marx ar ideoleg, a'r berthynas rhwng sylfaen a syniadau'r uwchadeiladwaeth mynna bod unigolion o fewn cymdeithas o'r fath wedi'u cyflyru i gredu bod ganddynt hawl sylfaenol i'w hincwm, ac felly mae gwariant cyhoeddus wastad yn ymyrraeth ar hawliau preifat. Hwy sydd berchen ar eu harian, nid cynnyrch cyfunol mohono, ac o ganlyniad daw'r boblogaeth yn fwy gwrthwynebus i drethu – proses a ategir gan y gymdeithas o brynwriaeth sydd yn cynnig gymaint i'r unigolyn ac yn ei ddarbwyllo bod angen y cyfan arno. Fel dywed un awdur, dyma eiriau proffwydol yng nghwydd oes Thatcher.[29]

Er yr ymgais i gyflwyno 'athroniaeth wleidyddol' adnabyddedig yng ngwleidyddiaeth Bevan, mae ef ei hun yn nodi bod rhaid i unrhyw athroniaeth o'r fath fod yn gyfnewidiol, yn bragmataidd ac yn berthynol i'r amodau. Amlygid y tyndra hwn mwy nag unwaith yng ngyrfa Bevan wrth i'r pragmatydd gwleidyddol frwydro gyda'r meddyliwr o egwyddor. Yr egwyddor oedd yn drech yn achos ei ymddiswyddiad o gabinet y blaid, ar ôl iddi gefnu ar ei hymrwymiad i wasanaeth iechyd a oedd i fod yn rhad ac am ddim, trwyddi draw. Dyma oedd prosiect personol Bevan, wedi'r cwbl, wedi'i ysbrydoli gan y model cydweithredol o ofal iechyd yn ei dref enedigol. Ond y pragmatydd, mae'n debyg, a welwyd yn y gynhadledd enwog pan ddadrithiwyd chwith y blaid gan gefnogaeth Bevan o'r egwyddor o arfau niwclear i Brydain.

Roedd Bevan yn unigolyn gwreiddiol ym mhob ystyr, ac roedd hynny yr un mor wir o'i syniadau gwleidyddol. Awgryma ei ddiddordeb yn yr athronydd o Uruguay, Rodo, chwilfrydedd deallusol a thueddiad nodweddiadol tuag at yr annisgwyl. Yn y pen draw dyma ddyn a oedd yn cynnal gobaith a dyneiddiaeth Marcsiaeth, heb fygwth yr ysbryd dynol, wrth gadw'n fyw y freuddwyd y byddai aelodau'r dosbarth gweithiol rhyw ddydd yn gallu esgyn i'r ddelfryd o'r unigolyn amryddawn, amlochrog.

Raymond Williams

Tra bod Bevan yn un o wleidyddion mwyaf gwych y Cymry ac yn academydd lleyg deallus, saif Raymond Williams fel un o'n hacademyddion mwyaf disglair, a deallusyn cyhoeddus dylanwadol yn ogystal. Yn fwy o radical a Marcsydd o reddf, perthynai i genhedlaeth iau, ac wrth i seren Williams fod ar gynnydd fe ddiffoddwyd goleuni llachar Bevan yn annhymig. Adlewyrchir y gwahaniaethau hyn gan statws Williams fel un o ffigyrau pwysicaf y *New Left* – mudiad deallusol ac ymgyrchu a oedd â gwreiddiau Marcsaidd ond a oedd yn pwysleisio brwydrau niferus, amgen, yn hytrach na'r tueddiad i ganolbwyntio ar ryfel dosbarth. Nid cyd-ddigwyddiad yw'r ffaith mai dyn du – Stuart Hall – oedd un o'r ffigyrau mwyaf blaenllaw, tra bod pynciau megis hawliau hoywon, rhywedd ac erthyliad yn adlewyrchu ehangder 'maes y gad' yn ôl y safbwynt sosialaidd hwn.

Parhau a wna'r ddelfryd Farcsaidd o ryddfreiniad o fewn y mudiad hwn, ond fe addasir ac ailddehonglir yr athrawiaeth mewn amryw ffyrdd, gyda'r sgileffaith bod brwydrau a fyddai wedi ymddangos i Bevan, efallai, fel rhai ymylol, yn datblygu pwysigrwydd canolog. Dyn yr ymylon oedd Williams, yn llythrennol, yn sicr yn ôl ei hunan-ddealltwriaeth. Magwyd yn y Pandy, pentre i'r dwyrain o'r Feni, ychydig filltiroedd o'r ffin, a thrwy gydol ei yrfa ystyriai'r pwynt dechreuol hwn fel canolbwynt i'w fydolwg, ac un manteisiol yn hynny o beth. Nid yn unig yr oedd yn hanu o ardal ar y ffin, yn edrych i'r dwyrain tuag at Loegr, a'r gorllewin tuag at Gymru, ond yr oedd hefyd â dealltwriaeth o'r ffiniau a'r berthynas rhwng y diwydiannol a'r amaethyddol, wedi'u crynhoi'n symbolaidd yn y trên a deithiai trwy ei bentref gwledig ar ei ffordd o'r maes glo gerllaw – a oedd yn gynhaliaeth i'w deulu trwy waith ei dad fel signalwr. Gwewyd y themâu canolog hyn a oedd yn bywiocáu bywyd Williams yn gelfydd o gwmpas naratif y streic gyffredinol a'i gwaddol yn ei nofel gyntaf, *Border Country*.

Aeth i Gaergrawnt fel myfyriwr, ond ymyrrwyd ar ei astudiaethau gan bedair blynedd yn y rhyfel. Wedi iddo raddio aeth ymlaen i addysg oedolion yn Rhydychen, cyn dychwelyd i Gaergrawnt yn 1961 ar sail llwyddiant ei lyfrau, yn enwedig yr enwog *Culture and Society* a *The Long Revolution*. Chwaraeodd rôl allweddol yn nhrawsnewid maes astudiaethau diwylliannol, a fu tan hynny yn ei hanfod yn astudiaeth o lenyddiaeth brif ffrwd Saesneg. Trwy'r driniaeth ddeheuig a radical ganddo ef ac eraill, fe ddaeth diwylliant i feddwl rhywbeth llawer mwy prif ffrwd, yn cwmpasu nid yn unig diwylliant 'isel' megis teledu a sinema, ond yn ehangach na hynny, y ffyrdd o fyw y mae'r arferion hyn mor ganolog iddynt.

Ynddo'i hun, gellir dehongli'r gwyrdroad hwn fel buddugoliaeth Farcsaidd, yn yr ystyr bod un elfen o'r uwch-adeiladwaith a ddiffinnir yn gul ac yn ideolegol gan y dosbarth dominyddol wedi'i chwalu. Ond dibynna'r honiad hwn ar ddealltwriaeth o'r meddwl Marcsaidd sydd yn mynd y tu hwnt i'r athroniaeth wreiddiol – dealltwriaeth sydd yn cwmpasu dehongliad Williams o'r traddodiad hwn. Iddo ef, nid yw'r rhaniad rhwng sylfaen economaidd ac uwch-adeiladwaith yn tycio o safbwynt esbonio realiti cyfalafiaeth, nac ychwaith yn cynnig yr arfau deallusol i'w thanseilio. Yn dilyn ôl traed Gramsci mae'n pwysleisio'r angen i'r frwydr ganolbwyntio'n ehangach nac ar y pen draw o'r chwyldro a meddiannu'r moddion cynhyrchu. Mae agweddau deallusol, diwylliannol ein ffordd o fyw yr un mor sylfaenol i gynnal ac atgynhyrchu cyfalafiaeth a'r system economaidd sy'n hanfodol iddo, felly mae beirniadu ac ymosod ar yr agweddau yma yr un mor bwysig o safbwynt gwrthwynebu cyfalafiaeth. Mae rhaglenni teledu sydd yn ategu gwerthoedd cyfalafol ac yn tanseilio cymuned a solidariaeth yr un mor ganolog a grymus o safbwynt creu ac atgyfnerthu cyfalafiaeth â'r drefn economaidd ei hun.

Mae ysgrifau Williams yn niferus ac yn helaeth eu pynciau, a chan hynny mae'n anodd nodi edafedd amlwg sydd yn rhedeg trwy'r cyfan. Yn hytrach, mae ei ymrwymiadau damcaniaethol yn gosod y tirwedd cefndirol, sydd ond yn achlysurol amlygu ei hunan yn amlwg ym 'mlaendir' y trafodaethau o bynciau penodol. Un o ddiddordebau arbennig Williams oedd y cyfryngau torfol a'u modd o weithredu, ac un o'r themâu sydd yn codi yw triniaeth y dyrfa (*the masses*). Un o'r arferion problematig mae'n eu hadnabod yw'r tueddiad i adloniant cael ei greu a'i gyflwyno mewn modd sydd yn trin y dyrfa fel casgliad o bobl heb grebwyll na deallusrwydd. Mae'n gweithredu nid i arfogi'r bobl na'u hysgogi, ond yn hytrach i'w hurtio. Dyma ofynion y farchnad o apêl dorfol yn cyflyru diwylliant, sydd yn ei dro yn codi mwy o feini tramgwydd.

O safbwynt ei ddadansoddiad o'r wladwriaeth eto gwelwn fod arferion y system yn cael eu cynnal a'u hategu, ond nid yn unig trwy'r sylfaen economaidd sydd yn didoli'r boblogaeth yn ôl eu statws ariannol. Yr un mor dyngedfennol i'r drefn yw'r agweddau sydd ynghlwm wrth y diwylliant, ac nid yn unig y rhai sydd yn berchen i arf draddodiadol y bwrgeisiaid, sef y gwleidyddion. Mae safbwynt mwy hyblyg Williams yn caniatáu iddo ddadansoddi sut y mae'r haen o weision sifil yr un mor dyngedfennol i'r drefn, nid oherwydd y diddordebau economaidd, ond oherwydd y bodlonrwydd i fabwysiadu meddylfryd o wasanaethu. Cysyllta Williams yr agwedd daeogaidd hon gyda thraddodiad hir o weini sydd yn rhan nodweddiadol o'r drefn gymdeithasol yn mynd yn ôl dros flynyddoedd maith. Glendid, a photensial agwedd y dosbarth gweithiol, yw'r tueddiad i gwestiynu 'ffyrdd o fyw', felly.

Yn ddiddorol iawn dyma un o'r rhesymau y mae gan Williams gymaint o barch at a chymaint o feddwl o'i gyd-Gymry, oherwydd y mae'r amgylchiadau materol dros amser wedi creu cymunedau a diwylliant sydd yn radical o ran anian ac yn deisyfu newid. Ac eto, buasai'n anghywir meddwl bod ei ddathliad o'r diwylliant Cymreig yn dechrau a gorffen gyda'r gwethrfawrogiad traddodiadol Marcsaidd o'r dosbarth gweithiol fel asiant newid. Yn hytrach mae'n gweld sefyllfa'r Cymry – y rhai a feddai'r Gymraeg a'r di-Gymraeg – yn naturiol fanteisiol o safbwynt magu safbwyntiau ac agweddau a all herio'r sefydliad cyfalafol. Yn bennaf, efallai, mae'r cymysgwch a'r amwysedd sydd yn perthyn i hunaniaethau Cymreig, sydd ddim yn eistedd yn daclus a chyfforddus gyda strwythurau'r Deyrnas Gyfunol. Mewn ffordd o siarad, mae'r Cymro arferol, beth bynnag ei liw a'i lun, wedi ymddieithrio yn sylfaenol o'r hunaniaeth Brydeinig brif ffrwd sydd yn mapio arno i'r wladwriaeth. Dyma ein cyflyru, felly, i gwestiynu a beirniadu'r sefydliad cyfalafol, honiad sydd eto yn awgrymu safbwynt damcaniaethol ehangach Williams – bod pigo tyllau a cheisio dadadeiladu'r gyfundrefn gyfalafol yn ymwneud gymaint ag agweddau diwylliannol cyffredinol ag ydyw ein gallu i herio'r sylfaen economaidd yn uniongyrchol.

Oherwydd ei wrthwynebiad sylfaenol i'r wladwriaeth Brydeinig fel caer gyfalafol, tueddai gwleidyddiaeth Williams tuag at genedlaetholdeb Cymreig, a disgrifiai eu hun fel Ewropead Cymreig. Gwelai bosibiliadau gwirioneddol o safbwynt diwylliant Cymreig a Chymraeg yng nghyswllt herio'r drefn. Nid oedd Bevan ychwaith yn anymwybodol o egni rhyddfreiniol diwylliannau amgen ac yn frwd dros y Gymraeg yn y cyswllt hwn;[30] roedd ei arwr Rodo yn un a oedd yn pwysleisio pwysigrwydd herio diwylliant Gogledd America. Ac eto, nid oedd Bevan yn ystyried tanseilio a gwahanu unedau llywodraethol enfawr fel y wladwriaeth Brydeinig yn gam ymlaen o safbwynt y frwydr sosialaidd. Dylem yn hytrach ei defnyddio i ffrwyno grym dinistriol cyfalafiaeth; yn ôl yr ymagwedd hon, po leiaf yr endid llywodraethol, po leiaf fydd ei allu i wrthsefyll y grym hwn. Felly y mae rhai Marcswyr yn dal i'w gweld hi, megis y rhai a oedd yn wrthwynebus i ymdrechion yr Alban dros annibyniaeth.

Fodd bynnag, mae natur y wladwriaeth a'i gallu i ganoli a rheoli'r economi wedi newid yn sylfaenol ers dyddiau Bevan. Yn ogystal, mae ideoleg neo-ryddfrydol wedi cryfhau a dwysáu tueddiadau mwyaf gwrth-sosialaidd y meddwl gorllewinol, yn arbennig yn sgil cwymp yr Undeb Sofietaidd a'r diffyg gwrthbwynt ideolegol o'r herwydd. Yn y Deyrnas Gyfunol yn arbennig, arweiniodd hyn at lywodraethau sydd wedi bod yn fodlon israddio'r wladwriaeth i wasanaeth y farchnad – a dinas Llundain yn arbennig. Mae'n ddiddorol damcaniaethu a fyddai'r amgylchiadau newydd yn ei gymell i ailystyried ei athrawiaeth – yn enwedig yn sgil ei ymlyniad at yr egwyddor o berthynoliaeth mewn gwleidyddiaeth, a'r angen i ymateb i'r amodau. Yr hyn y mae modd dweud i sicrwydd yw bod angen ychydig o weledigaeth a gwreiddioldeb y ddau ŵr yma ar y meddwl sosialaidd cyfoes.

Darllen Pellach

Aneurin Bevan, 1951. *In Place of Fear* (London: MacGibbon & Kee).
Friedrich Engels a Karl Marx, 2014. *Y Maniffesto Comiwnyddol*, Pwyllgor Cymreig y Blaid Gomiwnyddol, cyf. W. J. Rees (E-argraffiad: Y Coleg Cymraeg Cenedlaethol).
J. Higgins (gol.), 2001. *The Raymond Williams Reader* (Oxford: Blackwell).
Ben Jackson, 2011. *Equality and the British Left: A Study in Progressive Thought, 1900–64* (Manchester: Manchester University Press).
Richard Wyn Jones, 2007. *Rhoi Cymru'n Gyntaf: Syniadaeth Wleidyddol Plaid Cymru, Cyfrol 1* (Caerdydd: Gwasg Prifysgol Cymru).
Kenneth O. Morgan, 1987. *Labour People* (Oxford: Oxford University Press).
M. Wynn Thomas, 1989. 'Meddwl Cymru', *Efrydiau Athronyddol*, 52, 34–47.
Daniel Williams (gol.), 2003. *Who Speaks for Wales?: Nation, Culture, Identity* (Cardiff: University of Wales Press).
Daniel Williams, 2015. *Wales Unchained* (Cardiff: University of Wales Press).

Howard Williams, 1980. *Marx* (Dinbych: Gwasg Gee).

Natalie Williams, 2009. 'Marcsiaeth a Rhyddfreiniad', yn John Daniel a Walford Gealy (goln), *Hanes Athroniaeth y Gorllewin* (Caerdydd: Gwasg Prifysgol Cymru).

8

Cenedlaetholdeb
Arglwyddes Llanofer, Michael D. Jones
a J. R. Jones

Y Cyntaf o Fawrth

'Ma' hyn yn stiwpid', meddai ein merch ieuengaf, yn cuchio arnom o ddrws y gegin, a'i llygaid yn ein cyhuddo. Mae ei chwaer hŷn y tu ôl iddi yn piffian chwerthin, gan wneud y sefyllfa'n waeth. Rwyf innau a fy ngwraig yn edrych ar ein gilydd yn flinedig, gan wybod bod unrhyw obaith o fwynhau ein brecwast wedi dod i ben.

'Stiwpid? Beth wyt ti'n ei feddwl, cariad?'

'Ti'n gwybod; dwl, twp.' A dyna'r ateb, yn y modd hunanfeddiannol, hollwybodus yna mae merched un ar ddeg mlydd oed yn arbenigo ynddo.

'Mae'n edrych fel dol!', ychwanegodd ei chwaer yn ei ffordd gymwynasgar arferol. Rwy'n ei hanwybyddu hi ac yn canolbwyntio ar yr un fach.

'Diolch i ti am rannu dy eirfa helaeth â ni, cariad, ond gofyn oeddwn i *pam* ei fod e'n hurt.' Wn i ddim o le y daw ei hagwedd nawddoglyd, wir.

'Gwisgo lan; mae'n boen tin gorfod gwisgo ar gyfer y dawnsio gwerin, ond pam mae'n rhaid inni ei wneud heddiw?'

'Paid defnyddio iaith felly, cariad, 'dyw e ddim yn dy siwtio di,' mae ei mam hi'n dwrdio.

'Mae Dad yn defnyddio iaith felly trwy'r amser.'

'Wel, fe ddyle ti wybod erbyn hyn nad yw dy dad yn esiampl o sut i wneud unrhyw beth,' meddai hi gan rannu jôc fawr gyda'r plant, a rhoi winc a gwên fawr i minnau. Pwy sydd angen gelynion, dywed?

Ymlaen â hi, gan geisio bod yn fwy o gymorth y tro hwn.

'Rwyt ti'n gwybod yn iawn pam mae'n rhaid i ti wisgo lan heddiw. Dydd Gŵyl Dewi yw'r cyntaf o Fawrth, diwrnod ein nawddsant, a chyfle i ddathlu ein bod ni'n Gymry.'

'A pham mae'n rhaid inni wneud hynny?'

'Wel, does dim rhaid inni, ond am wn i mae pawb yn hoff o gael cyfle i ddathlu pwy yr ydym ni – dangos ychydig bach o wladgarwch.'

'Wladga . . .?' Mae hi'n dueddol o'n cymryd ni o ddifri os ydym yn cyflwyno geiriau mawr, anghyfarwydd.

'Dangos dy fod ti'n un sy'n caru dy wlad – cymryd balchder yn dy wlad.'

'Ond dyna'r fath o agwedd sy'n arwain at ryfel. Pe bai llai o wledydd yn meddwl gymaint o'u hunain, ni fydde na ryfel. Dyna ddywedodd y fenyw yn yr amgueddfa pan fuon ni i weld yr arddangosfa ar y Rhyfel Mawr.' Tro ei chwaer fawr yw hi nawr. Mae plentyn pedair ar ddeg yn fwy o her fyth.

Mae eu mam wedi cael digon. Mae'n rhy gynnar yn y dydd mae'n amlwg.

'Wel, mae arna' i ofn nad oes dewis gyda ni na dy chwaer fach, oherwydd mae'r ysgol yn gofyn bod y plant i gyd yn gwisgo'r wisg draddodiadol.' Mae'n ceisio ychydig o gydymdeimlad y tro hwn, gan droi at yr un fach. 'Flwyddyn nesa, cariad, fe fyddi di yn yr ysgol fawr a bydd ddim rhaid i ti ei wneud eto.'

'Ond 'dyw hynna ddim help iddi ddeall, nac ydi? Pam mae caru ein gwlad yn syniad da i ni ond ddim i wledydd eraill?'

Ochenaid o'i mam. 'Bydd dy dad yn esbonio'r cwbl i chi yn y car – mae'n rhaid i fi fynd i'r gwaith,' meddai gan lowcio gweddill ei phaned. Mae'n amlwg ei bod hi wedi gweld fy ngwep ddiymgeledd.

'Sori, gwboi, rhaid i rywun ennill y bara menyn, a fi sy'n gorfod siarad â nhw am y *byrds a'r bîs* ta beth. Joia!'

Mae'n anodd protestio yn erbyn hynny. Rwy'n troi at y merched, sydd erbyn hyn yn edrych arna' i'n ddyfal yn hytrach na chrac. Fe fydd hyn yn cymryd sbel. I lawr ar fy nghwrcwd wedyn gan edrych yn syth i mewn i lygaid mawr, cwestiyngar fy merch ieuengaf.

'Rwyt ti'n gwybod beth, cariad, mae'n dda bod â diddordeb, ond cofia weithiau does dim rhaid deall pob dim – mae'n talu weithiau

i beidio â phoeni am bob manylyn. Ond rhoddaf dro ar geisio
esbonio pethau i ti. Ac mae jest arna' i angen gwneud un neu ddau
beth cyn hynny.' A chyn bod hi'n cael cyfle i brotestio, rwy'n sythu
ei siôl, gwyro'i het i'r ongl briodol, a rhoi clatsien o gusan iddi ar
ei boch.

'O Daaaad, paid gwneud 'na . . .'

'Diolcha nad wy'n ei wneud o flaen dy gyfeillion! Nawr, gwell
inni ei throi hi.'

* * *

Mae'n dringo i mewn i'r sedd gefn tra bod ei chwaer yn eistedd yn
ei sedd arferol drws nesa i mi. Rwy'n edrych yn y drych a'i gweld
hi'n clicio'r gwregys i'w le – a'r het ar oledd a'r siôl wedi crychu.

'Os wyt ti eisiau gwybod pwy i feio am y wisg 'na fydd raid i ti
edrych ymhellach na dy fam a dy dad. Os oes rhywun ar fai, yna
Arglwyddes Llanofer yw honno.'

'Arglwyddes Llanofer, pwy yw hi 'te?'

'Dynes bwysig ac adnabyddus iawn a fuodd fyw flynyddoedd
maith yn ôl. Roedd hi'n dod o deulu cyfoethog o Loegr yn wreidd-
iol, ond fe'i ganwyd hi yn Neuadd Llanofer, sydd ddim ymhell o
le yr oedd dy hen fam-gu yn byw. Fe ddysgodd hi'r Gymraeg ac
fe ddaeth hi'n enwog am gefnogi popeth Cymreig, gan gynnwys
dawnsio gwerin, a'r wisg draddodiadol. Roedd ei chartref hi yn
ganolfan bwysig i Gymry diwylliedig ymgynnull o bob cwr o
Gymru, er mwyn trafod, a hybu a dathlu Cymreictod.'

'Ond does neb yn siarad Cymraeg rownd ffor'na,' meddai o'r cefn.
'Lle od i gymryd diddordeb mewn pethau felly. A Saesnes hefyd.'

'Wel, 'dyw hynny ddim cweit yn wir. Mae ysgol Gymraeg i gael
yn y Fenni – ond cofia di, roedd lot fwy o bobl ar draws Cymru
yn siarad Cymraeg cant saithdeg o flynyddoedd yn ôl. A dim ots
mai o Loegr yr oedd ei theulu. Roedd hi wedi gwirioni ar Gymru,
ei hiaith a'i thraddodiadau, ac roedd Cymru yn ei chalon hi. Does
dim rhaid i ti gael teulu Cymreig i fod yn Gymro neu'n Gymraes.
Dim ond mewn rhai rhannau o'r byd y mae'ch rhieni neu'ch
cyndeidiau yn penderfynu pa wlad rwyt ti'n perthyn iddi, yn
hytrach na lle y'ch ganwyd chi. Ac wrth gwrs, erbyn hyn mae'n

bosib dod yn aelod o wlad trwy fyw rhywle am ddigon hir a chyrraedd safonau'r wlad honno.'

'Ond mae Cymru'n wahanol, nagywe?' Dyma ei chwaer hi'n dechrau arni. Mae'n debygol o fod yn daith hir i'r ysgol y bore yma. ''Dyw e ddim yn wlad fel yr Almaen neu Brydain. Rwy' wedi darllen fy mhasbort – mae'n dweud mai *British* ydw i, nid *Welsh*.'

'Wel, pan rŷm ni'n sôn am wledydd fel yr Almaen, Prydain Fawr, ac yn y blaen, rŷm ni'n sôn am wledydd sydd â gwladwriaeth mewn grym ar draws y wlad, ac yn cael eu hadnabod gan wledydd eraill felly – maen nhw'n gymwys i fod yn rhan o'r Cenhedloedd Unedig. Mae Cymru yn wlad yng ngolwg y rhan fwyaf ohonom, ond mae ein gwladwriaeth yn israddi i'r wladwriaeth Brydeinig, felly o safbwynt rhyngwladol rwyt ti'n ddinesydd Prydeinig.

Ond mae modd bod yn ddinesydd Prydeinig ond hawlio dy fod yn Gymraes yn gyntaf, cofia. A beth oedd yn bwysig i Arglwyddes Llanofer oedd yr hyn sydd yn dy galon di – dy gariad at dy wlad. Yn hynny o beth, er nad yw Cymru yn wladwriaeth, mae'n genedl sydd iddi draddodiadau, gwerthoedd ac iaith, ac sydd yn gymwys i'w charu ac yn bwysig i'w thrysori. Mae hi'n dadlau nad yw cael eich geni a byw yng Nghymru yn eich gwneud chi'n gymwys i fod yn Gymraes, a bod yn rhaid ichi ymdrechu a gwneud eich dyletswydd i'r wlad. Ac i fod yn Gymraes, nid yn unig y mae'n rhaid arfer y pethau traddodiadol – mae'n rhaid iti fod yn berson da hefyd. Cofiwch hynny!'

''Dyw bod yn dda ddim yn beth anodd, Dad. Rwy'n hapus iawn i wneud hynny.' Mae'r un fach yn dweud y gwir, a bod yn deg iddi. 'Ond gwisgo lan? Beth sy'n bwysig am hynny?'

'Wel, mae rhai yn dweud mai gwisg gwneud yw'r wisg Gymreig, ond rwy'n amau'n fawr y daeth y syniad o unman. Mae'n rhaid bod yr hen ledi wedi dwyn ysbrydoliaeth o'r hyn roedd hi'n gweld y menywod o'i chwmpas hi yn gwisgo, ac roedd hi'n gweld y wisg fel rhywbeth llawer mwy na dillad. Roedd yn cynrychioli'r ffordd o fyw Gymreig a gwerthoedd neb llai na menywod Cymru. Ac mae'n siŵr ei bod hi'n iawn yn hynny o beth – er gwell neu er gwaeth mae ein dillad yn adrodd rhywbeth amdanom, ac roedd hi yn benderfynol y dylai menywod Cymru wisgo'r hyn a oedd yn driw iddyn nhw a'u bywydau.

Roedd hi'n ystyried y wisg yn ymarferol ac yn synhwyrol, yn eu hamddiffyn rhag y tywydd ac yn well o lawer i warchod babanod na chotwm – rhywbeth yr oedd hi'n ei ystyried yn ddefnydd rhodresgar. Iddi hi, roedd diosg y gŵn gwlanen a'r het galed yn ddim byd llai na rhagrith – yn gwadu eich Cymreictod er mwyn bod yn rhywbeth arall, a rhywbeth llawer gwaeth yn ei meddwl hi, sef Saesnes! Er mwyn i Gymraes deimlo yn gyfforddus, "a bod yr hyn ydyw", rhaid gwisgo'r dillad sydd wedi bod ers talwm yn addas i'w thasgau lu. Rwy'n hoff iawn o'r neges fy hunan; mae'n ein hannog i ymhyfrydu yn y bobl yr ydym, i beidio â cheisio bod yn rhywbeth nad ydym, a chael balchder yn y ffaith ein bod ni'n gwisgo'n wahanol er efallai nad yw hynny'n dilyn ffasiynau eraill. Fel mae'n digwydd, mae sawl un yn derbyn mai tarddiad Cymreig sydd i wlanen, ac felly mae'n atgof o'n rhagoriaeth yn y maes hwn.'

Mae'r merched yn dawel, bron fel pe baent wedi gwrando arna' i. Jest amser i awgrymu un neu ddau beth arall tra bod modd creu argraff.

'Wrth gwrs, roedd hi'n byw mewn cyfnod gwahanol iawn lle'r oedd rôl menywod yn wahanol i'r hyn y mae heddiw – ond 'swn i'n dweud ei bod hi ychydig bach o ffeminydd yn yr ystyr ei bod hi'n rhoi gwerth mawr ar ran menywod yn y gymdeithas, yn eu bywydau cyhoeddus a'u bywydau pob dydd. Yn ei dydd, roedd hi'n gweld dylanwad menywod yn bwysig, oherwydd er nad oeddent yn gallu gwneud y pethau y mae merched yn gwneud heddiw, roedd hi'n gweld y modd y mae cymdeithas dyn yn ddibynnol ar fenywod i wneud y gwaith caib a rhaw, ac felly bod modd manteisio ar y ddibyniaeth hon er y gwell.

Ac yn ei thyb hi, roedd hyn bwysicaf oll yng nghyswllt gwlad-garwch. Nid gwladgarwch go iawn yw ymhyfrydu'n achlysurol ym mhrydferthwch a rhinweddau Cymru – fel dathlu'r tîm rygbi neu bêl-droed – fe all pawb ymwneud â'r math yna o wladgarwch. Na, mae'n rhaid iti ei arddangos yn dy weithredoedd, a doedd dim pwysicach iddi hi na siarad, lledaenu a throsglwyddo'r iaith i'r genhedlaeth nesaf. At ei gilydd, roedd hon yn fenyw gref, ddeallus, rhywun i'w hedmygu a'i pharchu.'

Ychydig yn amheus y mae'r ddwy yn edrych o hyd, rhaid cyfaddef.
Mae'n debyg bod yr un fach dal yn byw yn y gobaith o ddiosg y
wisg cyn cyrraedd yr ysgol.

'Wel, 'dwi ddim yn credu fy mod i'n deall popeth rwyt ti'n ei
ddweud, Dad, er ei bod hi'n swnio fel menyw dda. Ond y wisg
– oes wir raid? Dydyn ni ddim yn byw yn ei hamser hi mwyach.'
'Dim ond unwaith y flwyddyn y mae hyn, cariad, ac rwy'n siŵr
y byddai hi'n hapus iawn gweld merched Cymru yn gwneud hyn
– er mwyn ein hatgoffa o'n hanes a'n traddodiad unigryw. Mae'n
hawdd colli golwg ar y gwahaniaethau lliwgar rhwng pobloedd
y byd yn yr oes sydd ohoni. Mae popeth yn mynd i'r un cyfeiriad
yn y byd rhyddfrydol, cyfalafol yma.'
'Y byd beth?!'
'Sori, cariad! Efallai fod yn well imi geisio esbonio pethau trwy
gyfeirio at rywun arall o bwys mawr.'
'A pwy yw hwnnw?', meddai ei chwaer wrth fy ochr, a minnau'n
gallu clywed ei llygaid yn rholio.
'Wel, os mam cenedlaetholdeb Cymru yw Arglwyddes Llanofer,
yna'i dad yw Michael D. Jones – o leiaf y Gymru fodern. Fel mae'n
digwydd, fe oedd yn un o'r Cymry a fuodd i ymweld â Neuadd
Llanofer, ac yn wir fe ddanfonodd ei blant yno er mwyn derbyn
addysg yn y traddodiadau Cymreig, – yn enwedig gwersi ar y
delyn deires – rhywbeth arall yr achubodd y fonesig.'
'Fel rwyt ti'n ein hanfon i gael gwersi telyn . . .', cwyna lais bach
o'r cefn.
'Does dim rhaid iti fynd gwdgel. Gei di fynd i wersi *taekwondo* gyda
dy gefnder os oes well da ti.'
'Dim diolch – dwi ddim eisiau mynd i glwb llawn bechgyn.
Dyma'r sgwrs yn dechrau mynd ar drywydd llai perthnasol.
'I fynd yn ôl at yr hen Michael D. Jones. Rydych chi wedi clywed
sôn, siŵr iawn, am y bobl ben draw'r byd sy'n siarad Cymraeg.'
'Ydyn, yn yr Ariannin,' yw ymateb diamynedd fy merch hynaf.
'Maen nhw'n galw'r lle "y Wladfa", ac fe aeth pobl o Gymru mas
yna dros gan mlynedd a hanner yn ôl ar long y *Mimosa*, er mwyn
byw bywyd newydd.'

'Ie, dyna ni. Sut wyt ti'n gwybod hynny – rwyt ti'n dysgu rhywbeth o werth yn yr ysgol yna wedi'r cwbl?'

'Ti oedd yn siarad am y peth pan oedd y pêl-droed ymlaen.'

'Felly, rwyt ti yn gwrando arna' i weithiau.'

'Dim ond os wyt ti'n dweud pethau diddorol.'

'Trwy'r amser 'te.' Ochenaid fawr a thwt bach yw'r ymateb y tro hwn.

'Wel, da o beth fod gen ti ddiddordeb, oherwydd un o'r bobl bwysicaf yn trefnu'r cyfan oedd Michael D. Jones. Yn wir, roedd e'n ystyried yr holl beth yn gyfle arbennig i amddiffyn iaith, diwylliant a thraddodiadau Cymru. Fe weithiodd e'n ddiflino i geisio sicrhau llwyddiant.'

'Mae'n rhaid mai dyn penderfynol oedd e i berswadio pobl i fynd i'r Ariannin.'

'Wel, mi oedd. Yn dipyn o gymeriad, a dweud y gwir. Dyn ar wahân, yn 'styfnig ac yn hidio dim beth roedd pobl yn meddwl ohono. Roedd e'n gwisgo barf hir iawn pan roedd hynny'n anarferol tu hwnt, ac yn ymddangos bob tro mewn dillad brethyn traddodiadol.'

'Felly roedd e'n debyg i Arglwyddes Llanofer?'

'Wel, yn debyg yn yr ystyr ei fod yn credu mewn llawer o bethau tebyg o safbwynt Cymru, ond person gwahanol iawn o safbwynt ei gefndir. Tra bod Arglwyddes Llanofer yn un o'r bonedd ac yn aelod o'r Eglwys Anglicanaidd, roedd Michael D. Jones yn debyg iawn i'r mwyafrif – bachgen o gefn gwlad, yn fab i weinidog, yr iaith Gymraeg yn iaith gyntaf iddo, yn mynd i gapel ac yn un o'r Methodistiaid, ac yn tyfu i fyny i fod yn weinidog ei hunan.'

'Methobeth?', gwichiodd yr un fach. Mae'n dal i wrando, chwarae teg.

'Methodistiaid.'

'A pwy oedd y rheini?'

'Pwy *yw*'r rheini, ti'n meddwl – maen nhw'n dal i fod o gwmpas y lle! Wyt ti wedi sylwi erioed bod lot o gapeli o gwmpas pan rŷ m ni'n teithio'r wlad? Wel, yn draddodiadol roedd capeli arbennig ar gyfer grwpiau arbennig a oedd gyda'u traddodiadau gwahanol, ac i gyd yn deall sut i fod yn Gristion mewn ffyrdd ychydig bach yn wahanol i'w gilydd. Rwyt ti'n mynd i gapel yr Annibynwyr, tra bod eraill yn mynd i gapel y Bedyddwyr, a rhai yn mynd i gapel Undodiaid – ond efallai'r Methodistiaid yw'r mwyaf adnabyddus oherwydd eu bod yn grŵp grymus a gweithgar yn y gymdeithas Gymraeg yn y cyfnod hwnnw, pan oedd pobl yn dechrau heidio i'r capeli o ddifri.

Ond mewn gwirionedd, doedd gan Michael D. Jones ddim rhyw lawer o ddiddordeb yn y trafodaethau am natur Cristnogaeth a oedd wedi bod mor bwysig i eraill. Roedd ei dad, druan, wedi cael tipyn o drafferth gyda'i gapel yn Llanuwchllyn yn ceisio cyflwyno syniadau newydd, ac roedd Michael D. fel petai'n hapus i adael y trafodaethau hynny i bobl eraill. Roedd y modd yr oedd pobl yn ymarfer eu ffydd yn y gymdeithas yn bwysicach iddo ef.'

'Pam bod pobl wedi bod yn gas i'w dad? Oedd e'n dweud pethau drwg?'

'Beth ddywedes i gynnau am beidio mynnu gwybod popeth . . .? Ond na, doedd e ddim yn dweud pethau drwg, dim ond ei fod e'n deall ein natur ni a natur Duw mewn ffyrdd ychydig yn wahanol i eraill yn ei gapel. Ond stori arall yw honno y cawn ni ei thrafod rywbryd eto . . .'

'Mae'n swnio i fi bod tad Michael D. wedi cael cam.'

'Wel, roedd pobl fel tad Michael D. Jones wedi ennill yn y pen draw – roedd ei syniadau wedi dod yn boblogaidd erbyn i'w fab bregethu. Roedd e'n mynnu bod Iesu wedi dioddef ar y groes er mwyn achub pob un ohonom, os ydym yn barod i gymryd y cyfle. Roedd ei syniadau yn cyd-fynd ag ysbryd yr oes a'r newidiadau mawr mewn cymdeithas, a phobl yn credu bod cynnydd a gwelliant yn bosib. Roedd Michael D. Jones a'i debyg yn credu bod gan bawb y posibilrwydd o wella cyflwr eu bywyd, a bod yna ddyletswydd i geisio creu'r gymdeithas orau posib ar y ddaear, ac nad oedd Duw yn disgwyl inni dderbyn pob dim fel petai'n ffawd.'

'Mae e'n swnio'n ddyn eitha' synhwyrol i fi, Dad.'

'Wel, dyn synhwyrol, ond dyn neilltuol hefyd. Oherwydd er ei fod yn dod o gefndir tebyg i'r lliaws yng Nghymru, roedd ei syniadau gwleidyddol yn hynod wahanol, a dewr, a dweud y gwir. Yng nghyswllt pob dim Cymreig roedd ei syniadau'n nofio yn erbyn y llif. Roedd y mwyafrif yn cael eu hystyried yn radicaliaid, ac yn cefnogi'r blaid ryddfrydol.'

'Geiriau mawr, Dad!' Gwaedd arall o'r cefn.

'Ie, sori. Wel, mae radicaliaeth yn air pwysig yn hanes Cymru a rhywbeth rŷm ni'n cysylltu â'n traddodiad ni. Mae'n dod o'r gair Lladin *radics*, sef gwreiddiau, ac i raddau, yr hyn yr oedd y bobl yma'n ei ddweud oedd bod angen mynd nôl at wreiddiau pethau, a bod y drefn wleidyddol wedi sathru ar y drefn naturiol gynt, a oedd yn llawer gwell. Yr hyn yr oedd ei angen, mewn gwirionedd, oedd tynnu'r gymdeithas lan o'i gwraid ac ailddechrau.

Roeddent yn daer dros sicrhau mwy o ryddid i fwy o bobl, gan leihau pŵer y cyfoethogion, ac roedd hyn yn boblogaidd iawn yng Nghymru, lle'r oedd y mwyafrif yn dlawd iawn ac yn gorfod byw o dan drefn annheg iawn. Roedd y math hwn o wleidyddiaeth yn cael ei gysylltu â'r blaid ryddfrydol – fel y mae'r enw'n awgrymu, roedd rhyddid yn hollbwysig iddynt. Y *liberals* yn Saesneg, a'r enw hwnnw yn dod o'r gair *liberty*. Roedd Michael D. Jones ei hunan wedi cefnogi'r rhyddfrydwyr yn ei filltir sgwâr ym Meirionnydd, a chafodd ei fam ei thaflu allan o'i thyddyn gan y tirfeddiannwr oherwydd bod ei mab yn cefnogi'r gwleidydd a oedd eisiau newid y drefn. Buodd hi farw ychydig fisoedd wedyn.'

Doedd rhieni Michael D. ddim yn cael lot o lwc.'

'Nac oeddent, wir. Ond beth sy'n ddiddorol am y rhyddfrydwyr yma yng Nghymru, er cymaint eu cefnogaeth dros newid y drefn, a chael mwy o ryddid i'r bobl gyffredin, roeddent yn gallu bod yn ddi-hid iawn am yr iaith Gymraeg. Rwyf wedi siarad â chi o'r blaen am Frad y Llyfrau Gleision, a'r modd roedd aelodau seneddol wedi beirniadu'r Cymry'n hallt am eu ffordd o fyw, eu diffyg addysg a moesoldeb – a bod yr iaith yn cael ei hystyried yn achos am hynny.'

'Do, dwi wedi cael y bregeth honno, Dad.' Mwy o ddiffyg amynedd o'r sedd flaen.

'Wel', gan anwybyddu'r gŵyn, 'roedd y rhyddfrydwyr yn gwrthod yn daer y feirniadaeth am eu moesoldeb, ond roedd y mwyafrif naill ai'n anwybyddu neu'n cytuno â'r farn am yr iaith. Roeddent yn gweld y Gymraeg fel rhwystr, ac yn credu bod yr un agwedd yn gymwys i'r iaith ac elfennau eraill o wleidyddiaeth. Roeddent yn credu'n gryf na ddylai'r llywodraeth ymyrryd ym myd masnach, a rhoi rhyddid i bobl lwyddo a methu fel ei gilydd, ac yn yr un modd y dylai ieithoedd gael eu gadael i ffynnu neu drengi. Dyma'r hen agwedd ar adael i ragluniaeth, ewyllys Duw, fwrw ei chwrs, ac nid lle dyn oedd ymyrryd.

Roedd Michael D. Jones yn gwrthwynebu hyn, wrth reswm, ac yn fwy modern yn hynny o beth yn ei gred bod gan ddyn y gallu a'r ddyletswydd i adfer yr iaith. Mynd yn ôl at hen syniadau oedd derbyn fel arall, ac anwybyddu'r ffaith nad rhagluniaeth neu gwrs natur oedd dirywiad iaith, ond ôl gwaith dyn, a chanlyniad i ymyrraeth a grym. Roedd y rhyddfrydwyr yn gweld sut roedd grym y dosbarth uwch wedi cyfyngu ar fywydau a rhyddid y bobl gyffredin, ond roeddent yn methu gweld sut roedd grym gwleidyddol Seisnig yn bennaf cyfrifol am ddihoeni'r iaith.'

'Ond pam mae Mikey D. yn gweld bod dyletswydd i ofalu am yr iaith? Nace beth ni'n ei wneud, a dim yr iaith rŷm ni'n ei wneud e ynddo, sy'n bwysig yng ngolwg Duw yn y pen draw?' Rwy'n amau, o'r ffaith bod Michael D. Jones wedi derbyn llysenw, bod yr hynaf yn dechrau cymryd ei ochr.

'Pwynt da, ond mae'n bwysig cadw mewn cof pa mor ganolog oedd syniadau crefyddol i Mikey D., fel rwyt ti'n ei alw e. Yn hynny o beth, roedd ef a'r Arglwyddes yn rhannu'r farn bod y Gymraeg yn hollbwysig, yn y pen draw, oherwydd bod siarad a diogelu'r iaith yn fodd o sicrhau bod y Cymry yn parhau i fod yn bobl Gristnogol, dduwiol. Roedd y ddau yn gweld bygythiad o safbwynt y Saesneg oherwydd, yn y pen draw, roeddent yn credu ei bod yn hybu bywyd di-dduw, anfoesol. Dyma neges a oedd yn herio'r hyn roedd y Llyfrau Gleision yn ei hawlio, ac mae'r Gymraeg, ac nid y Saesneg, mewn gwirionedd, oedd yn gochel moesoldeb a Christnogaeth ymysg y Cymry.'

'Ond sut mae un iaith yn gallu bod yn dda ac iaith arall yn ddrwg?'

'Cwestiwn da, cariad. Yr hyn yr oedd Arglwyddes Llanofer yn ei gredu oedd bod y diwylliant a oedd yn cael ei fynegi yn y Gymraeg yn un fwy moesol, tra bod y diwylliant a gariwyd gan y Saesneg yn un cyffredinol mwy anfoesol, di-dduw, gyda syniadau a gwerthoedd modern a digrefydd roedd hi'n eu hystyried fel bygythiad i'r bywyd da. Roedd Michael D. Jones yn credu iddo weld hyn ar waith pan fuodd allan i'r Unol Daleithiau yn 1848.

Buodd i ymweld â theulu a gweld sut roedd y cymunedau Cymreig yn cael eu boddi o fewn y gymdeithas iaith Saesneg, ac yn gyffredinol roedd yn gweld eu bod yn colli mwy nac iaith: roeddent yn colli'r ffordd o fyw duwiol a oedd yn gysylltiedig â'r Gymraeg a'r capeli. Roedd yr hyn a welodd wedi dylanwadu'n fawr ar ei farn o Gymru, gan ei fod yn gweld yr un math o brosesau ar waith nôl gartref. Oherwydd mai Saesneg oedd iaith y gyfraith, iaith masnach, iaith gwleidyddiaeth yn y ddau achos, roedd y Cymry Cymraeg yn colli mas ar gyfleoedd ac felly'n anochel roeddent yn troi at y Saesneg. Daeth i sylweddoli nad oedd Cymru a Lloegr, na'r Cymry a'r Saeson, mewn perthynas gydradd yn hynny o beth.

Nid proses naturiol oedd hyn o ganlyniad i ragluniaeth Dduw, ond canlyniad uniongyrchol y rheini mewn grym yn Lloegr yn creu cymdeithas lle nad oedd modd symud ymlaen mewn bywyd heb droi at y Saesneg. Fe ddaeth i'r casgliad mai dim ond trwy greu Cymru annibynnol gyda'i llywodraeth eu hunan yr oedd modd amddiffyn yr iaith a'r diwylliant, a thrwy hynny, eneidiau'r bobl. Ond mewn gwirionedd doedd yna ddim rhyw lawer o obaith o hynny yng Nghymru'r cyfnod. Roedd y mwyafrif am weld Cymru fel rhan o Brydain Fawr, sydd yn ddealladwy yn yr ystyr mai Prydain oedd America ei dydd, yn hollbwerus a dylanwadol. Felly, dyna reswm pam y rhoddodd gymaint o egni i sefydlu'r Wladfa ym Mhatagonia. Dyma oedd cyfle i ddianc rhag dylanwad y Saeson a sefydlu cymuned Gymreig anghysbell, ymhell o bobman, lle'r oedd y Gymraeg yn gallu bod yn brif iaith i'r gymdeithas.'

'A weithiodd hynny, Dad?'

'Wel, am gyfnod, do, ond yn y diwedd fe ddaeth llywodraeth yr Ariannin i fynnu mwy a mwy o ddylanwad, ac yn y pen draw fe ddaeth y Sbaeneg i wneud yr hyn roedd y Saesneg yn ei wneud yn yr Unol Daleithiau a Chymru.'

'Dyna drist.'

'Wel, ydy a nac ydy. Cofia fod yna dal rhai miloedd yn siarad Cymraeg yn y Wladfa, sydd yn wyrth mewn gwirionedd, ac yn dangos bod modd i iaith oroesi hyd yn oed o dan yr amodau mwyaf annhebygol – lle mae pobl yn ei gwerthfawrogi. A dyna natur gwladwriaethau mawrion yn y pen draw. Meddylia di am dy basbort – rwyt ti'n Brydeinwraig cofia. Mae yna gydnabyddiaeth o'r iaith Gymraeg ar y ddogfen, ond nid yw hynny'n ymestyn i ganiatáu iti alw dy hunan yn Gymreig o ran dy statws fel dinesydd. Maent am sicrhau unffurfiaeth ymysg y bobl er mwyn magu teyrngarwch at y genedl, a sicrhau nad yw cymunedau oddi mewn iddi yn aros gormod ar wahân, ac yn bygwth nerth ac undod. Mae yna le am amrywiaeth a chydnabod hynny, ond nid yw'n arfer gan y rhan fwyaf o wladwriaethau i gefnogi'r fath amrywiaeth trwyddi draw.

Mae hynny'n weddol amlwg i'w weld ymhob man, ond yr hyn a oedd yn corddi Michael D. Jones, a'r hyn a oedd yn ei wneud yn arbennig o graff, oedd y ffaith ei fod yn deall bod y rheini sy'n arddel y prosesau yma yn cuddio y tu ôl i syniadau ffug er mwyn cyfiawnhau'r hyn maent yn ei wneud. Yn hytrach na chydnabod yr hyn maent yn ei wneud, sef goresgyn a difodi diwylliannau eraill er mwyn eu pwrpas eu hunain, maent yn mynnu bod lleiaf-rifoedd yn derbyn y ffawd hwn fel rhywbeth da. Eu bod yn ymestyn eu gorwelion, yn bod yn fwy goddefgar o bobl eraill a'u dod i ddeall, a bod gwrthwynebu hynny yn beth drwg, a'i fod yn beth cul i'w wneud. Felly, mae'r ymdrech i ledaenu'r Saesneg yn cael ei werthu fel modd o ehangu arferion da a gwaraidd, tra bod yr ymdrech i amddiffyn iaith leiafrifol fel y Gymraeg yn cael ei gweld fel peth anfoesol. Ond, wrth gwrs, mae'r fath ddadl yn anwybyddu'r ffaith bod y weithred o ledaenu'r Saesneg yn ei hunan yn dibynnu ar ormes a grym, a chulni meddwl sydd yn gwrthod y syniad bod yna werth mewn ieithoedd a diwylliannau eraill.'

'Ond os oedd Mikey D. mor graff, pam na ddilynodd pawb ef a gwrthsefyll Lloegr?'

'Wel, mae hynny'n gwestiwn anodd iawn, cariad, na fedra i ei ateb'. Trueni yw cydnabod i dy blant nad wyt yn hollalluog! 'Ond mae yna rai rhesymau amlwg, ac yn wir mae'r rheini sydd wedi dilyn yn ei ôl traed wedi datblygu rhai o'i syniadau i esbonio hanes y Cymry, a pham ein bod ni'n gwrthod y syniad o annibyniaeth a pham nad ydym yn dilyn yr Albanwyr.'

'Wyt ti'n mynd i siarad am rywun arall, Dad?' Mae hi dal ar ddi-hun yn y cefn, er mawr syndod. 'Gobeithio, dwi'n *bored* o Mikey D. nawr.' Erbyn hyn rydym yn agosái at lidiart yr ysgol, a'r cloc yn prysuro. Ond gan ei bod hi'n gofyn, mae'n drueni peidio â thrafod ymhellach . . .

'Wel, mae'n siŵr wrth iti fynd yn hŷn ac ymddiddori mewn pethau y doi di i glywed yr enwau yma. Dau ddyn pwysig iawn a gafodd eu hysbrydoli gan Michael D. Jones oedd dau arweinydd cyntaf Plaid Cymru, sef Saunders Lewis a Gwynfor Evans. Roedd y ddau yn ystyried yr iaith yn hollbwysig i hanes a dyfodol y genedl, ac yn gweld grym Lloegr fel bygythiad iddi. Mewn gwirionedd, roedd eu syniadau'n debyg i'w gilydd a rhai Michael D. Jones, yn yr ystyr eu bod yn cyfiawnhau eu cefnogaeth i'r iaith ar sail ei phwysigrwydd i'r unigolyn.

Roedd Michael D. Jones yn gweld y Gymraeg fel rhywbeth a oedd yn gochel y diwylliant Cymreig a thrwy hynny'n cadw'r unigolyn yn foesol dda a phur. Mewn modd tebyg roedd Gwynfor a Saunders yn gweld y Gymraeg fel y mynegiant pennaf o'r diwylliant Gymreig, a'r diwylliant yma sy'n cynnal gwerthoedd ac arferion y genedl – sydd yn *gwreiddio'r* unigolyn. Maen nhw'n ei gweld fel rhyw fath o lud sy'n tynnu cymunedau at ei gilydd, a bod Cymru wedyn yn gymuned o gymunedau sydd yn cynnal gwerthoedd arbennig, sydd yn eu tro yn cefnogi'r gymuned, a'r teulu sy'n dibynnu arni. Unwaith y mae'r Gymraeg ar drai dyma danseilio gwerthoedd Cymreig a gwneud bywyd yr unigolyn yn llai sefydlog, saff a gwerth chweil. Ond mae un person yn arbennig sydd wedi ceisio mynd at wraidd yr achos, a hwnnw yw'r athronydd J. R. Jones, a oedd yn ddylanwad mawr ar Gymdeithas yr Iaith.'

'J. R. Jones. Oedd e'n perthyn Mikey D.?'

'Nac oedd cariad, nid imi wybod. O Bwllheli oedd J.R.'

'Paid â'i alw e'n J.R., Dad, 'dyw hynny ddim yn cŵl." Stŵr gan fy merch hynaf unwaith eto.

'Nid fi sy'n ei alw e'n J.R., cariad, dyna beth mae athronwyr yn ei alw. D.Z. oedd enw un arall.'

'Beth bynnag, dad – ac roedd hwnnw'n frawd i'r rapiwr Jay Z? Paid â gwamalu.'

'Iawn, cariad, flin iawn gen i.' Fe gawn ni drafod enwau priod athronwyr rhywbryd eto . . .

'Felly, roedd J. R. Jones yn gweld yn yr un ffordd â Michael D. Jones bod y Saesneg yn llethu'r Gymraeg a Chymru, ac roedd e'n credu mai'r syniad o Brydeindod oedd y broblem – ei fod e'n rhyw fath o gred gyfeiliornus roedd y mwyafrif yn credu ynddi. Yn hytrach na gweld y syniad fel un sydd yn rhoi lle priodol i'r Cymry, y Gwyddelod, yr Albanwyr a'r Saeson fel ei gilydd, roedd yn dechrau gyda'r safbwynt mai syniad sydd yn arddel Seisnigrwydd ydyw, mewn ffordd sydd yn tanseilio'r Gymraeg. Bod y cysyniad yma'n wyneb gwâr ar ormes wleidyddol.'

'Gormes wleidyddol?'

'Bod Prydeindod yn awgrymu ein bod ni oll yn rhan gydradd o'r wladwriaeth, ond pan fo'n cyfri, diddordebau'r Saeson sydd bwysicaf, ac yn gormesu, fel yn achos boddi Trywerwyn i gael mwy o ddŵr i Lerpwl. Nid bod J.R. yn canolbwyntio gymaint ar hanes. Yn hytrach nag edrych ar y gymdeithas er mwyn dod i'w gasgliadau, fel athronydd roedd yn edrych ar y syniad o Brydeindod yn ei hunan, a cheisio dangos ei fod yn un heb sail.

Roedd yn dadlau hyn trwy esbonio'r gwahaniaeth rhwng cenedl a phobl. Mae'r Saeson, y Cymry, y Gwyddelod yn bobloedd oherwydd bod yna gwlwm arbennig rhwng eu hiaith a'u tir. Cydymdreiddiad yw'r enw y mae'n ei roi ar y broses hon lle, dros amser, mae iaith a'r tir yn creu clymau dwfn. Yr hyn wedyn a nodweddir cenedl yw bod y cydymdreiddiad hwn rhwng iaith a thir yn ymestyn gan ddatblygu cwlwm arall, a hwnnw yw'r cwlwm gyda'r wladwriaeth. Dros amser, felly, mae'r clymau dwfn yma'n datblygu ac mae'r wladwriaeth yn ymgorffori a chynrychioli'r bobl, a'r iaith a'r diriogaeth sydd yn eu creu.

Nawr, dyma lle mae J. R. Jones yn gweld bod Cymru mewn perthynas israddol gyda'r Saeson, oherwydd anodd os nad amhosib ydyw i ddau neu fwy o bobl rannu gwladwriaeth sydd yn clymu gydag iaith a thir y ddau. Yn achos Prydain, mae J. R. Jones yn gallu bod yn sicr nad yw hyn wedi digwydd. Y wladwriaeth Brydeinig yw'r wladwriaeth Seisnig, a honno dros amser sydd wedi cydymdreiddio gyda'r bobl Saesneg, eu hiaith a'u tir. Dengys hyn mewn hanes, yn y ffaith bod Cymru wedi cael ei thraflyncu gan y wladwriaeth Saesneg gan Harri'r Wythfed yn 1536.

Felly, mewn gwirionedd, nid cenedl mo Cymru oherwydd nad oes gan y bobl wladwriaeth sydd wedi cydymdreiddio gyda'r iaith a thir. Mae'r Saeson ar y llaw arall, yn genedl gyflawn, gyda'r elfen ychwanegol o wladwriaeth sydd wedi ymestyn i deyrnasu dros bobl eraill. Yn y pen draw, felly, nid yw'r cysyniad o Brydeindod yn un sydd yn tynnu gwahanol bobloedd at ei gilydd mewn undod i greu cenedl, ac er mwyn gweinyddu diddordebau'r bobloedd yna'n gyfartal. Yn hytrach, mae'n cynrychioli gwladwriaeth Saesneg sydd yn ymestyn eu grym a'u dylanwad ar draws pobloedd eraill. Dros amser, mae'n anochel bod y grym yma'n mynd i wanychu'r bobloedd eraill, ac rydym wedi gweld hyn yn nirywiad y Gymraeg a meddiannu tai a thir gan y Saesneg. A yw hyn yn gwneud synnwyr i chi o gwbl, blantos?'

'Paid â'n galw ni'n blantos.' Cerydd arall gan fy nghyntaf-anedig, ond o leiaf mae'n awyddus i drafod ymhellach. 'A does dim syniad gyda fi beth yw'r gair "cydymdreiddiad" yna, ond rhodda' i gynnig arni. Roeddet ti'n dweud gynnau fod Arglwyddes Llanofer yn gweld bod gwisg y Cymry yn ymestyniad ac yn adlewyrchiad o'r hyn a olyga i fod yn Gymraes, a'i bod yn rhywbeth sydd wedi tyfu o nodweddion y Cymry fel pobl.

Wel, pan oeddet ti'n sôn am iaith a thir, roeddwn i'n meddwl am yr iaith fel y wisg, rhywbeth sydd wedi tyfu allan o, ac yn adlewyrchu'r bywyd yna sy'n unigryw i'r talp yma o dir.'

'Ie, dyna ni, gwych.'

'Felly, er bod iaith a thir yn bethau ar wahân maent yn ffitio gyda'i gilydd fel y wisg ar y corff, ac mae yna ryw undod yna sy'n rhywbeth yn fwy na'r ddwy ar wahân.'

'Yn union. Ac mae modd iti wedyn feddwl am y wladwriaeth fel tŷ sydd yn diogelu'r person ac yn rhoi lle iddo fyw.'

'Felly, yn ein hachos ni, byddai J. R. Jones yn dweud bod y tŷ rŷm ni'n byw ynddo yn dŷ i rywun arall, wedi cael ei greu i ddiogelu ac i ofalu amdano, ei wisg a'i ffordd arall o fyw – a'n bod ni'n gorfod ceisio'n gorau i ffeindio lle yn y tŷ yna?'

'Dyna ni, ond i wneud hynny mae'n rhaid inni newid ein ffordd, ac yn y pen draw efallai nad yr un bobl fyddwn ni. Dros amser, yr unig ffordd o fyw a goroesi yw addasu bob yn dipyn, diosg y wisg, a dod i fyw yn yr un modd. Ac yn dawel bach, rŷch chi'n colli eich hunan . . . Wel, rwy'n falch o glywed dy fod ti'n gwrando arna i weithiau 'te.'

'Fel wedes i, Dad, weithiau, pan ma' gen ti rywbeth diddorol i'w ddweud.'

'A beth amdanat ti, cariad? Mae'n amser i ti fynd nawr'. Rwy'n holi'r un fach yn y cefn. Mae hi'n edrych allan o'r ffenest erbyn hyn, yn ei byd bach ei hunan, ac wedi anghofio'n gyfan gwbl am y sgwrs flaenorol, debyg. Ac yna, mae'n dod at ei hunan, gan roi gwên i mi a'i chwaer.

'Ta ta', meddai'n frysiog gan agor y drws a neidio o'r car.

Wrth inni yrru i ffwrdd o'r ysgol yn araf bach, rwy'n sbïo yn y drych ar fy merch, a'i gweld yn sefyll yno, yn llyfnu ei siôl, yn sythu ei het, cyn cerdded i mewn trwy lidiart yr ysgol.

A Green and Pleasant Land

> Experience proves that it is possible for one nationality to merge and be absorbed in another; and when it was originally an *inferior and more backward portion of the human race*, the absorption is greatly to its advantage. Nobody can suppose that it is not more beneficial to a Breton, or a Basque of French Navarre, to be brought into the current of the ideas and feelings of a highly civilized and cultivated people – to be a member of the French nationality, admitted on equal terms to all the privileges of French citizenship, sharing the advantages of French protection, and the dignity and prestige of French power – than to sulk on his own rocks, *the half-savage relic of past times, revolving in his own little mental orbit*, without participation or interest in the general movement of the world. *The same remark applies to the Welshman or the Scottish Highlander as members of the British nation.*
>
> (John Stuart Mill, 1991 [1861]: t. 314. Fy mhwyslais i.)

Sut mae mynd ati i ddechrau ymateb i'r dyfyniad hwn? Sylw cychwynnol yw nodi cyn lleied o drafodaeth sydd wedi bod ohono, o ystyried pa mor awgrymog, heb sôn am sarhaus, yw ei gynnwys – yn enwedig o gofio statws Mill fel eilun ryddfrydwyr ac athronydd pwysicaf Prydain yn y bedwaredd ganrif ar bymtheg. Dylid cofio'r dyfyniad hwn bob tro y mae rhywun yn clywed a cheisio esbonio'r enghraifft ddiweddaraf o ragfarn a hiliaeth ddidaro yn erbyn y Cymry a'r Gymraeg, oherwydd dyma ei chyfiawnhad a'i chraidd ideolegol. Noder hefyd y dyddiad, ychydig dros ddegawd wedi'r cyfnod cythryblus o chwyldroadau yn Ewrop,

178

pan fu Ymerodraeth Habsburg yn straffaglu yn ei hymgais i omedd hunanymwybyddiaeth genedlaethol ei chenhedloedd bychain. Flwyddyn ynghynt, yn 1847, gwelwyd Brad y Llyfrau Gleision, ond methodd yr ymosodiad milain hwnnw ar ddiwylliant Cymreig esgor ar ymateb a fyddai'n efelychu cyffro'r cyfandir. Eironi hanes-yddol bychan yw'r ffaith bod gwrthryfel yr Hwngariaid wedi'i goffáu gan gerdd a oedd yn cofio gwrthwynebiad y Cymry i'r Normaniaid; roedd yr ysbryd ystyfnig hwn wedi hen ddiflannu. O safbwynt yr ychydig ymwybyddiaeth genedlaethol Gymreig oedd yn bodoli, roedd Neuadd Llanofer wedi sefydlu fel noddfa i'r Gymraeg a Chymreictod yn nhridegau'r ganrif, ac erbyn y chwedegau roedd Michael D. Jones yn prysur greu'r sylfaen i'r ymateb mwyaf radical ac uchelgeisiol i'r hinsawdd wrth-Gymreig – sef mordaith y *Mimosa* i Batagonia bell. Mae geiriau Mill yn awgrymu'n amlwg pam fyddai rhai Cymry o'r farn mai dechrau bywyd newydd, ymhell oddi wrth Prydeinwyr eraill, oedd y llwybr ddoethaf i'w ganlyn.

O safbwynt athroniaeth genedlatholgar Jones, mae'r dyfyniad yn dinoethi yr union fath o ryddfrydiaeth yr oedd cenedlatholdeb Cymreig yn ei hwynebu. Adnabu, ac adnabyddir Mill fel rhydd-frydwr mawr ei oes, a hyd heddiw mae'n cael ei ddisgrifio fel un sydd yn arddel cysyniad goddefgar, dinesig o genedlatholdeb. Hynny yw, fel yn achos Richard Price, meddyliwr 'blaengar' sydd yn ystyried sefydliadau y wladwriaeth a'r buddiannau maent yn eu cefnogi fel hanfod a glud y genedl – nid elfennau diwylliannol 'ceidwadol' megis tir, gwaed, hil ac iaith fel y cysylltir â'r cysyniad gwrthwynebus, cenedlatholdeb cenhedlig. Ond eto dengys geiriau Mill nad peth syml yw didoli cysyniadau o genedligrwydd yn ôl y rhaniad hwn. Roedd ei ddelfryd honedig 'ddinesig' ar gyfer Prydain yn amlwg yn argymell cymhathiad yr hunaniaethau cenhedlig Celtaidd, a'n mawrygu hunaniaeth genhedlig 'Brydeinig' a oedd yn gysylltiedig â'r Saesneg. Parha rhyddfrydiaeth Mill i fod yn symbol o oddefgarwch ac eangfrydedd, ond mewn gwir-ionedd nid oes raid edrych ymhell i ddarganfod elfennau llawer mwy tywyll a gormesol.

Cyfiawnhad Mill byddai'r angen am undod o safbwynt hunan-iaeth i fwtresu'r wladwriaeth, a bod gwahaniaethau o ran iaith, hil

a chrefydd yn gallu bod yn niweidiol i'w hirhoedledd. Y ffactor
pwysicaf, dadleuai, yw'r cynsail gwleidyddol y mae poblogaeth
yn ei rannu, a'r hanes cyfunol sydd ynghlwm â hynny (sydd efallai'n
esbonio'r rhagdybiaethau llariaidd am ryddfrydiaeth Mill). Ac eto,
roedd y ffactorau eraill yn gallu dylanwadu'n drwm yn ei dyb ef.
Yn achos Prydain Fawr, felly, oedd â dim ond rhyw ganrif a hanner
o gynsail gwleidyddol i'w harneisio, roedd angen cymhathu y Celt-
iaid i'r hunaniaeth Eingl-Albanaidd am resymau sefydlogrwydd.

Nid bod Mill yn ystyried hyn yn broblematig o safbwynt y
poblogaethau lleiafrifol hyn, oblegid nhw fyddai ar eu hennill yn y
pen draw trwy ddod yn rhan o'r brif ffrwd gwaraidd. A thu hwnt
i hynny, fe fyddai Prydain nerthol a democratiaeth ffyniannus yn
ymateb i'r arch-egwyddor yn syniadaeth Mill, sef y cysyniad
iwtilitaraidd bod angen sicrhau y lefel uchaf posib o hapusrwydd
cyffredinol yn y gymdeithas. Pa ots felly petai yna rai Cymry a
oedd yn tristáu o weld dirywiad eu diwylliant anwaraidd, pan
fyddai gweddill y genedl ar eu hennill. Roedd trwch yr anghyd-
ffurfwyr Cymreig yn fodlon ildio i'r union feddylfryd hwn, a rhai
yn frwd o'i phlaid.

O ystyried yr hinsawdd syniadaethol hon, gall rhywun werth-
fawrogi hynodrwydd syniadau Jones ac Arglwyddes Llanofer, a
rhoddir cyd-destun yn ogystal i ysgrifau J. R. Jones canrif yn
ddiweddarach. Mae'n werth cofio, er bod Mill yn awgrymu
agweddau dinesig i'r hunaniaeth Brydeinig (a bod eraill fel yr
Arglwydd Acton ag agwedd a oedd yn llawer agosach at ddelfryd
ddinesig Richard Price a fyddai'n cofleidio amryfal hunaniaethau),
ategu agweddau cenhedlig, Seisnig Mill a wna cenedlatholdeb
Prydeinig y bedwaredd ganrif ar bymtheg. Yn ôl J. C. D. Clark, y
traddodiad a hunaniaeth Seisnig a oedd wedi ennill y dydd o
safbwynt natur y wladwriaeth. I'w ddyfynnu eto: 'England never
had Price's version of its national identity dictated to it by its
government,' meddai. 'Englishmen were not compelled to dis-
avow identity or continuity by the demands of any ahistorical or
anti-historical ideology'.[31] Cafwyd cyfuniad, felly, o gyfundrefn
wleidyddol Seisnig, gyda dadleuon athronyddol – neu ideolegol
– a oedd yn honni niwtraliaeth ond a oedd mewn gwirionedd yn
grymuso'r hunaniaeth Seisnig honno.

Seiliau Cenedlaetholdeb Modern Cymru

Nid oes modd cymharu cyfraniadau Arglwyddes Llanofer a Michael D. Jones at syniadaeth wleidyddol â chyfraniad Mill, yn yr ystyr nad oedd yr un o'r ddau yn athronydd nac yn feddylwr systemaidd. Fodd bynnag, yr hyn a welir yn eu safbwyntiau oedd cnewyllyn disgwrs cwbl wahanol ynglŷn â Chymreictod, a allai fod wedi bod yn sail i ymateb Cymreig gwahanol iawn i syniadau'r dydd a'r adroddiant rhyddfrydol – pe na bai arweinwyr y gymdeithas honno wedi bod mor barod i fabwysiadu'r adroddiant hwnnw. Hanfod dadleuon Arglwyddes Llanofer oedd y syniad bod y Gymraeg a'r diwylliant Cymreig – yn hytrach na bod yn gyntefig, cul a niweidiol – yn rymus, llawn daioni ac yn wrthglawdd yn erbyn cyflwr moesol darostyngedig y diwylliant Saesneg. Nid cofleidio, ond ymatal rhag y diwylliant newydd hwn oedd rhaid gwneud; nid yn unig oherwydd bod diwylliant traddodiadol y Cymry yn destun balchder yn ei hun, ond oherwydd y gallai amddiffyn moesoldeb a sancteiddrwydd y Cymry fel pobl.

Dichon fod yna resymau inni deimlo'n chwithig am y feirniadaeth ysgubol o Seisnigrwydd. Mae elfen o siofinistiaeth hen Gymry'r Canol Oesoedd yn perthyn iddi. Ac eto, yn hinsawdd gynhyrfiol y dydd, mae yna le i ddifaru nad oedd mwy o gyd-Cymry'r Arglwyddes wedi ymhyfrydu yn eu diwylliant i'r un graddau, a'u cymeriadu yn yr un fodd. Efallai nad oedd ymresymu grymus na rhesymeg ddilychwin yn perthyn i'w honiadau, ond ni fedrir darganfod y rhinweddau yma yn naliadau 'rhyddfrydol' Mill ac eraill am y Cymry. Ildio i'r frwydr ideolegol a wnaeth y Cymry yn hynny o beth.

Datblygu'r ddadl reddfol, lled-ramantus hon am ddiwylliant ac iaith Gymru a wnaeth Michael D. Jones i raddau. Roedd yn cydfynd yn ddigon naturiol â'i weledigaeth ef o Gymru. Efallai'r elfen fwyaf amheus a naïf o'i safbwynt gwleidyddol oedd ei dueddiad i ramantu bywyd cefn gwlad a diystyried lle'r Gymraeg yn y Gymru ddiwydiannol, gan awgrymu arlliw henffasiwn a cheidwadol i'r iaith na fyddai'n ei gwarchod yn erbyn treigl amser. Megis yr Arglwyddes, roedd hefyd o'r farn bod gwerth mwyaf yr iaith yn gorwedd yn ei rôl o gadw'r Cymry ynghlwm â'r capel a

Michael D. Jones gan John Thomas, *c.*1890

Christnogaeth, a'r niwed mwyaf a ragwelai yn nhranc y Gymraeg oedd y sgileffaith ar eneidiau'r bobl.

Dyma oedd conglfaen ei safbwynt, ond o gwmpas y gred ganolog hon roedd gwerthfawrogiad a dadansoddiad tra soffistigedig o'r prosesau gwleidyddol a chymdeithasol a oedd yn tanseilio iaith a diwylliant Cymru. Yn wir, mae ei feirniadaeth o ryddfrydiaeth yn un sydd yn gyfoes iawn ac yn dangos arwahanrwydd a blaengarwch Jones fel meddyliwr. Roedd wedi adnabod y modd y gallai gwerthoedd rhyddfrydol – megis hawliau, cynnydd a'r tueddiad tuag at gymhwyso egwyddorion cyffredinol a chyfanfydol i bob cwr o'r byd – gelu gormes economaidd a diwylliannol. Nid oedd yr ideoleg hon mor ddiduedd ag yr oedd rhai yn taeru, fel y mae safbwynt Mill ar y Celtiaid yn arddangos.

Perthyna i ddadleuon Jones elfen o'r feirniadaeth gyfoes o rydd-frydiaeth amlddiwylliannol gan yr hyn a elwir yn 'wleidyddiaeth hunaniaeth'. Byrdwn y ddadl hon yw bod ffafriaeth ryddfrydiaeth o *laissez-faire* a'r unigolyn dros y cymunedol – pa faint bynnag y mae'n sensitif i anghenion lleiafrifoedd – yn tanseilio mesurau gwleidyddol sydd â'r grym i amddiffyn yr hyn sydd o dan fyg-ythiad. Wele yng Nghymru, er enghraifft, y duedd i ystyried gofynion y farchnad rydd fel y cyflwr naturiol, lle bod angen gwarchod hawl yr unigolyn i brynu a gwerthu, neu annog dat-blygiad y diwydiant adeiladu, uwchlaw gofynion yr iaith.

Datblygodd Jones ei ddealltwriaeth a'i ddamcaniaeth am gyflwr y Cymry a'r Gymraeg ar sail cyfnod yn yr Unol Daleithiau. Tystia i'r tueddiad gan y Cymry i ymdoddi i'r gymuned angloffon gan roi'r gorau i'w hiaith, ac o ganlyniad i hynny eu harferion diwylliannol ehangach. I Michael D. Jones, wrth gwrs, tranc eu bywydau cref-yddol oedd yr agwedd beryclaf, ond nid yw hynny'n awgrymu diffyg gwerthfawrogiad o'r agweddau diwylliannol nad oedd yn union-gyrchol ynghlwm â ffawd dragwyddol yr unigolyn (roedd wedi gwirioni ar yr hyn a brofodd yn Neuadd Llanofer, er enghraifft). Yn achos pob agwedd ar y diwylliant hwn, yr iaith oedd yn all-weddol, a sylweddolodd Jones sut y diffiniwyd strwythurau sylfaenol y gymdeithas yr agwedd at yr iaith a'i hymarfer. Saesneg oedd iaith gweinyddu a gweithredu ym Mhrydain a'r Unol Daleith-iau, boed hynny yn y gyfraith, yr economi, neu'r ysgol, ac er nad oedd hynny o'i hun yn awgrymu dilorni neu ddibrisio'r iaith, yn ymarferol roedd yn gwahardd y Gymraeg – a phob iaith arall – o'r gyhoeddfa.

Am mai'r cyfle i wella cyflwr bywyd a manteisio ar gyfleoedd newydd oedd wedi gyrru'r Cymry i'r Unol Daleithiau yn y lle cyntaf, peth naturiol i'r mwyafrif oedd mabwysiadu iaith y wlad honno. Iaith yr aelwyd a'r capel, ar y gorau, fyddai ffawd y Gymraeg o hynny ymlaen. Ceir elfen broffwydol i ddadansoddiad Jones o'r hyn a fyddai'n digwydd yng Nghymru. Roedd y wladwriaeth

Brydeinig yn prysur ehangu a dyfnhau ei rheolaeth ar fywyd pob dydd mewn ymgais i leddfu ar yr hinsawdd wleidyddol dymhestlog, gan ymestyn ei rhoddion – yn bennaf oll addysg Saesneg yn rhad ac am ddim – i Gymru benbaladr. Dyma rym anorchfygol y wladwriaeth Brydeinig wedi ei blethu gydag ideoleg y Llyfrau Gleision, ac roedd arweinwyr cymdeithasol y Cymry yn ddigon bodlon derbyn y moddion, er mwyn gwella a gwareiddio cyflwr eu pobl a chynnig iddynt holl fanteision Prydeindod.

Roedd Jones, yn nhraddodiad gorau Anghydffurfiaeth y cyfnod, yn obeithiol y byddai'r gyfundrefn Brydeinig yn fodlon â mesur o annibyniaeth fel modd i'r Cymry gynnal eu hiaith, eu crefydd a'u diwylliant. Ond buan y sylweddolodd mai breuddwyd gwrach oedd y gobaith hwnnw. Daeth i ystyried y cyfundrefnau gwleidyddol, cyfreithiol ac economaidd fel grymoedd trefedigaethol a oedd yn diwreiddio a gormesu'r diwylliant Gymraeg a Chymreig. Y weledigaeth hon, wrth gwrs, oedd yr hyn a fu'n ysbrydoliaeth iddo gefnogi a gweithio'n ddiflino dros achos y Wladfa ym Mhatagonia.

Dyma fyddai cyfle i gychwyn ar gymuned Gymraeg anghysbell y tu hwnt i grafangau grym gwleidyddol estron, gan gynnig y gobaith o sefydlu'r Gymraeg fel iaith weithredol y gymuned honno. Mae hanes y Cymry cynnar yn Chubut yn ddim byd llai nac arwrol. Os oedd modd iddynt oresgyn yr amodau anffafriol hynny ac ymsefydlu yn Nyffryn Camwy, dylai unrhyw beth fod wedi bod yn bosib. Ond dengys eto rym anorchfygol y wladwriaeth a'r dyhead dynol i ganlyn yr oes; y tro hwn y wladwriaeth Archentaidd a fynnodd gymhathiad y Cymry o fewn y gyfundrefn Sbaeneg ei hiaith. Wrth i'r mewnfudo gynyddu a'r gyfundrefn ddatblygu, cilio unwaith eto i'r aelwyd a'r capel fu hanes y Gymraeg.

J. R. Jones

Canrif yn ddiweddarach roedd y prosesau hirdymor a gychwynnwyd o ddifrif yn oes y ddau ffigwr uchod wedi cyrraedd pen llanw, a'r iaith ar drai ar draws Cymru a'i phrif noddfa, y capel, yn gollwng ei gafael ar y gymdeithas. Erbyn hyn, fodd bynnag, roedd llais protest wedi codi'n uwch, gydag ysgolion Cymraeg yn cael eu sefydlu, ac etifeddion y traddodiad yn fwy niferus a mwy trefnus.

Yn eu plith roedd yna nifer o ddeallusion yn ogystal – pobl feiddgar a gwreiddiol gyda'r crebwyll i ychwanegu sylwedd go iawn i ddadleuon o blaid yr iaith a chenedlaetholdeb Cymreig. Y mwyaf deallusol ohonynt i gyd oedd yr athronydd J. R. Jones, ysbrydoliaeth i arweinwyr a throedfilwyr y mudiad fel ei gilydd. Bu'n arbennig o gefnogol i'r mudiad newydd, Cymdeithas yr Iaith, ac yn ei hanfod cynigiodd ddadl allweddol dros y cyswllt rhwng y Gymraeg a Chymreictod, a'r seiliau athronyddol i'r ymadrodd enwog, 'cenedl heb iaith, cenedl heb galon'.

Yn bregethwr lleyg, rhannai bryderon ei ragflaenyddion ynglŷn â chyflwr crefyddol ei gyd-Gymry, fel y mynegwyd mewn amryw ysgrifau megis *Yr Argyfwng Gwacter Ystyr*. Ni chynigiodd fersiwn cyfoes o'r ddadl dros y Gymraeg fel gwrthglawdd i anfoesoldeb y byd Saesneg, fodd bynnag. Hyd yn oed pe bai'n credu hynny, erbyn chwedegau'r ugeinfed ganrif roedd braidd yn rhy hwyr i gynnig y ddadl mewn gwrthwynebiad i fygythiad y Saesneg, gyda thrwch y boblogaeth wedi'u trwytho yn yr iaith fain.

Mae'n gyd-ddigwyddiad diddorol bod J.R. wedi ei sbarduno i ymwneud yn ddeallusol â chyflwr Cymru a'r Gymraeg wedi ei gyfnod ef yn yr Unol Daleithiau. Yr hyn, mae'n debyg, a'i tarodd am gyflwr yr Americanwyr oedd eu diffyg gwreiddiau, eu dyhead cryf amdanynt, a'r niwed ysbrydol roedd y gwacter hwn yn ei greu. Nid syndod, efallai, mai Simone Weil a'i hysgrif amserol wedi'r Ail Ryfel Byd – *Yr Angen am Wreiddiau* – oedd un o'r dylanwadau pennaf ar driniaeth J.R. o Gymru.

Ac eto, ni fyddai'n gwneud cyfiawnder i geisio disgrifio'i waith yn ôl y dylanwadau niferus a fu arno. Mae'n wir fod ôl sawl meddyliwr o draddodiadau amryfal i'w weld ar ei waith, o empeiriaeth Brydeinig, i athroniaeth Wittgenstein (a oedd mor ddylanwadol yn Abertawe lle bu yn ystod blynyddoedd aeddfed ei yrfa), ffigyrau hanesyddol megis Herder, ac fel yr awgrymir gan rai, Karl Marx. Mae'r ffaith bod dadansoddwyr yn gallu gweld ôl dylanwad cymaint o athronwyr – o liwiau tra gwahanol – ar waith J.R. yn awgrymu mai meddyliwr cwbl unigryw ydoedd o ran ei athroniaeth wleidyddol.

Yn wahanol i Michael D. Jones, nid yn gymaint rhyddfrydiaeth ond ideoleg Prydeindod fel grym proffidiol i'r Cymry oedd yn ganolbwynt i'w feirniadaeth. Ymhellach, ceir yn ei ddamcaniaeth ymgais i gynnig diffiniadau cyffredinol, cyfanfydol o'r cysyniadau 'pobl' a 'chenedl'. Yn wir, yr hyn sy'n nodweddiadol o'i waith enwocaf, *Prydeindod*, yw'r tyndra rhwng yr ymdriniaeth benodol o gyflwr y Cymry, a'r awgrym ar y llaw arall o ddamcaniaeth athronyddol 'Blatonaidd' o natur oesol y bobl a'r genedl.

Fel yr awgrymwyd uchod, cnewyllyn safbwynt J.R. ar y genedl yw ei bod, yn ei hanfod, yn dair elfen wedi'u cydymdreiddio: sef tir, iaith a gwladwriaeth. Endid gwneuthuredig yw'r wladwriaeth a ffurfir mewn egwyddor i ochel a meithrin y bobl y mae'n eu cynrychioli. Mae'r bobl yna yn eu tro yn endid organig a ffurfiwyd yn hanesyddol trwy'r berthynas annatod rhwng yr iaith a thir. O safbwynt y ddamcaniaeth hon, pobl ydyw'r Cymry ond nid cenedl, oherwydd nad ydynt yn bodoli o fewn gwladwriaeth sydd wedi'i chydymdreiddio â hi, ac yn bodoli i gynnal ei hiaith a'i diwylliant.

Yn hytrach, cymathir y bobl Gymraeg oddi mewn i'r wladwriaeth Saesneg. Yn ôl y safbwynt hwn, rhith yw'r cysyniad o Brydeindod, am ei fod yn cynrychioli y genedl Saesneg, ond rhith sydd wedi ei ymestyn i draflyncu'r bobl Gymreig oddi mewn iddo. Mae hanes y Gymraeg, felly, yn hanes tranc pobl mewn cyfundrefn estron, sydd o'i hanfod yn gweithredu trwy'r iaith ac er budd y bobl a gydymdreiddiwyd â hi yn wreiddiol. Gorchest yr ideoleg o Brydeindod oedd dwyn perswâd ar y Cymry bod y wladwriaeth honno yn amddiffyn eu buddiannau, tra mewn gwirionedd yr hyn y mae wedi'i wneud yw gweithio tuag at ddileu'r iaith, un o'r ddau gwlwm hanfodol a ffurfiodd y Cymry.

O Bydded i'r Heniaith Barhau

Cwyd sawl ystyriaeth o ddamcaniaeth J.R. na ellir gwneud cyfiawnder â hwy yn y sylwebaeth fer hon. Mae gwerth, fodd bynnag, mewn gwneud ambell sylw a chodi rhai cwestiynau. Yn gyntaf oll, gellir ei hystyried fel dehongliad haniaethol o brosesau hanesyddol gwleidyddol go iawn, yn yr ystyr bod Cymru, trwy'r Deddfau

Uno yn 1536, wedi cael ei thraflyncu gan y wladwriaeth Seisnig, ac yn y broses fe waharddwyd yr iaith o'r sffêr wleidyddol. Dyma bobl hanesyddol a ddiffiniwyd yn ôl eu hiaith a'u tiriogaeth a fethodd sicrhau statws cenedl trwy wladwriaeth eu hunain. Gellir addasu'r ddamcaniaeth i rannau eraill o'r byd yn yr ystyr ei fod yn frith o achosion o bobloedd sydd wedi methu yn yr un ymgais hon, ac wedi'u cymathu o dan wladwriaeth o bobl fwy niferus a grymus.

Mae yna enghreifftiau sydd yn profi'r ddadl, wrth gwrs, ac mae'r Alban yn esiampl dda. Nid yw'n ymddangos yn bosib ar yr olwg gyntaf i ddiffinio'r Albanwyr fel pobl, yn ôl y ddamcaniaeth o gyd-ymdreiddiad iaith a thir, oherwydd tra-arglwyddiaeth y Saesneg. Ac eto, heb os, mae'r genedl Albaneg wedi bodoli, yn yr ystyr bod gwladwriaeth yn rhan o'u hanes – ac yn debyg o fod unwaith eto yn y blynyddoedd nesaf. Ond a yw'r Alban mewn gwirionedd yn enghraifft debyg i Brydain, lle'r oedd un bobl – y Sgotiaid (a drodd i'r Saesneg maes o law o dan y Stiwardiaid) – wedi llwyddo i greu gwladwriaeth a sefydlu cenedl, wrth draflyncu'r bobloedd eraill? Pos arall yw gofyn a ddylid addasu syniadau J.R. yn oes datganoli. I ba raddau erbyn hyn y mae modd meddwl am bobloedd fel y Cymry, yr Albanwyr, y Basgiaid, y Catalaniaid fel *cenhedloedd* gyda chyfundrefnau cyfyngedig?

Yna daw'r cwestiynau anodd a dyrys am berthynas y Cymry a'u hiaith, a'r ffaith bod honno'n lleiafrifol ac yn rhan ymylol o fywydau trwch y boblogaeth. Y goblygiad amlycaf i ddamcaniaeth Jones na fydd wrth fodd nifer o'r Cymry yw'r syniad nad 'Cymru' y byddai heb yr iaith. Yn sicr, o fewn cyfundrefn Brydeinig y 1960au, roedd yna apêl empeiraidd i honiad J.R. y byddai Cymru yn mynd ar yr un trywydd â Chernyw pe bai'r iaith yn diflannu. Ond gyda dyfodiad strwythurau llywodraethu cenedlaethol, y cwestiwn sy'n wynebu'r mudiad cenedlaethol bellach yw: a yw'n bosib dychmygu Cymru annibynnol heb yr iaith? Oes modd derbyn dadl J.R. mai hanfod pobl yw'r berthynas rhwng iaith a thir – ond eto bod yn agored i'r posibilrwydd o greu cenedl gyda gwlad-wriaeth, sydd yn parhau ar atgof y cydymdreiddiad hwnnw, ond heb iddo fod yn elfen gwirioneddol weithredol bellach? Ai dyma yw sefyllfa Iwerddon, er enghraifft?

Yn y cyswllt hwn, goblygiad gwleidyddol problemus yw'r syniad bod y Cymry Cymraeg yn eu hanfod yn meddu ar elfen ffurfiannol hollbwysig. Trwy dynnu sylw at natur hanfodol yr iaith o safbwynt ffurfiant Cymru, anos ydyw gwadu bod y Cymry Cymraeg – trwy feddu ar yr elfen ffurfiannol hon – yn 'fwy' o Gymry na'r di-Gymraeg. Yn sicr, dyma'r tensiynau gwleidyddol y mae Plaid Cymru wedi gorfod ymgodymu â hwy ers y cychwyn cyntaf, yn wyneb honiadau o amddiffyn y Cymry Cymraeg yn unig, a bod obsesiwn ganddynt am yr iaith ar draul pob dim arall. Wele, er enghraifft, drafodaeth Richard Wyn Jones o'r modd y ceisiai Gwynfor Evans ddod i delerau â'r cyfyng-gyngor.[32]

O ddechrau o fan cychwyn mor hanfodol ar yr iaith, y tueddiad byddai disgwyl safbwynt anhyblyg gan J. R. Jones. I'r gwrthwyneb, y mae rhai o'i awgrymiadau ymarferol ar y meini tramgwydd a godir gan yr iaith, yng nghyswllt undod cenedlaethol, yn feiddgar ac eangfrydig – yn arbennig yn ei ysgrif *A Raid i'r Iaith ein Gwahanu?* Iddo ef, rhaid ymgeisio i gael perthynas llawer mwy cadarnhaol at yr iaith ymysg mwyafrif y di-Gymraeg, sydd ddim yn gofyn iddynt ymrwymo i ddysgu ambell air ac ymarfer tocinistiaeth ieithyddol.

Yn hytrach, dylid ymdrechu i godi ymwybyddiaeth am bwysig-rwydd ffurfiannol yr iaith a magu ymlyniad a chydymdeimlad tuag ati yn y ffordd honno. Hynny yw, gan gydnabod mai'r iaith a fu'n hanfodol i ffurfiant y Cymry fel pobl, a gofyn parch a chefn-ogaeth iddi yn y cyswllt hwn, medr Cymru roi'r gorau i ffraeo am yr iaith ac adeiladu tuag at ddyfodol mwy llewyrchus, lle mae trwch y boblogaeth, er enghraifft, am i'w plant derbyn addysg Gymraeg. I J.R. mae'r broses hon o hybu ymwybyddiaeth yn mynd law yn llaw ag adfywiad cenedlaethol, lle bydd y Cymry yn dod i adnabod ac ymhyfrydu yn eu harwahanrwydd – a gweld yr iaith fel allwedd i hynny.

O'u gosod o fewn y rhaniad traddodiadol o genedlaetholdeb dinesig a chenhedlig, heb os byddai cysyniadau J.R. yn cael eu cysylltu â'r ail. Mae'r ffaith ei fod yn dyfynnu tad cenedlaetholdeb cenhedlig – Herder – ar dudalen gyntaf *Prydeindod*, yn awgrym cryf o hynny. Y cysylltiad elfennol rhwng y ddau yw'r ffaith eu bod yn rhoi pwyslais ar iaith fel rhywbeth sydd yn fwy na dim ond symbol o ddiwylliant. Yn hytrach, iddyn nhw yr iaith sydd yn *sylfaen* i ddiwylliant ac yn 'fychanfyd': ffordd unigryw o gyfarfod, disgrifio a deall y byd o'n cwmpas, sydd yn creu cof a geirfa gyfunol sydd yn glynu pobl at ei gilydd.

Mae iaith, felly, yn rhywbeth llawer pwysicach na rhestr o symbolau i gyfathrebu syniadau a realiti sydd â bodolaeth ar wahân, y tu hwnt; yr iaith, yn hytrach, *yw'r* realiti hwnnw ac yn hanfod i'n dealltwriaeth a'n perthynas â'r byd. Gyda marwolaeth iaith, felly, gwêl marwolaeth dealltwriaeth unigryw o'r byd. Wedi'i dehongli yn y modd hwn, hawdd yw deall pam mae iaith, yn ôl J.R., nid yn unig yn hanfodol o safbwynt creadigaeth pobl yn y lle cyntaf, ond wrth gwrs mor sylfaenol o safbwynt sicrhau parhad gwirioneddol y bobl hynny.

Fodd bynnag, yr hyn sydd wedi digwydd, ac sydd wedi bod yn anfanteisiol i syniadau Herderaidd o genedl, yw bod statws hanfodol iaith wedi'i gymysgu gydag elfennau ethnig eraill sydd yn llai hyblyg, megis llinach a hil. O'r safbwynt hwn mae cenedlaetholdeb cenhedlig yn ymddangos yn fwy eithafol ac ymrannol, oherwydd bod aelodaeth o'r genedl yn ddibynnol ar elfennau sydd wedi'u hetifeddu ac sy'n ddigyfnewid. Felly, mae'r term yn cael ei ddefnyddio i bardduo pleidiau megis Plaid Cymru, oherwydd ei hymlyniad at yr iaith (er bod pob plaid prif-ffrwd yng Nghymru wedi ymrwymo i'r nod o Gymru ddwyieithog erbyn hyn).

Cwyd y pwynt hwn gwestiynau mwy sylfaenol a chyffredinol am y drafodaeth gyfoes ac am statws iaith fel dangosydd ethnig. Mae'n wir iddo fod o darddiad penodol ac ynghlwm wrth un pobl a diwylliant, ond yn wahanol i hil a llinach mae modd iddo dorri ar draws grwpiau o bobl. Hynny yw, nid oes modd i fewnfudwyr addasu eu tras a'u hil, ond medrid dysgu iaith pa bynnag beth yw eich hil (dylid nodi yn ogystal mai gwaith caled fyddai adeiladu Cymru genhedlig ar sail hil, yng ngolwg ymchwil diweddar sydd yn awgrymu nad yw Cymry'r gogledd a Chymry'r de yn rhannu'r un DNA). Yn hynny o beth, mae'n nodweddiadol nad yw iaith yn ymddangos ymysg y nodweddion hynny sydd yn gymwys i'w hystyried o safbwynt y gyfraith, yng nghyswllt cydraddoldeb – fel y mae nodweddion mwy hanfodol megis rhywedd, hil a rhywioldeb.

Yn y cyswllt hwn dylid cofio nad ydyw iaith yn cael ei hystyried yn ffenomenon ethnig mewn cyd-destunau eraill. Yn y cyd-destun Prydeinig, erbyn hyn, fel y mae Simon Brooks wedi dadlau droeon, nid dangosydd ethnig mohoni ond iaith y wladwriaeth y mae disgwyl i bob un ei dysgu er mwyn bod yn ddinesydd llawn – ac yn hynny o beth mae'n rhan hanfodol o gynnal y cenedlaetholdeb 'dinesig' sydd mor nodweddiadol ohonom (er yn ddiddorol ddigon mae modd i'r rheini sydd am geisio dinasyddiaeth Brydeinig wneud hynny ar sail meddiant o'r Gymraeg neu'r Aeleg). Celir, wrth gwrs, holl hanes y broses o gymhwyso'r hunaniaeth Seisnig i'r wladwriaeth Brydeinig a chymhathu'r Celtiaid, fel bod yr hunaniaeth ddinesig gyfredol yn ymddangos yn ddi-gwestiwn ac yn wag o unrhyw gynhwysion 'ethnig'.

Y gwir amdani yw nad oes modd i'r wladwriaeth fod yn ddi-duedd yn achos yr iaith – nid oes modd iddi ddatgysylltu ei hunan fel yn achos yr Eglwys, neu fod yn niwtral fel y mae rhwng cref-yddau, neu anwybyddu hil a thras fel yn achos cyfiawnder. Rhaid cael iaith – neu ieithoedd – er mwyn gweinyddu ac er mwyn galluogi'r prosesau sydd yn hanfodol o safbwynt cynnal hawliau'r dinesydd.[33] Un o hanfodion cenedlaetholdeb Cymreig, o J. R. Jones yn ôl at Glyndŵr (o gofio'i gynlluniau ar gyfer eglwys a phrifysgol), yw sicrhau bod y Gymraeg yn cyrraedd yr un statws di-gwestiwn a dinesig â ieithoedd gwladwriaethau'r byd. Ond a yw hyn bellach yn wir?

Darllen Pellach

Simon Brooks, 2015. *Pam Na Fu Cymru* (Caerdydd: Gwasg Prifysgol Cymru).

Augusta Hall, Arglwyddes Llanofer, 2007 [1850]. 'Anerchiad i Gymraësau Cymru', yn Jane Aaron ac Ursula Masson (goln), *The Very Salt of Life: Welsh Women's Political Writings from Chartism to Suffrage* (Dinas Powys: Honno).

J. R. Jones, 1989. *A Raid i'r Iaith ein Gwahanu?* (Cymdeithas yr Iaith).

J. R. Jones, 1966. *Prydeindod* (Llandybïe: Christopher Davies).

Richard Wyn Jones, 2012. 'Syniadaeth wleidyddol Gwynfor Evans', yn gol. E. Gwynn Matthews, *Cenedligrwydd, Cyfiawnder a Heddwch* (Talybont: Y Lolfa).

John Stuart Mill, 1991 [1861]. *Considerations on Representative Government* (New York: Prometheus Books).

Dafydd Tudur, 2006. 'The life, thought and work of Michael Daniel Jones (1822–1898)', doethuriaeth anghyhoeddedig, Prifysgol Cymru, Bangor.

9

Diweddglo

Syllodd y wynebau arno'n ystyriol, heb gynnig ymateb unionsyth i'w lith. Roedd y distawrwydd yn anghyfforddus, a dechreuodd amau ei fod wedi cynnig ateb uchelgeisiol braidd. Yn y diwedd, dyma'r wyneb a osododd y cwestiwn gwreiddiol yn holi eto.

'Diddorol iawn . . . ond ym mha ystyr yn union y mae'r enghreifftiau rwyt ti wedi sôn amdanynt yn cynrychioli *athroniaeth* Gymreig neu Gymraeg?'

Petrusodd ryw ychydig.

'Wel, rwy'n ymwybodol nad ydy'r rhan fwyaf o'r rheini rwyf wedi'u trafod yn athronwyr, yn yr ystyr traddodiadol, ond rwyf wedi dangos bod modd trin eu syniadau mewn arddull athronyddol – ei bod hi'n bosib rhoddi cyfrif drostynt a dehongliadau systematig, rhesymegol ohonynt, neu fod modd eu pwyso a mesur a dangos ym mha ffyrdd maent yn ddilys ac ystyrlon neu beidio, a'u bod yn cyfrannu ymatebion i sawl cwestiwn o natur athronyddol sydd gennym ynghylch amryfal agweddau ar ein bywydau.'

'Digon teg. Ond beth am athroniaeth adnabyddus ein traddodiad gorllewinol? Beth yw'r berthynas â hwnnw, ac onid ydy'r bwlch yn un sylweddol? Yn ogystal â hynny, onid oes yna sawl athronydd o bwys gennym ni'r Cymry os edrychwn ni ar ein hanes diweddar? Hynny yw, y mae'n hysbys inni fod Richard Price yn dipyn o eithriad yn yr ystyr ei fod yn athronydd cydnabyddedig o oes arall, ac nad oes traddodiad hir gennym o athronwyr, oblegid y diffyg prifysgolion yn ein gwlad tan y bedwaredd ganrif ar bymtheg, a dylanwad crefydd a diwinyddiaeth ar ein diwylliant deallusol. Ond ers i'n diwinyddiaeth ddiwygio a'r prifysgolion agor mae modd cyfeirio at nifer o enwau sylweddol megis Lewis Edwards, David Adams, Henry Jones, H. D. Lewis, R. I. Aaron, Rush Rhees, J. R. Jones, D. Z. Phillips.'

'Oes wir, ac mae angen inni roi cryn sylw iddynt hwy a'u gwaith, ond efallai mai sgwrs arall yw honno. Y pwrpas canolog i mi, yn sgil y diffyg hanesyddol hwn o draddodiad athronyddol, oedd dangos bod yna reswm i gredu bod gennym draddodiad deallusol, gwerthfawr sydd ag agweddau iddo o feddwl athronyddol. Rwy'n siŵr bod modd gosod y syniadau hyn yn erbyn cefnlen y datblyg- iadau athronyddol ehangach yn Ewrop, ac wrth gwrs berthnasu ein hathronwyr diweddar i'r un traddodiad, ond tasg arall yw honno.'

'Un efallai nad oes amser gennym ymdrin â hi heddiw, yn anffodus. Ond cyn i chi fynd, un cwestiwn bach arall. Os cynnig rhyw fersiwn o draddodiad deallusol yr wyt ti fan hyn, onid wyt yn cynnig hanes deallusol yn hytrach nag astudiaeth athronyddol? A beth yw hanfod yr hanes hwnnw?'

Roedd yn lled falch o gael gwybod mai dyma oedd y cwestiwn olaf, a bod cyfle iddo roi trefn ar ei feddyliau wedi hynny . . .

'Wel, buaswn i am ddadlau fy mod yn cynnig y ddau. Onid yw dadansoddiad athronyddol yn medru mynd law yn llaw â myn- egiant o draddodiad deallusol – dyna yw astudio hanes athroniaeth wedi'r cwbl. I'm meddwl i, y prif wahaniaeth rhwng astudio hanes deallusol ag athroniaeth yw bod y cyntaf yn tueddu mwy at roddi cyfrif dros syniadau a'u dylanwad a'u lle o fewn y traddodiad, tra bod y llall yn ystyried yr elfen o gloriannu a beirniadu – a dadan- soddi rhesymeg y daliadau – yn flaenoriaeth.

Wedi dweud hynny, mae'r ffin rhwng hanes deallusol ac athron- iaeth wleidyddol yn un arbennig o denau, oherwydd tueddiad y fath hanes i roi pwyslais ar syniadau gwleidyddol fel y rhai mwyaf pwysig yn ein traddodiad. Rwy'n mawr obeithio fy mod wedi ymgeisio, trwy ddadansoddi'n athronyddol syniadau pennaf rhai o fawrion ein cenedl, i gynnig hanes deallusol Cymreig sydd yn datgelu rhywbeth pwysig am ein diwylliant hanesyddol – ond efallai fod angen imi roi mwy o ystyriaeth i'r hyn yn benodol rwyf yn ei gynnig.'

'Wel, pob hwyl gyda hynny – a chyda'r gwaith o fynd yn ôl at yr athronwyr Cymreig a'r canon athronyddol ehangach.' Am y tro cyntaf, derbyniodd res o wenau gan y wynebau, wrth iddo godi a diolch iddynt am eu gwrandawiad. Ni wyddai os boddhad neu gydymdeimlad oedd y tu ôl i'r gwenu, ond bodlonodd ei hunain eu bod wedi gwrando arno hyd y diwedd. Oedd, roedd gwaith i'w wneud, ond teimlai mai megis dechrau ydoedd, a bod y gorwelion yn ehangu o'i gwmpas.

* * *

Gwaith llyfr (neu ddau, neu dri) fyddai cynnig asesiad o'r syniadau a'u hamlygir yn y llyfr hwn yn erbyn y traddodiad athronyddol gorllewinol, a gosod ein hathronwyr ni o fewn y cyd-destun hwnnw, ac yna fentro i dynnu'r meddylwyr a'r syniadau Cymreig hyn at ei gilydd i gynnig dehongliad cyfannol o'n hanes deallusol. Ond yn yr un modd rwyf yn caniatáu i mi fy hun ambell amrantiad o ddychmygu dyfodol lle mae'r gwaith caled wedi dod i ben, a phopeth yn ei le (y meddylfryd iwtopaidd ar waith, debyg iawn), rwyf am foddio fy chwiw ddeallusol drwy amlinellu ffurf gyffredinol yr ymatebion posib i'r heriau hynny, heb drafferthu â'r holl waith caib a rhaw sydd ei angen i'w cyflawni.

Athronwyr Diweddar Cymreig yn y Traddodiad Gorllewinol

Yng nghyswllt y cwestiwn o athroniaeth Gymreig neu Gymraeg, mae modd honni bod ambell ffigwr diweddar o bwys mawr wedi dod o Gymru, ac er nad oes gennym draddodiad yn yr un ystyr â'r Saeson, neu athroniaeth 'synnwyr cyffredin' y Sgotiaid, nid ydyw Cymru wedi bod yn gwbl hesb o ran y maes. Yn hynny o beth, mae'r bwlch rhwng hanes athroniaeth y gorllewin a meddwl syniadaethol y Cymry wedi cau yn sylweddol yn ystod y ganrif a hanner diwethaf.

Wrth ystyried yr athronydd hwnnw a ail-greoedd y maes yn y bedwaredd ganrif ar bymtheg, ag a ddylanwadodd mor drwm ar Marx – sef G. W. F. Hegel – medrid cydnabod bod ei ddylanwad yn y Deyrnas Gyfunol wedi lledaenu trwy law yr Idealwyr Prydeinig, ac un o'r pwysicaf yn eu mysg oedd y Cymro Syr Henry Jones.

Nid yn unig yr oedd yn athronydd o fri, ond mae yna reswm i'w ystyried yn ddeallusyn cyhoeddus dylanwadol yn ei ddydd. Roedd ei bwyslais ar gydlyniad cymdeithasol, yr angen am foesoldeb ym myd gwleidyddiaeth, a'i ddelfryd o'r wladwriaeth nid yn unig yn lledaenu syniadau Hegelaidd yn y cyswllt Prydeinig, ond roeddent hefyd yn berthnasol iawn i Anghydffurfwyr Cymru a hefyd y dosbarth gweithiol.

Ei waith amlycaf yn y Gymraeg oedd ei anerchiad i chwarelwyr gogledd Cymru, yn pledio arnynt i ddefnyddio grym eu hundeb er lles y gymdeithas gyfan; bod rhaid iddynt dangos eu hunain yn well na dosbarthiadau eraill cymdeithas a datblygu ffurf o 'ddinasyddiaeth bur'. Yn sicr, yn ei bwyslais ar gydlyniant, natur adferol a delfrydol y wladwriaeth, a grym moesol yr Ymerodraeth Brydeinig, adlewyrchai ei athroniaeth gymdeithasol ac athrawiaeth ryddfrydol yr Anghydffurfwyr, ond hwnnw mewn cywair Hegelaidd. Mewn cyswllt mwy ymarferol, bu'n weithgar tu hwnt yn cefnogi'r achos dros addysg uwch yng Nghymru, ond efallai fod teilyngdod ei ymdrechion yn y cyswllt hwn wedi'i liwio rhywfaint oblegid ei gyfraniad at yr ymgyrch ymrestru yn ystod y Rhyfel Byd Cyntaf.

Lle mae Henry Jones yn adnabyddus fel un a gymhwysodd athroniaeth Hegel i'r cyd-destun Prydeinig a Chymreig, mae ffigyrau eraill sylweddol yn athroniaeth y Gymru ddiweddar yn gysylltiedig ag athronydd arall a gafodd dylanwad tebyg o ran ei effaith ar y maes. Nid oes modd crybwyll enw Wittgenstein heb gydnabod y dylanwad aruthrol a gafodd ar Adran Athroniaeth Abertawe trwy ei gyfaill agos, yr Americanwr o dras Gymreig, Rush Rhees. Rhees oedd ffigwr pennaf yr adran honno am ddegawdau o'r 1930au ymlaen. Un o ffigyrau mwyaf sylweddol y traddodiad hwnnw oedd y Cymro Cymraeg, Dewi Zephaniah Phillips, Wittgensteinydd a phregethwr yn ogystal.

Er yn fawr o gymeriad ac yn adnabyddus yn rhyngwladol, nid oedd D.Z. yn ysgolhaig cyhoeddus yn yr un modd â'r athronydd mawr arall o'r adran, sef J. R. Jones. Yn un peth, ni fyddai'n gweddu i ddisgyblion Wittgenstein geisio dylanwadu ar y gymdeithas yn ormodol, gan nad dyna oedd swyddogaeth athroniaeth i fod iddynt hwy. 'Gedy athroniaeth y byd fel y mae' oedd eu harwyddair, yn eu hawydd i gyfyngu athroniaeth i ddeall a dehongli ein hiaith

'pob dydd' a'r ffurfiau o weithredu o fewn ein hamryfal weith-
gareddau neu 'gemau iaith'. Dewis faes D.Z. oedd athroniaeth
crefydd, nad oedd yn denu gymaint o sylw cyhoeddus, tra nad
yw ei gyfraniadau ar ei brif ddiddordeb arall, llenyddiaeth, wedi
derbyn yr ystyriaeth y maent efallai yn eu haeddu.

Trueni na chafodd ei ddadleuon ym myd crefydd mwy o ddylan-
wad cyhoeddus, gan iddynt gynnig ymateb effeithiol a grymus i'r
agwedd empeiraidd sydd wedi ymosod ar gred, trwy honni nad
oes prawf o fodolaeth Duw. I'r Wittgensteinydd, nid lle'r athronydd
yw dyrchafu ei hun i gwestiynu a phenderfynu a yw gweithgarwch
megis crefydd yn ddilys neu beidio. Mae ffurfiau o weithgarwch
yn rhai cwbl naturiol, *yma fel ein bywyd*, ac unig rôl yr athronydd
yw dadansoddi ystyrlonrwydd iaith crefydd yng nghyd-destun y
gweithgareddau mae'n rhwym iddynt. Nid yw'r cwestiwn 'A yw
Duw yn bodoli?' yn gwestiwn ystyrlon i ofyn o'r credadun, oblegid
mae'r dwyfol yn realiti yn ei fywyd. A fyddai rhywun yn gofyn
o'r carwr, 'A yw cariad yn bodoli?'

Am gyfyngu a chrisialu rôl yr athronydd mae D.Z. am wneud
yn achos llenyddiaeth yn ogystal, gan wrthwynebu'r tueddiad i
ddeall a dadansoddi testunau yn ôl damcaniaethau cyfannol, neu
grefydd, sydd yn arwain at gamddehongli a chamddefnydd. Iddo
ef, gwneud cyfiawnder syniadaethol â'r testun yw'r bwriad trwy
ei ddadansoddi ar delerau'r testun ei hun – hynny yw, dadansoddi
ystyrlonrwydd yr iaith o fewn y cyd-destun. Gwerthfawrogiad,
felly, sydd yn ein tywys at ddealltwriaeth o werth llenyddiaeth, o
safbwynt datgelu gwirioneddau am fywyd, yn yr un modd y mae
athroniaeth yn ceisio gwneud hynny.

Ychydig iawn a ysgrifennodd D.Z. ar y Gymraeg, er ei fod
yn un a oedd yn daer dros yr iaith. Eto, mae un cyfraniad ganddo
o'r enw 'Pam achub iaith?' sydd yn ddadlennol, oblegid ei fod yn
ynganu goblygiadau'r safbwynt Wittgensteinaidd yn gwbl eglur.
Mae iaith yn llawer mwy na'r hyn y mai John Locke yn ei honni,
sef dim ond symbolau rydym yn eu cysylltu â gwrthrychau'r byd
allanol – modd o gyfryngu felly, a dim byd mwy. Yn hytrach, mae
iaith yn greadigaeth gymdeithasol sydd yn adeiladu ein byd a'n
dealltwriaeth ohoni o fewn ein cymuned. Mae iaith felly yn 'ffurf
ar fyw'; trwy golli iaith, mae diwylliant yn marw.

Dyma safbwynt ag ysbrydolodd athronydd arall o bwys mawr yr ydym eisoes wedi'i grybwyll, sef J. R. Jones, a'i gysyniad o 'fychanfyd ieithyddol' yn benodol. Er bod J. R. Jones wedi dod o dan ddylanwad Wittgenstein, ac yn benodol Rush Rhees, un ymysg sawl ysbrydoliaeth oedd yr athroniaeth honno i J.R. Roedd y traddodiad Empeiraidd Saesneg, Marx a Herder wedi effeithio arno yn eu tro. O safbwynt tueddiadau ehangach yr oes, mae'n debyg mai syniadau Simone Weil a adawodd eu hôl yn fwyaf amlwg ar athroniaeth aeddfed y Cymro.

Wedi cael blas ar ei thestun *Yr Angen am Wreiddiau* – a oedd yn ymgais benodol i geisio dychmygu adferiad Ffrainc a'i phobl wedi'r rhyfel, trwy eu gwreiddio unwaith eto – nid oes modd darllen gwaith gwleidyddol nac ychwaith grefyddol J.R. heb gael eich taro gan y cysylltiadau amlwg. Nid oedd J.R. ychwaith yn ymlynu at yr egwyddor Wittgensteinaidd o adael y cyfan 'fel y mae'. Yn wir, nid oes esiampl well yn fy marn i o'r math o athroniaeth a drafod-wyd yn y bennod agoriadol, sef athroniaeth fel diwylliant o arfer: dadansoddi, damcaniaethu a thrafodaeth bwrpasol i gymuned benodol, gyda'r bwriad o daflu goleuni ymarferol ar y pwnc dan sylw. Yn hynny o beth, nid oes gwadu dylanwad uniongyrchol J.R. ar gymdeithas ei ddydd.

Felly, er yn hanesyddol nid yw athroniaeth fel maes astudiaeth wedi bod â gwreiddiau dwfn yng Nghymru, mae rhai athronwyr o sylwedd wedi ymddangos ers sefydlu'r prifysgolion, a'r rheini yn ymateb i ac yn adlewyrchu tueddiadau diweddar y traddodiad gorllewinol. Mae yna enwau eraill sydd yn haeddu sylw hefyd. Er nad ydynt, at ei gilydd, yn adlewyrchu traddodiad 'brodorol' o athronyddu sydd yn coleddu un ymagwedd waelodol, yn yr un modd ag empeiriaeth Seisnig neu ddelfrydiaeth Almaenig, dyweder, mae yna le i awgrymu, mi gredaf, fod yr athronwyr hyn yn cynrychioli traddodiad o fath o safbwynt y cwestiynau a'r themâu sydd wedi eu diddori. Mae cwestiynau ynglŷn â chrefydd, moeseg, cenedl ac iaith yn codi'n gyson yn eu hysgrifau, sydd yn adlewyrchu'r ddelfryd y dylai athroniaeth yn ei hanfod fod yn faes sy'n cwmpasu anghenion a chwestiynau sylfaenol y gym-deithas y mae'n perthyn iddi. Os ydym am ddyrchafu athroniaeth fel maes, a chydnabod yr hynny o draddodiad sydd gennym, yna'r

safbwynt hwn sydd fwyaf addawol. Yn amlwg, mae angen astud-
iaeth manylach o gyfraniadau ein hathronwyr niferus er mwyn
profi'r ddamcaniaeth hon, ond mentraf, ar sail cynnwys y cyfnod-
olyn *Efrydiau Athronyddol* yn ogystal, fod modd ategu'r honiad
bod athroniaeth Gymraeg wedi arddangos y tueddiadau a briodolir
i 'athroniaeth fel ymarfer'.

Y Cymry a'r Canon

Er bod athroniaeth 'sefydliadol' wedi dyfod yn hwyr i Gymru,
medrid yn ogystal fynegi, yn fy nhyb i, gyd-berthynas rhwng ein
hanes deallusol a'r traddodiad athronyddol gorllewinol. Mentraf
fod y ffigyrau hynny yr wyf wedi'u trafod yn adlewyrchu datblyg-
iadau yn y traddodiad athronyddol, er nad oedden nhw eu hunain
yn athronwyr. Gan ddechrau o'r diwedd, gallwn ystyried yn gyntaf
Raymond Williams. Dengys cyfrol Daniel Williams, sydd yn cymryd
safbwynt Cymreig ar yrfa a gwaith y Marcsydd, faint o fewn-
welediad a safbwyntiau dadlennol oedd ganddo i gynnig ar ein
diwylliant, ein haith a'n cenedl, ar sail ei ddehongliad 'diwylliannol'
o athroniaeth yr Almaenwr. Mae ei amryfal erthyglau yn parhau i
daro deuddeg yn y Gymru sydd ohoni (ac yn hynny o beth mae'n
bryd inni ei gofleidio yn y modd y mae'r byd ehangach wedi'i wneud,
yn ei sylweddoliad bod y gŵr arbennig hwn yn un sydd wirioneddol
wedi diwygio athroniaeth Farcsaidd yn effeithiol, mewn modd
sydd yn cynnal ei rym beirniadol yn oes y cyfryngau torfol).

Yn ffigwr Bevan gwelir ôl y meddwl Marcsaidd ar wleidydd-
iaeth ymarferol, yn ei ddyneiddiaeth a'i ddadansoddiad o rym yn
arbennig. Ond ceir hefyd y parch tuag at ddemocratiaeth a phwysig-
rwydd yr unigolyn a ysbrydolwyd, mae'n debyg, gan feddyliwr
o du hwnt i'r traddodiad Ewropeaidd, sef yr Wrwgwaiad Jose
Enrique Rodo. Roedd hwnnw'n feirniad o fateroldeb Gogledd
America, agwedd a fyddai'n taro deuddeg gyda Bevan, a oedd er
gwaethaf ei enw drwg gyda chenedlaetholwyr yn gwerthfawrogi
potensial yr arwahanrwydd diwylliannol yr oedd Cymreictod yn
ei gynnig. Mae yna wers i'w dysgu yn ogystal, o'i barodrwydd i
edrych y tu hwnt i'r gorllewin am ysbrydoliaeth.

O safbwynt y bedwaredd ganrif ar bymtheg, yr hyn sydd yn cysylltu'r ffigyrau amlwg Cymreig yn y gyfrol hon yw eu gwrthodiad, mewn amryw ffyrdd, o ryddfrydiaeth Seisnig, iwtilitaraidd y cyfnod a gynrychiolid gan J. S. Mill. Yn ffigwr Michael D. Jones mynegwyd safbwynt beirniadol sydd yn parhau'n gwbl berthnasol heddiw, sef yr ymgais i ddinoethi'r modd y mae egwyddorion ac ideoleg rhyddfrydiaeth yn gallu milwrio yn erbyn lleiafrifoedd, wrth ymddangos yn ddiduedd. Yn wir, mae yna arlliw o ddamcaniaethu Michel Foucault yn nadansoddiad Jones o'r modd yr oedd strwythurau grym yn 'disgyblu' y Cymry i'r norm Seisnig. Rhagfynegwyd nifer o ddaliadau Jones gan Arglwyddes Llanofer, ac eto'r hyn sy'n ddiddorol yn ei hymlyniad hi at werthoedd traddodiadol, a'u cri i'r Cymry lynu at eu hiaith a'u diwylliant, yw nid yn unig y gwrthbwynt a gynnigir i'r gwerthoedd o gynnydd a chyfanfydedd (*universalism*) a nodweddai ryddfrydiaeth y cyfnod. Mae ei hymagweddiad a'i balchder yn yr hyn sydd yn 'frodorol' yn rhagarwyddo, mewn modd sylfaenol, y math o ddadleuon y byddai deallusion o blith pobloedd eraill y byd – megis Franz Fanon – yn ynganu wrth iddynt ddarganfod eu llais, a chymell y broses o ddad-drefedigaethu gan mlynedd wedi hynny.

Roedd beirniadaeth Robert Owen o gyfalafiaeth o anian arall wrth gwrs, ond eto byrdwn ei ddadleuon oedd tanseilio'r agwedd *laissez-faire* ym materion dynol, a thynnu sylw at eu natur ddinistriol. Y tlodion a'r dosbarth gweithiol, yn hytrach na diwylliant arbennig, oedd ei gonsýrn ef, ac yn hynny o beth roedd ymysg sosialwyr cyntaf Ewrop a oedd yn beirniadu delfryd Adam Smith o'r farchnad rydd a rhyddfrydiaeth yr Oleuedigaeth. Ei safiad mwyaf radical oedd gwrthod un o gonglfeini'r traddodiadau hynny, sef y gred yn natur ddigymell yr unigolyn a'i reolaeth dros ei ddatblygiad ef ei hun. Er mor frawychus y mae'r ddadl yn ymddangos i rai fel Mill, harneisiwyd hi gan Owen i gyfiawnhau'r achos dros orfodi'r gymdeithas i gymryd cyfrifoldeb am addysg a lles y boblogaeth trwyddi draw, a gwrthod yr agwedd draddodiadol mai ffawd y dosbarth gweithiol oedd bywyd o slafdod ac anwybodaeth. Ymhellach, roedd ei bwyslais ar gydweithrediad a chymuned yn rhan o'r cynsail cryf a grewyd ganddo ef, a sosialwyr eraill yr oes, a fyddai'n parhau i herio rhyddfrydiaeth a chyfalafiaeth hyd heddiw.

Er mai damcaniaethu am wleidyddiaeth ryngwladol a wna David Davies a Henry Richard yn y bôn, mae'n anodd peidio ag ystyried eu syniadau o safbwynt diwinyddol-athronyddol. Yn sicr, mae'n caniatáu dealltwriaeth ddyfnach o'u gwleidyddiaeth, ac yn wir mae yna achos dros apêl ehangach i fynnu bod athronwyr gwleidyddol yn rhoi mwy o le a ffocws i wreiddiau crefyddol syniadaeth yn y maes. Nid oes modd osgoi gwneud hynny wrth geisio dadansoddiad teilwng o feddylwyr Cymreig, ond tueddiad yn ein hoes seciwlar ni yw priodoli ein safbwynt di-dduw i'n dehongliadau o feddylwyr cynt, gan danbrisio rôl neu ddylanwad y dwyfol, ac yn hynny o beth, methu yn ein hymdrech i wneud cyfiawnder â'u syniadau. O adnabod Calfiniaeth gymedrol nodweddiadol David Davies, mae modd ei ddehongli fel delfrydwr anghyffredin, oherwydd ei fan cychwyn sydd, megis y realwyr, yn pwysleisio breuder dynolryw. Yn yr un modd y mae agwedd Henry Richard ar awdurdod rheswm yn awgrymu safbwynt Arminaidd, sydd yn gynsail i'w obaith am welliant a chynnydd graddol yn y sffêr ryngwladol, a allai arwain at ddiarfogi a heddwch. Eto, yn achos Davies mae'r syniad o ragluniaeth yn chwarae rhan bwysig, tra bod heddychiaeth Richard yn dibynnu ar ei ddehongliad sylfaenol o'r Efengyl. Yn fwy cyffredinol, roedd y ddau yn dilyn athronwyr yr Ymoleuad, yn arbennig Kant, yn eu gobaith o sefydlu cyfundrefn ryngwladol gyfiawn.

Er iddynt rannu dylanwad Bishop Butler, mae'r rhesymoliaeth sydd ynghlwm wrth safbwynt Richard yn llai radical na'i ragflaenydd Richard Price, oherwydd nad yw'n dyrchafu moesoldeb i fod yn gyfundrefn sy'n annibynnol o ewyllys Duw. Roedd cysyniad Price o 'otonomi moesol' yn dra gwahanol, ac mae'n deg dweud bod yr athroniaeth wleidyddol yr oedd yn ei chynnig yn fwy radical a phellgyrhaeddol na nifer o ryddfrydwyr yr Ymoleuad – hyd yn oed Kant. Fwyaf nodweddiadol oedd y mynegiant o'r cysyniadau o genedlaetholdeb dinesig a chosmopolitaniaeth a oedd yn gofyn am ymrwymiad a darostyngiad i gyfundrefn fydeang ar ran yr unigolyn a'r genedl. Dyma ymgais wirioneddol chwyldroadol i fynegi a gwireddu'r efengyl Gristnogol o gariad heb ffiniau mewn ieithwedd a chyd-destun gwleidyddol. Ac er bod ei weledigaeth wleidyddol yn nhraddodiad yr empeirydd Locke, roedd yn neilltuol o safbwynt Prydeinig yn ogystal, oherwydd ei ymlyniad wrth y syniad o ragwybodaeth foesol a ymdebygai i resymoliaeth Descartes – ond oedd efallai â'i gwreiddiau yn nylanwad honedig Plotinus (ac felly Platon) ar y Cymry. Byddai'r esboniad hwn wedyn yn ei gysylltu â thraddodiad y neo-Blatonwyr o Gaergrawnt – ysgol o athronwyr nas cydnabyddir bellach oblegid goruchafiaeth materoliaeth Hobbes ac empeiriaeth Locke yn y canon Seisnig.

Heb os, mae'n anos gosod syniadau sydd ynghlwm wrth wele-digaeth Glyndŵr a Chyfraith Hywel o fewn y tueddiadau athron-yddol ehangach. Cyfyd meini tramgwydd amlwg o safbwynt pellter amser a chyfyngder gwybodaeth hanesyddol. Dyfaliadol ar y gorau y mae unrhyw honiadau penodol am realiti deallusol Cymry'r Canol Oesoedd, felly y gorau y gellid ceisio amdani yw adnabod patrymau sydd yn gwneud synnwyr o'n safbwynt deall-usol cyfoes.

Trwm iawn, wrth gwrs, oedd dylanwad chwedloniaeth y Cymry ar wleidyddiaeth Glyndŵr, er bod modd cymeriadu iwtopia Gymreig ei ddychymyg – y nid-lle delfrydol – fel cynnyrch meddyl-fryd Platonaidd neu baganaidd. Nid bod y ddau feddylfryd o reidrwydd yn gwrthdaro, am mai paganiaid oedd y Groegwyr, wrth gwrs. Yn sicr, roedd bwriad Glyndŵr i atgyfodi'r genedl Gymreig yn wrthwynebus i'r safbwynt mwy pesimistaidd Awstin-aidd, a fyddai'n ystyried difodiant Cymru fel canlyniad i ewyllys Duw, ac yn amheus o allu dynol i berfformio'r fath orchest.

Yn agweddau Glyndŵr a'i gyfoedion ceir awgrym, efallai, o athrawiaeth fwy gobeithgar y ffigwr canolog arall yn hanes syn-iadaeth yr Eglwys, sef Tomos Acwin. Lle bo modd cymeriadu Awstin fel y ffigwr a gymathodd athroniaeth Blatonaidd i'r gred Gristnogol, adnabyddir Acwin am gymhwyso elfennau o athron-iaeth Aristoteles i'r grefydd, a'r dylanwad newydd hwnnw'n ymestyn i'r gwyddorau – a gwleidyddiaeth yn ogystal. Erbyn diwedd y Canol Oesoedd roedd agweddau ar ddiwinyddiaeth Aristotelaidd wedi bwrw gwreiddiau, a'r gred bod dyn yn gallu derbyn gras mewn modd rhagweithiol.

Yr hyn sy'n sicr yw bod hawlio Gras Duw fel Tywysog Cymru, a cheisio cefnogaeth Pab Avignon, yn cyd-fynd â chonfensiynau gwleidyddiaeth y cyfnod a fynegwyd yn athroniaeth wleidyddol Acwin. Yn benodol, ceir y syniad mai cynrychiolwyr Duw yw brenhinoedd, a bod yr Eglwys yn uwch o statws o ran moeseg ac athrawiaeth ac felly'n angenrheidiol o safbwynt ei sêl bendith. Gellir honni ôl sawl dylanwad athronyddol ar brosiect Glyndŵr, ond ni ddylid anghofio ychwaith yr athroniaeth wleidyddol unig-ryw a goleddwyd ynddo, a ddisgrifiwyd yma fel ffurf ar realaeth iwtopaidd.

O ran Cyfraith Hywel, yr hyn sydd efallai fwyaf nodweddiadol o safbwynt ei pherthynas â datblygiadau deallusol yr oes oedd y ffaith nad oedd yn gorff o gyfraith yn ôl confensiynau'r Eglwys. Hynny yw, erbyn y cyfnod hwn yn y Canol Oesoedd roedd pwysau cynyddol i gyfreithiau gwlad gydymffurfio ag athrawiaeth yr Eglwys, a sefydlwyd i raddau helaeth, wrth gwrs, o dan ddylanwad Awstin. Yn wir, mae'n anodd dychmygu corff cyfreithiol a oedd â gwreiddiau mwy gwahanol i ddelfryd yr Eglwys o awdurdod ddwyfol: dyma gyfraith a oedd yn seiliedig ar arferion lawr gwlad y bobl wedi'r cwbl.

Wrth gwrs, ni ddylid gorbwysleisio'r gwahaniaeth oherwydd pobloedd Cristnogol oedd y Brythoniaid, ac yn hynny o beth roedd eu moesau yn rhwym i adlewyrchu'r dylanwad hwn. Ond y *math* o feddylfryd Cristnogol sydd ynghlwm wrth y Gyfraith sydd o ddiddordeb mawr; yn hynny o beth gellir awgrymu bod y pwyslais ar gymodi a dychwelyd i'r drefn yn awgrymu craidd Pelagaidd – yn hytrach nag Awstinaidd – i'r bydolwg a oedd yn trwytho'r gyfundrefn draddodiadol hon. Wedi'r cwbl, nid *Volksrecht* Cyfraith Hywel, ond y *Kaiserrecht* a'i phwyslais ar gosb lem a chadw rheol-aeth sydd yn awgrymu safbwynt pesimistaidd, ac un sydd yn ddrwgdybus o allu dynoliaeth a chymdeithas i ddisgyblu eu hunain.[34]

A dyma ddychwelyd i'r un ffigwr 'Cymreig' (os dyna rydym am fentro ei alw) sydd, ynghyd efallai â Richard Price, â'r perthynas fwyaf uniongyrchol, adnabyddus a diddorol â'r canon gorllewinol athronyddol. Hynny yw, lle mae modd perthnasu'r ffigyrau eraill mewn modd anuniongyrchol gyda'r adroddiant cydnabyddedig, roedd Pelagius o fewn trwch blewyn o osod iddi seiliau cyfan gwbl wahanol. O gofio geiriau Brinley Rees, beth petai 'amser ychwanegol' wedi mynd o'i blaid a bod y dyfarnwr heb gymryd penderfyniadau amheus? Ei fodel dyrchafedig a gobeithiol ef o'r natur ddynol a fyddai wedi cael sêl bendith ac ennill y dydd, gan ddiffinio'r mowld ar gyfer cystadleuwyr y dyfodol. Hyd yn oed yn sgil ei frandio'n heresi a'r ymgais i luchio'i syniadau i ebargofiant, dychwelodd ffurf arnynt, dros filenia yn hwyrach, o dan enw'r Ymoleuad. Yn wir, brandiwyd Kant, arch-athronydd y cyfnod hwnnw, yn Belagydd. A chwedl Pennar Davies, efallai na chafodd yr heresi fyth ei dileu yn gyfan gwbl o'i famwlad.

Hanes Deallusol Cymreig?

O safbwynt yr hanes deallusol a awgrymwyd gan y gyfrol hon, mae modd dadlau mai'r hyn sydd yn cysylltu'r prif syniadau sydd o dan sylw, ac sydd yn eu nodweddu mwy na dim, yw'r ffaith eu bod i gyd yn coleddu un agwedd greiddiol a nodweddiadol. Ymhlyg ynddynt oll y mae'r awgrym o hunanbenderfyniad; gallu dynoliaeth i ddefnyddio ei chrebwyll a'i rheswm i frwydro yn erbyn yr amgylchiadau, er mwyn sicrhau cyflwr gwell – a hyd yn oed perffeithrwydd – yn y byd hwn. Cynigiaf fod ffurf ar y meddylfryd Pelagaidd, hunan-ddyrchafedig, yn adnabyddedig yn achos y prif syniadau dan sylw.

Mae Cyfraith Hywel yn awgrymu gallu'r gymdeithas i adfer y drefn a gwrthodiad o'r angen am deyrn i gadw trefn ar boblogaeth ddigywilydd; mae gweledigaeth Glyndŵr yn cynnig iwtopia Gymreig; cynigia Price fersiwn o filflwyddiaeth a oedd yn rhagweld rhyddid perffaith ar y ddaear, ac felly hefyd Robert Owen, ond mewn cywair lled-seciwlar; roedd Henry Richard a David Davies ill dau yn ystyried heddwch ar y ddaear yn bosibilrwydd go iawn; deisyfa Bevan gymdeithas heb ofn, a *champagne* i'r lliaws, tra bod Williams yn ymlynu at ryddfreiniad Marcsaidd; mae cenedlaeth-oldeb Cymreig yr oes fodern wedi cynnig fersiwn diwygiedig o iwtopia Glyndŵr.

Yr eithriad hollbwysig, wrth gwrs, yw Calfiniaeth yr Ym-neulltuwyr cynnar a swmp yr enwadau anghydffurfiol a fwrodd wreiddiau mor ddwfn yng Nghymru'r bedwaredd ganrif ar bymtheg. Yn y cyswllt hwn mae'n debyg mai ffigyrau megis Howell Harris neu Williams Pantycelyn yw'r rhai pwysicaf ymhlith y rheini sydd wedi'u hepgor – neu R. Tudur Jones o safbwynt mwy cyfoes. Ac eto, ni fu Calfiniaeth ar ei ffurf bur yn athrawiaeth a barodd yn hir ymysg y rhan fwyaf o'r enwadau. O fewn dwy genhedlaeth roedd rhai o'r traddodiad piwritanaidd, megis Richard Price, yn symud tuag at ddiwinyddiaeth lai llym. Gellir dadlau, gan gyfeirio at Glanmor Williams, fod egni'r oes Fictoraidd wedi troi trwch Cristnogion Cymru o safbwynt Awstinaidd a oedd yn addas i'w cyflwr gostyngedig cynt, i'r agwedd radicalaidd – ac ar un wedd, Pelagaidd – a oedd yn cynnig iddynt obaith o'r newydd wrth i'r genedl symud tuag at ei dadeni, chwedl K. O. Morgan.

Diddorol, os dadleuol, ydyw adlewyrchu ar y datblygiad hwn o'r ddelfryd optimistaidd, hunan-ddyrchafedig ar gynsail Calfinaidd (a nodweddwyd gan David Davies a'i debyg) wrth ei drawsgyweirio i'r byd gwleidyddol yng Nghmru. Hynny yw, y mae mesur o ymreolaeth i'r Cymry wedi bod yn boblogaidd ers yr ymchwydd radicalaidd, ond nid yw hynny wedi arwain at ddyhead cyffredinol ar ran y Cymry i fynnu hunanreolaeth a rhyddid gwleidyddol. A oes ôl y cynsail Calfinaidd, tybed, yn ein hamharodrwydd i ddiosg gras cynhaliol, Awstinaidd y Deyrnas Gyfunol?

* * *

A oes gan Gymru draddodiad o athronyddu sylweddol? Nac oes, nid yn yr ystyr fod hynny gan Loegr, yr Almaen, Ffrainc neu'r Alban, lle mae athroniaeth wedi ffynnu o fewn yr academi ac wedi esgor ar ffigyrau sylweddol sydd yn eistedd o fewn y canon sy'n mynd yn ôl i'r Groegwyr. Ac eto, nid ydym yn eithriad yn hynny o beth, oherwydd mae'n bosib datgan yr un peth am y mwyafrif o wledydd bychain Ewrop a'r byd. A oes gennym draddodiad athronyddol yn yr ystyr bod gennym linach o ffigyrau a syniadau sydd wedi gwneud yr hyn y mae athroniaeth yn ei hanfod yn ei geisio: cynnig gwell dealltwriaeth o natur y ffenomen rydym yn edrych arni, rhoi cyfrif dros rywbeth, a chreu syniadau a damcaniaethau sydd yn gymorth inni ymwneud â'r byd o'n cwmpas a'r

205

union heriau rydym yn eu hwynebu? Heb os, yn fy marn i, ac rwyf yn gobeithio fod y gyfrol hon wedi gwneud rhywfaint i ddwyn perswâd arnoch chi'r darllenydd yn ogystal.

Nid athroniaeth ffurfiol neu bur yw nifer o'r cyfraniadau sydd wedi bod, ond eto mae yna wreiddioldeb a mewnwelediad syl-weddol wedi ymddangos, o bryd i'w gilydd, mewn ffyrdd sydd wedi cyfrannu at siapio Cymru a'r byd y tu hwnt. Mae'r honiad hwn yn sylfaenol bwysig, oherwydd wrth inni wynebu'r dyfodol fel cenedl a cheisio ein ffordd ymlaen, dylem wneud hynny gyda'r ffydd a'r hyder bod ein cyndeidiau wedi gwneud yr un peth (er efallai mewn ffyrdd sydd ddim yn gwbl berthnasol inni bellach). Mae gennym drysorfa o syniadau, a dim ond rhai o'r perlau mân sydd wedi'u gwerthfawrogi yma. Gallant fod yn ysbrydoliaeth ac yn 'adnoddau o obaith', chwedl Raymond Williams, wrth inni edrych ymlaen. Gallwn yn ogystal nodi bod y trwch ohonynt wedi'u nodweddu gan obaith, a'r ffydd o allu siapio'r dyfodol i'n hewyllys, ac nid gwadu'r gallu hwnnw. Yn olaf, mae'r ffaith bod yna gyfraniadau nodedig, athronyddol o'n heiddo ni yn ein hatgoffa mewn byd sydd bellach mor fach, y dylem daflu ein golygon nid yn unig dros Glawdd Offa, ond yn wir ymhell y tu hwnt i'r rhannau pellennig yna o'r byd. Pwy a ŵyr, efallai fod allwedd i'n dyfodol yn gorwedd yno.

Nodiadau

1   Daniel Williams, 2015. *Wales Unchained* (Cardiff: University of Wales Press), t. 11.
2   D. Myrddin Lloyd, 1950. 'Meddwl Cymru yn y Canol Oesoedd', *Efrydiau Athronyddol*, Cyf. 13, 4.
3   John Davies, 2007. *Hanes Cymru* (Llundain: Penguin), t. 95
4   Dafydd Jenkins, 1977. 'The significance of the Law of Hywel', *Trafodion Anrhydeddus Gymdeithas y Cymmrodorion*, 67.
5   Lloyd, 1950. 'Meddwl Cymru', 4.
6   Jenkins, 1977. 'The significance of the Law of Hywel', 69.
7   R. R. Davies, 1995. 'The programme', yn R. R. Davies, *The Revolt of Owain Glyndŵr* (Oxford: Oxford University Press), t. 170.
8   Martha K. Zebrowski, 1994. 'Richard Price: British Platonist of the eighteenth century', *Journal of the History of Ideas,* 55, 1 (January 1994), 17–35.
9   D. O. Thomas, 1977. *The Honest Mind: The Thought and Work of Richard Price* (Oxford: Clarendon Press), t. 4.
10 D. O. Thomas, 1977. *The Honest Mind: The Thought and Work of Richard Price* (Oxford: Clarendon Press), t. 4.
11 Walford Gealy, 1991. 'Richard Price, F. R. S. (1723–91)', *Y Traethodydd*, CXLVI, 620, 140.
12 Walford Gealy, 2014. 'Y person da a'r person duwiol', yn E. Gwynn Matthews (gol.), *Astudiaethau Athronyddol 3: Y Drwg, y Da a'r Duwiol* (Talybont: Y Lolfa).
13 Richard Price, 1989. *Cariad at ein Gwlad* [1789], wedi ei gyfieithu i'r Gymraeg gan P. A. L. Jones (Aberystwyth: Llyfrgell Genedlaethol Cymru), t. 40.
14 Gealy, 'Richard Price', 143.
15 J. C. D. Clark, 2000. *English Society, 1660–1832: Religion, Ideology and Politics during the Ancien Régime*, 2il argraffiad (Cambridge: Cambridge University Press), t. 233.

[16] Friedrich Engels a Karl Marx, 2014. *Y Maniffesto Comiwnyddol*, Pwyllgor Cymreig y Blaid Gomiwnyddol, cyf. W. J. Rees (E-argraffiad: Y Coleg Cymraeg Cenedlaethol), t. 57.

[17] John Rawls, 1971, *A Theory of Justice* (Cambridge: Belknap Press, Harvard University Press), t. 104. Fy nghyfieithiad i.

[18] John Stuart Mill, 1989. *Autobiography* (London: Penguin Classics), t. 134.

[19] Chris Williams, 2011. 'Robert Owen and Wales', yn Noel Thompson a Chris Williams (gol.), *Robert Owen and his Legacy* (Cardiff: University of Wales Press).

[20] Yn Davies, *The Problem of the Twentieth Century* (1927, London), t. 93 o Immanuel Kant, *Perpetual Peace*, cyf. M. C. Smith (London: George Allen and Unwin Ltd), t. 164.

[21] Davies, *The Problem of the Twentieth Century* (1927, London), t. 93 o Immanuel Kant, *Perpetual Peace*, cyf. M. C. Smith (London: George Allen and Unwin Ltd), t. 154.

[22] Yn Davies, *The Problem*, t. 93, o Immanuel Kant, *Principles of Politics*, cyf. W. Hastie (Edinburgh: T&T Clarke 1891), t. 75.

[23] Kenneth O. Morgan, 1982, *The Oxford History of Britain* (Oxford: Oxford University Press), t. 202.

[24] John Davies, 2007. *Hanes Cymru* (London: Penguin), t. 572.

[25] D. O. Thomas, 1977. *The Honest Mind: The Thought and Work of Richard Price* (Oxford: Clarendon Press).

[26] Morgan, *The Oxford History of Britain*, tt. 282–3.

[27] Richard Wyn Jones, 2007. *Rhoi Cymru'n Gyntaf: Syniadaeth Wleidyddol Plaid Cymru, Cyfrol 1* (Caerdydd: Gwasg Prifysgol Cymru), tt. 204–9.

[28] Kenneth O. Morgan, 1987. *Labour People* (Oxford: Oxford University Press).

[29] Ben Jackson, 2011. *Equality and the British Left: A Study in Progressive Thought, 1900–64* (Manchester: Manchester University Press), t. 160.

[30] 'Although those of us who have been brought up in Monmouthshire and in Glamorganshire are not Welsh-speaking, Welsh-writing, Welsh-men, nevertheless we are all aware of the fact that there exists in Wales, and especially in the rural areas and in North Wales, a culture which is unique in the world. It is a special quality of mind, a special attitude towards mental things which one does not find anywhere else. We are not prepared to see it die.' Dyma ddyfyniad gan Bevan mewn trafodaeth ar y Gymru Wledig ar 8 Rhagfyr 1953. Diolch i Grahame Davies am y cyfeirnod; gw. *http://hansard.millbanksystems.com/commons/1953/dec/08/rural-wales#S5CV0521P0_19531208_HOC_379* (cyrchwyd 5 Ebrill 2016).

[31] J. C. D. Clark, 2000. *English Society, 1660–1832: Religion, Ideology and Politics during the Ancien Régime*, 2il argraffiad (Cambridge: Cambridge University Press), t. 233.

32 Jones, *Rhoi Cymru'n Gyntaf*, tt. 125–34.

33 Diolch i Huw Lewis am dynnu fy sylw at y pwynt hanfodol hwn, ymysg nifer o'i sylwadau pwysig eraill ar wleidyddiaeth iaith.

34 Diolch i Dyfan Powel am gynnig yr awgrym yma, ymysg trafodaethau difyr eraill gydag ef a chriw MA Aberystwyth.

Llyfryddiaeth

Jane Aaron ac Ursula Masson (goln), 2007. *The Very Salt of Life: Welsh Women's Political Writings from Chartism to Suffrage* (Dinas Powys: Honno).

Aneurin Bevan, 1951. *In Place of Fear* (London: MacGibbon & Kee).

Gerald Bonner, 1986 [1963]. *St Augustine of Hippo* (Norwich: The Cantebury Press).

D. Boucher ac A. Vincent, 1993. *A Radical Hegelian: The Social and Political Philosophy of Henry Jones* (New York: St Martin's Press).

Simon Brooks, 2015. *Pam Na Fu Cymru* (Caerdydd: Gwasg Prifysgol Cymru).

Edmund Burke, 2009. *Reflections on the Revolution in France* (Oxford: Oxford University Press).

E. H. Carr, 2001 [1939]. *The Twenty Years' Crisis: 1919–1939 (New York: Perennial).*

Geoffrey Claeys, 1991. 'Introduction', yn Geoffrey Claeys (gol.), *A New View of Society and Other Writings* (Harmondsworth: Penguin), tt. vii–xxxiii.

J. C. D. Clark, 2000. *English Society, 1660–1832: Religion, Ideology and Politics during the Ancien Régime*, 2il argraffiad (Cambridge: Cambridge University Press).

David Davies, 1930. *The Problem of the Twentieth Century* (London: Ernest Benn).

John Davies, 2007. *Hanes Cymru* (London: Penguin).

John Daniel a Walford Gealy (gol.), 2009. *Hanes Athroniaeth y Gorllewin* (Caerdydd: Gwasg Prifysgol Cymru).

R. R. Davies, 1992. 'The status of women and the practice of marriage in late-medieval Wales', yn Dafydd Jenkins a Morfydd Owen (goln), *The Welsh Law of Women* gol. (Caerdydd: Gwasg Prifysgol Cymru), tt. 93–114.

R. R. Davies, 1995. 'The programme', yn R. R. Davies, *The Revolt of Owain Glyndŵr* (Oxford: Oxford University Press), tt. 153–73.

R. R. Davies, 2002. *Owain Glyn Dŵr: Trwy ras Duw, Tywysog Cymru* (Talybont: Y Lolfa).

Wendy Davies, 1989. *Wales in the Early Middle Ages (Studies in the Early History of Britain)* (Leicester: Leicester University Press).

W. T. Pennar Davies, 1966. *Rhwng Chwedl a Chredo* (Caerdydd: Gwasg Prifysgol Cymru).

Guy De La Bédoyère, 2003. *Defying Rome: The Rebels of Roman Britain* (Stroud: Tempus).

Kristie Dotson, 2012. 'How is this paper philosophy?', *Comparative Philosophy*, 3 (1), 3–29

Ifor M. Edwards, 1955. 'Diwinyddiaeth Richard Price', *Efrydiau Athronyddol*, 18, 21–30.

Friedrich Engels a Karl Marx, 2014. *Y Maniffesto Comiwnyddol*, Pwyllgor Cymreig y Blaid Gomiwnyddol, cyf. W. J. Rees (E-argraffiad: Coleg Cymraeg Cenedlaethol).

Gwynfor Evans, 1973. *Cenedlaetholdeb Di-drais*, cyfieithwyd i'r Gymraeg gan D. Alun Lloyd (Cymdeithas y Cymod).

Gwynfor Evans, 1968. 'Cenedlaetholdeb ac unoliaeth dyn', *Efrydiau Athronyddol*, 31, 14–19.

Robert F. Evans, 2010 [1968]. 'The theology of Pelagius', yn Robert F. Evans, *Pelagius: Inquiries and Reappraisals* (Eugene, Oregon: Wipf and Stock Publishers).

Neil Fairlamb, 2009. 'Platonwyr Caergrawnt', yn John Daniel a Walford Gealy (gol.), *Hanes Athroniaeth y Gorllewin* (Caerdydd: Gwasg Prifysgol Cymru).

Paul Fouracre, 2001. 'Space, culture and kingdoms in early medieval Europe, yn Peter Linehan a Janet L. Nelson (goln), *The Medieval World* (London: Routledge), tt. 366–80.

Walford Gealy, 1980. *Wittgenstein* (Dinbych: Gwasg Gee).

Walford Gealy, 1991. 'Richard Price, F. R. S. (1723–91)', *Y Traethodydd*, CXLVI, 620, 135–45.

Walford Gealy, 2007. 'Braslun o hanes athroniaeth yng Nghymru ac asesiad byr o gyfraniad D. Z. Phillips i athroniaeth', *Y Traethodydd*, CLXIII (681) (Ionawr).

Walford Gealy, 2009. 'Ludwig Wittgenstein', yn John Daniel a Walford Gealy (gol.), *Hanes Athroniaeth y Gorllewin* (Caerdydd: Gwasg Prifysgol Cymru).

Walford Gealy, 2014. 'Y person da a'r person duwiol', yn *Astudiaethau Athronyddol 3: Y Drwg, y Da a'r Duwiol*, gol. E. Gwynn Matthews (Talybont: Y Lolfa).

Peter E. Gordon.'What is intellectual history? A frankly partisan introduction to a frequently misunderstood field', *http://projects. iq.harvard.edu/files/history/files/what_is_intell_history_pgordon_ mar2012.pdf*

Gwyn Griffiths, 2013. *Henry Richard: Heddychwr a Gwladgarwr* (Dawn Dweud) (Caerdydd: Gwasg Prifysgol Cymru).

Augusta Hall, Arglwyddes Llanofer, 2007 [1850]. 'Anerchiad i Gymraësau Cymru', yn Jane Aaron ac Ursula Masson (goln), *The Very Salt of Life: Welsh Women's Political Writings from Chartism to Suffrage* (Dinas Powys: Honno).

J. Higgins (gol.) 2001. *The Raymond Williams Reader* (Oxford: Blackwell).

A. A. Hodge, 1996. *Outlines of Theology* (Edinburgh: Banner of Truth).

Charles Insley 2000. 'From Rex Wallie to Princeps Wallie', yn D. M Palliser a J. R. Maddicot (goln), *The Medieval State* (London: Hambledon Press).

Ben Jackson, 2011. *Equality and the British Left: A Study in Progressive Thought, 1900–64* (Manchester: Manchester University Press).

E. Wyn James, 2007. *Glyndŵr a Gobaith y Genedl: Agweddau ar y Portread o Owain Glyndŵr yn Llenyddiaeth y Cyfnod Modern* (Aberystwyth: Cymdeithas Lyfrau Ceredigion).

Dafydd Jenkins, 1977. 'The significance of the Law of Hywel', *Trafodion Anrhydeddus Gymdeithas y Cymmrodorion*, 54–76.

Emrys Jenkins, 1956. 'A ellir astudio hanes yn ddiduedd?', *Efrydiau Athronyddol*, 19, 31–5.

Frank Price Jones, 1963. 'Effaith Brad y Llyfrau Gleision', *Y Traethodydd*, CXVIII, 507, 49.

Henry Jones, 1911. *Dinasyddiaeth Bur ac Areithiau Ereill* (Undeb Chwarelwyr Gogledd Cymru).

J. Graham Jones, 1997. *The History of Wales (Pocket Guides)* (Cardiff: University of Wales Press).

J. Graham Jones, 2000. 'The peacemonger', *Journal of Liberal Democrat History* 29 (winter 2000–1).

J. Graham Jones, 2012. 'David Davies and the Problem of the Twentieth Century', *Llafur* 10/4.

J. R. Jones, 1989. *A Raid i'r Iaith ein Gwahanu?* (Cymdeithas yr Iaith).

J. R. Jones, 1966. *Prydeindod* (Llandybïe: Christopher Davies).

Richard Wyn Jones, 2007. *Rhoi Cymru'n Gyntaf: Syniadaeth Wleidyddol Plaid Cymru, Cyfrol 1* (Caerdydd: Gwasg Prifysgol Cymru).

Richard Wyn Jones, 2012, 'Syniadaeth wleidyddol Gwynfor Evans', yn E. Gwynn Matthews (gol.), *Cenedligrwydd, Cyfiawnder a Heddwch* (Talybont: Y Lolfa).

R. Tudur Jones, 1972. 'Cenedlaetholdeb J. R. Jones', *Efrydiau athronyddol*, 35, 24–38.

Kant, Immanuel, 1891. *Principles of Politics*, cyf. gan W. Hastie (Edinburgh: T&T Clarke).

Kant, Immanuel. *Perpetual Peace*, cyf. gan M. C. Smith (London: George Allen and Unwin Ltd).

D. P. Kirby, 1976–7. 'Hywel Dda: Anglophile?', *Welsh History Review*, 8.

Peter Lewis, dim dyddiad. *Biographical Sketch of David Davies (Top Sawyer) 1818–1890 and his Grandson David Davies (1st Baron Davies) 1880–1944* (Newtown:).

D. Myrddin Lloyd, 1950. 'Meddwl Cymru yn y Canol Oesoedd', *Efrydiau Athronyddol*, 13, 3–18.

John Edward Lloyd, 1911. *A History of Wales from the Earliest Times to the Edwardian* (London: Longmans, Green and Co.).

David Long a Peter Wilson (goln), 1995. *Thinkers of the Twenty Years' Crisis: Interwar Idealism Reassessed* (Oxford: Oxford University Press).

E. Gwynn Matthews, 2013. 'Richard Price ar garu ein gwlad', yn E. Gwynn Matthews (gol.), *Astudiaethau Athronyddol 2: Cenedligrwydd, Cyfiawnder a Heddwch* (Talybont: Y Lolfa).

E. G. Matthews, 1998. *Yr Athro Alltud, Syr Henry Jones* (Dinbych: Gwasg Gee).

John Stuart Mill, 1989. *Autobiography* (London: Penguin Classics).

John Stuart Mill, 1991 [1861]. *Considerations on Representative Government* (New York: Prometheus Books).

D. Densil Morgan, 2001. 'Pelagius and a twentieth-century Augustine: the contrasting visions of Pennar Davies and R. Tudur Jones', *International Congregational Journal*, 1, 41–54.

D. Densil Morgan, 2008. 'Celts and Christians in the work of Pennar Davies', yn D. Densil Morgan, *Wales and the Word* (Cardiff: University of Wales Press).

Kenneth O. Morgan, 1982. *Rebirth of a Nation: A History of Modern Wales* (Oxford: Oxford University Press).

Kenneth O. Morgan, 1987. *Labour People* (Oxford: Oxford University Press).

Kenneth O. Morgan, 2011. 'The relevance of Henry Richard', *The Welsh History Review*, 25.3, 401–23.

H. O. Mounce, 2009. 'Immanuel Kant', yn John Daniel a Walford Gealy (gol.), *Hanes Athroniaeth y Gorllewin* (Caerdydd: Gwasg Prifysgol Cymru).

Robert Owen, 1991. *A New View of Society and Other Writings*, gol. G. Claeys (Harmondsworth: Penguin).

Roger Paden, 2002. 'Marx's critique of the utopian socialists', *Utopian Studies*, 13, 2, 67–91.

Iorwerth C. Peate, 1951. 'Y meddwl ymneilltuol', *Efrydiau Athronyddol*, 14, 1–11.

Susan Rae Petersen, 1984. 'The compatibility of Richard Price's politics and ethics', *Journal of the History of Ideas*, 45, 4 (October–December), 537–47.

D. Z. Phillips, 1974. *Athronyddu am Grefydd* (Llandysul: Gwasg Gomer).

D. Z. Phillips, 1993. 'Pam achub iaith?', *Efrydiau Athronyddol*, 56, 1–12.

D. Z. Phillips, 1995. *J. R. Jones* (Cardiff: University of Wales Press).

Brian Porter, 2002. 'Lord Davies, E. H. Carr and the spirit ironic: a comedy of errors', *International Relations*, 16.1, 77–96.

Eifion Powell, 2000. 'Gras yn Awstin', *Diwinyddiaeth*, LI. 41–54.

Geoffrey Powell, 2011. 'The greatest discovery ever made by man', yn Noel Thompson a Chris Williams (gol.), *Robert Owen and his Legacy* (Cardiff: Gwasg Prifysgol Cymru).

Richard Price, 1989 [1789]. *Cariad at ein Gwlad*, cyf. i'r Gymraeg gan P. A. L. Jones (Aberystwyth: Llyfrgell Genedlaethol Cymru).

Richard Price,1972. *Two Tracts on Civil Liberty, the War with America, the Debts and Finances of the Kingdom* (New York: Da Capo Press).

Richard Price, 1974 [1757]. *A Review of the Principal Questions in Morals*, gol. D. D. Raphael, 3ydd argraffiad (Oxford: Clarendon Press).

Michael Pugh, 2002. 'Policing the world: Lord Davies and the quest for order in the 1930s', *International Relations*, 16.1, 97–115.

John Rawls, 1971. *A Theory of Justice* (Cambridge, Belknap Press, Harvard University Press).

Ben Rees, 2007. *The Life and Work of Henry Richard: Apostle of Peace and MP for Wales* (Nottingham: Spokesman Books).

B. R. Rees, 1988. *Pelagius: A Reluctant Heretic* (Woodbridge: Boydell).

B. R. Rees, 1991. *The Letters of Pelagius and his Followers* (Woodbridge: Boydell).

W. J. Rees (gol.), 1995. *Y Meddwl Cymreig* (Caerdydd: Gwasg Prifysgol Cymru).

Henry Richard, 1845. *Defensive War* (London: Barrett). Ar gael ar *Google Books: https://books.google.co.uk/books/about/Defensive_War_extracted_from_a_lecture_d.html?id=0bxYAAAAcAAJ&hl=en*.

R. O. Roberts, 1948. *Robert Owen o'r Dre Newydd* (Y Clwb Llyfrau Cymraeg).

Dai Smith, 1993. *Aneurin Bevan and the World of South Wales* (Cardiff: University of Wales Press).

Robin Chapman Stacey, 1994. 'Past and present in Hywel's Law', yn Robin Chapman Stacey, *The Road to Judgement* (University of Pennsylvania Press).

D. O. Thomas, 1955. 'Gwleidyddiaeth Richard Price', *Efrydiau Athronyddol*, 18, 11–20.

D. O. Thomas, 1971. 'Richard Price, 1723–91', *Trafodion Anrhydeddus Gymdeithas y Cymmrodorion*, (1), 45–64.

D. O. Thomas, 1976. *Richard Price 1723–1791* (Caerdydd: Gwasg Prifysgol Cymru).

D. O. Thomas, 1977. *The Honest Mind: The Thought and Work of Richard Price* (Oxford: Clarendon Press).

D. O. Thomas, 1979. 'Cyfraniad Richard Price i athroniaeth moesau', *Efrydiau Athronyddol*, 42, 13–27.

M. Wynn Thomas, 1989. 'Meddwl Cymru', *Efrydiau Athronyddol*, 52, 34–47.

S. O. Tudor, 1957. *Beth yw Calfiniaeth?*, Llyfrfa'r Methodistiaid Calfinaidd, Cyfres 'A wyddoch chwi?', rhif 3.

Dafydd Tudur, 2006. 'The life, thought and work of Michael Daniel Jones (1822–1898)', doethuriaeth anghyhoeddedig Prifysgol Cymru, Bangor.

Thomas Glyn Watkin, 2007. *The Legal History of Wales* (Cardiff: University of Wales Press).

Simone Weil, 2001. *The Need for Roots* (London: Routledge).

Chris Williams, 2011. 'Robert Owen and Wales', yn Noel Thompson a Chris Williams (goln), *Robert Owen and his Legacy* (Cardiff: University of Wales Press).

Daniel Williams (gol.), 2003. *Who Speaks for Wales?: Nation, Culture, Identity*, (Cardiff: University of Wales Press).

Daniel Williams, 2012. *Aneurin Bevan a Paul Robeson: Sosialaeth, Dosbarth a Hunaniaeth/Aneurin Bevan and Paul Robeson: Socialism, Class and Identity* (Cardiff: Institute of Welsh Affairs).

Daniel Williams, 2015. *Wales Unchained* (Cardiff: University of Wales Press).

Glanmor Williams, 1952, 'Seiliau optimistiaeth y radicaliaid yng Nghymru', *Efrydiau Athronyddol*, 15, 45–55.

Glanmor Williams, 1987. *Recovery, Reorientation and Reformation: Wales c.1415–1642* (Clarendon Press).

Glanmor Williams, 1993. *Owain Glyndŵr* (Caerdydd: Gwasg Prifysgol Cymru).

Glanmor Williams, 1987. *Recovery, Reorientation and Reformation: Wales c.1415–1642* (Clarendon Press).

Gwyn Alf Williams, 1961. 'Twf hanesyddol y syniad o genedl yng Nghymru', *Efrydiau Athronyddol*, 24, 18–30.

Howard Williams, 1980. *Marx* (Dinbych: Gwasg Gee).

Huw L. Williams, 2014. 'Natur ddynol a'r syniad o hunanwellhad', yn gol. E. Gwynn Matthews, *Astudiaethau Athronyddol 4: Y Drwg, Y Da a'r Duwiol* (Talybont: Y Lolfa).

Huw L. Williams, 2014. 'Law yn llaw: athroniaeth a'r Gymraeg', yn gol. E. Gwynn Matthews, *Astudiaethau Athronyddol 4: Y Drwg, Y Da a'r Duwiol* (Talybont: Y Lolfa).

Natalie Williams, 2009. 'Marcsiaeth a rhyddfreiniad', yn John Daniel a Walford Gealy (gol.), *Hanes Athroniaeth y Gorllewin* (Caerdydd: Gwasg Prifysgol Cymru).

Raymond Williams, 1989. *Resources of Hope*, gol. R. Gable (London and New York: Verso).

Mary Wollstonecraft, 2008. *The Vindication of the Rights of Women and The Vindication of the Rights of Men* (Oxford: Oxford University Press).

Martha K. Zebrowski, 1994. 'Richard Price: British Platonist of the eighteenth century', *Journal of the History of Ideas*, 55, 1 (January), 17–35.

Bywgraffiadau byrion

Pelagius (354OC–?)
Brython, addysgwr a moesolwr o Gristion yn adnabyddus am herio cysyniadau'r pechod gwreiddiol a llwyr lygriad dynoliaeth, ac sy'n gysylltiedig ag Awstin Sant. Cyrhaeddodd Rufain tua 380OC a mynd ati i bregethu ewyllys rhydd yr unigolyn a'r gallu i sicrhau iachawdwriaeth trwy weithredoedd da. Erbyn 410OC roedd Awstin a'i gefnogwyr yn herio syniadau ac ysgrifau Pelagius, a ystyriwyd yn fygythiad yng nghyd-destun crefyddol a gwleidyddol bregus yr Ymerodraeth Rufeinig. Fe'i hesgymunwyd o'r Eglwys a'i wahardd o Rufain, cyn diflannu yn 419OC wedi'i frandio'n heretic wrth i'w weithiau gael eu dinistrio – o hynny ymlaen byddai'r heresi Pelagaidd yn fodd o fwrw sen ar syniadau amgen o fewn Cristnogaeth.

Awstin Sant (354OC–430OC)
Y ffigwr deallusol pwysicaf yn hanes yr Eglwys Gristnogol. Magwyd yn Thagaste, lle saif Algeria heddiw, a chafodd yrfa ddisglair fel prif feddyliwr yr Eglwys mewn cyfnod pan oedd Cristnogaeth yn cael ei sefydlu fel Crefydd yr Ymerodraeth. Ymlynodd at ffydd y Maniceaid yn ei ddyddiau cynnar, ond ar ôl ei droedigaeth – a ddisgrifiwyd mewn manylder yn ei *Gyffesion* – aeth ati i osod seiliau diwinyddol ac athronyddol i'r ffydd Gristnogol sy'n parhau'n ddylanwadol hyd heddiw. Roedd ei syniadau am freuder dyn, llwyr lygriad a rhagarfaeth yn ganolog i athrawiaeth y diwygiad Protestannaidd ac i Galfiniaeth yn arbennig.

Hywel Dda (880–950oc)

Un o frenhinoedd mwyaf adnabyddus y Cymry cynnar, yn enwog am uno mwyafrif o deyrnasoedd y cyfnod, ac eithrio Morgannwg a Gwent. Ymhellach i'w orchestion milwrol, fe'i hadnabyddir am y corff o gyfraith a ddatblygodd yn ei enw; sefydlwyd Cyfraith Hywel trwy gynulliad a drefnwyd ganddo yn yr Hendy-Gwyn ar Daf, er mwyn cysoni a chreu'r un gyfundrefn gyfreithiol ar gyfer y teyrnasoedd oll. Parhaodd y gyfundrefn honno yng nghyfnod y Normaniaid, ond fe ddaeth yn wedd ymarferol a symbolaidd o'r frwydr wleidyddol wrth i'r Normaniaid ei defnyddio, ei diwygio a'i dinistrio yn ôl eu dibenion. Cydnabyddir natur unigryw a nodweddion arbennig y gyfraith hyd heddiw, yn rhinwedd y sylw a rydd i fenywod, ac o'i chymharu â chyfraith gyffredin y Sais.

Owain Glyndŵr (1359–?)

Dyma arweinydd enwog gwrthryfel y Cymry a ddechreuodd yn 1400, gyda brwydr yn erbyn ei gymydog, Barwn Grey de Ruthin. Sbardunodd y frwydr hon gefnogaeth ar draws Cymru, ymhlith y werin a'r pendefigion fel ei gilydd, wedi canrif a mwy o drefedig-aethu gan y Normaniaid. Cafwyd llwyddiannau niferus nes bod Glyndŵr – Tywysog Cymru trwy ras Duw, yn ôl ei gefnogwyr – yn rheoli'r mwyafrif o diriogaeth a thiroedd Cymru. Derbyniodd yn ogystal gefnogaeth gan elynion Harri IV, gan gynnwys y Ffrancwyr a laniodd yn Sir Benfro yn 1405 gan ymuno gyda'r Cymry yn swydd Gaerwrangon, dim ond i ddychwelyd heb herio'r Saeson; bu machlud gwir obeithion y Cymry am fuddugoliaeth yn fuan wedyn.

Richard Price (1723–91)

Athronydd enwocaf Cymru, magwyd Price ar aelwyd Biwritan-aidd yn Llangeinor, Cwm Garw, ychydig filltiroedd i'r gogledd o Ben-y-bont ar Ogwr. Derbyniodd addysg mewn rhai o ysgolion adnabyddus de Cymru, gan gynnwys Academi Talgarth (lle'r astudiodd ei gyfoeswr Williams Pantycelyn) cyn symud i Lundain yn ddyn ifanc. Daeth yn adnabyddus yn ail hanner y ddeunawfed ganrif am ei gyfraniadau at bynciau megis yswiriant, mathemateg a chyllid, ond yn bennaf oll oherwydd ei waith ar athroniaeth foesol a gwleidyddol. Cynigodd ei foeseg wrthbwynt pwysig i empeiriaeth David Hume a'i debyg, a chymaint oedd pwysigrwydd ei ysgrifau gwleidyddol fel yr argraffwyd 60,000 o gopïau o'i sylwebaeth ar ryfel annibyniaeth yr Unol Daleithiau – tra bod *Caru ein Gwlad*, a gyhoeddwyd ar wawr y Chwyldro Ffrengig, wedi'i sbarduno gan un o gyfnodau pwysicaf trafodaeth wleidyddol hanes y gorllewin.

Mary Wollstonecraft (1759–97)

Y Saesnes Wollstonecraft yw un o ffeminyddion cyntaf a phwysicaf y cyfnod modern. Fe'i hysbrydolwyd gan Richard Price, a mynychodd ei gapel yn Newington Green – canolbwynt y gymuned radical yn Llundain a'r 'pentref a newidiodd y byd'. Amddiffynnodd safbwyntiau Price yn erbyn beirniadaeth lem y Ceidwadwr enwog Edmund Burke yn ei lyfr *Reflections on the French Revolution*, gan gynnig safbwyntiau heriol ar driniaeth menywod yn ogystal. Hyd heddiw, mae ei gweithiau'n denu sylw ysgolheigion oherwydd y feirniadaeth sydd ynddynt ar batriarchaeth.

Robert Owen (1771– 1858)

O'r Drenewydd yn wreiddiol, yn fab i haearnwerthwr a chyfrwywr, fe adawodd y bachgen disglair ei fro mebyd cyn ei ddeuddeg oed, gan symud i weithio ym myd busnes. Ar ôl cyfnod yn Llundain, symudodd i Fanceinion a sefydlu ei hun fel rheolwr melin, ac yno datblygodd ei athrawiaeth a fyddai'n gynsail i'w weledigaeth chwyldroadol a roddodd ar waith yn Lanark Newydd – melinau a brynodd gan ei dad-yng-nghyfraith, David Dale. Roedd ei gymuned gydweithredol yn lwyddiant ysgubol o safbwynt masnachol a moesol, ond roedd ei ymgais i ledaenu ei syniadau i'r Unol Daleithiau yn llai llwyddiannus. Wedi dychwelyd i'r Deyrnas Gyfunol cyfyngwyd ei weithgaredd i waith cenhadu dros y mudiadau sosialaidd a chydweithredol, gan gydio yn ei henaint mewn ffurf ar gyfriniaeth, cyn dychwelyd i'w dref enedigol - am yr ail waith yn unig yn ei fywyd – i farw.

Arglwyddes Llanofer (1802–96)

Cysylltir Augusta Hall yn bennaf oll gyda'r wisg Gymreig, ond roedd ei chyfraniad at ddiwylliant a threftadaeth Cymru yn ehangach o lawer. Yn etifedd ar Ystâd Llanofer, roedd ei theulu yn Eglwyswyr o dras Seisnig, a phriododd hithau Benjamin Hall (yr hwnnw yr enwyd 'Big Ben' ar ei ôl – oblegid ei rôl fel Prif Gomisiynydd Gweithfeydd y cyfnod), ond roedd ei bryd hithau ar hybu'r iaith Gymraeg ac amryw weithgareddau eraill, megis dawnsio gwerin a chanu'r delyn deires. Bu'n aelod o Gymreig-yddion y Fenni, grŵp adnabyddus, a'i aelodau yn cynnwys Carn-huanawc, grŵp a gyfrannodd yn helaeth at ddiogelu hen ysgrifau Cymraeg. Yn groes i dueddiadau'r dydd, roedd 'Gwenynen Gwent' yn arddel Cymreictod fel gwrthglawdd moesol yn erbyn y byd Seisnig.

Henry Richard (1812–88)

Yn enedigol o Dregaron, dyma ddyn amlweddog sydd yn ad-nabyddus am ei gyfraniad at sawl achos yn y bedwaredd ganrif ar bymtheg. I raddau helaeth, roedd yr 'Aelod dros Gymru' yn ymgnawdoliad o'r radical Cymreig, yn cynrychioli'r Rhyddfrydwyr fel Aelod Seneddol dros Ferthyr Tudful, gan roi achos y Cymry gerbron yn ei ysgrifau a'i weithredoedd, yn ogystal ag arddel hawliau'r werin a chefnogi ehangu'r etholfraint. O safbwynt Pryd-einig a rhyngwladol, y llysenw 'Apostol Heddwch' sy'n nodweddi ei gyfraniad mwyaf nodedig. Wedi'i gymhwyso fel Gweinidog yng Ngholeg yr Annibynwyr yn Highbury (gan droi ei gefn ar Fethodistiaeth ei dad), daeth yn ysgrifennydd ar y Gymdeithas Heddwch yn 1848, gan ennill enw rhyngwladol ar sail ei ymgyrchu diflino dros ddiarfogi a chyflafareddiad.

Michael D. Jones (1822–98)

Megis ei gyfoeswr Henry Richard, mynychodd Goleg yr Annibyn-wyr yn Highbury; yn wahanol i Richard, roedd y gŵr o Lanuwchllyn yn dilyn ei dad, ac yntau'n Brifathro Coleg yr Annibynwyr yn y Bala. Yn wir, dilynodd Michael D. Jones ôl troed hwnnw i'r graddau iddo gymryd yr un swydd yn 1855. Erbyn hynny, roedd wedi treulio ei gyfnod ffurfiannol yn yr Unol Daleithiau, lle dechreuodd ddatblygu ei syniadaeth a fyddai'n gynsail i'w genedlaetholdeb Cymreig. Seiliwyd hwnnw'n ddwfn ar y cyswllt rhwng y gymuned Gymraeg a'r bywyd ysbrydol, ac arweiniodd ei bwyslais ar seilwaith

a chyfundrefnau cymdeithasol Cymraeg at gefnogaeth ddigym-
rodedd o'r Wladfa – er gwaethaf pob rhwystr ymarferol.

David Davies (1880–1944)

Ŵyr i'r diwydiannwr David Davies Llandinam (yr enwog 'Top
Sawyer' neu 'Davies the Ocean') a adawodd golud sylweddol
i'w deulu ar sail ei weithgaredd yn niwydiant trwm de Cymru.
Defnyddiodd y 'Barwn Davies' yr arian yma i noddi sawl achos
da, ac yn ogystal â'i waith cymwynasgar roedd yn Aelod Seneddol
Rhyddfrydol dros Sir Drefaldwyn rhwng 1906 a 1929, cyn symud
i Dŷ'r Arglwyddi. Sefydlodd gatrawd ar ddechrau'r Rhyfel Byd
Cyntaf, ond dychwelodd yn fuan o'r ffrynt oblegid yr alwad
gan Lloyd George i'r Cabinet Rhyfel. Ymddiswyddodd yn fuan
oherwydd anghytuno chwyrn, ac roedd rhwystredigaeth Davies
gyda gwastraff a dinistr y rhyfel am borthi›r un achos a frwydrodd
drosti'n gyson ac yn ddygn am weddill ei oes, sef sefydlu cyfundrefn
ryngwladol heddychlon.

Aneurin Bevan (1897–1960)

Yn enedigol o Dredegar, aeth Bevan i weithio yn y pyllau glo yn
fachgen ifanc, tair-ar-ddeg oed. Daeth yn weithgar ac yn amlwg
dros gangen yr undeb lleol, ac yn 1919 enillodd ysgoloriaeth i'r
Coleg Llafur Canolog yn Llundain, lle bu'n astudio am ddwy
flynedd. Yn rhannol oherwydd ei enw fel radical ac areithiwr
tanbaid, cafodd gryn drafferth dal swydd, ond yn 1928 seiliwyd
ei ffawd ar ôl ennill sedd ar Gyngor Sir Fynwy, cyn cael ei enwebu'n
ymgeisydd Seneddol ar gyfer Glyn Ebwy. Gwnaeth argraff yn
fuan iawn ar y Blaid Seneddol. Gyda llwyddiant y Blaid wedi'r
Ail Ryfel Byd, fe'i benodwyd i'r swydd o Weinidog Iechyd, ac ef
oedd sylfaenydd y Gwasanaeth Iechyd Gwladol.

J. R. Jones (1911–70)

Bwriad J.R. oedd ymuno gyda'r weinidogaeth, ond gymaint oedd
ei ddawn fel athronydd nes iddo ddilyn gyrfa broffesiynol tra
gwahanol – er iddo barhau'n bregethwr lleyg. Wedi'i addysgu
yn nhraddodiad empeiraidd Adran Athroniaeth Prifysgol Aber-
ystwyth wrth droed R. I. Aaron, symudodd yn 1952 i Brifysgol

Abertawe a oedd yn prysur sefydlu ei hun fel canolfan ryngwladol i athroniaeth Wittgensteinaidd, dan arweiniad yr athrylith Rush Rhees. Er ei wychder fel athronydd academaidd, fe'i adwaenir yn bennaf yng Nghymru am gyfres o ysgrifau a oedd yn ymateb yn y 1960au i'r argyfwng ym myd crefydd a dirywiad yr iaith Gymraeg. Yn ddyn amlweddog, magodd enw fel gŵr tawel os nad tawedog yn y byd academaidd, yn gwbl groes i'r cymeriad tanbaid, uchel ei gloch oedd yn feirniad llym o grefydd yng Nghymru ac yn gefnogwr brwd o Gymdeithas yr Iaith Gymraeg.

Raymond Williams (1921–88)

Magwyd Williams ar 'dir y ffin' ym mhentre'r Pandy ger y Fenni, a bu'r fagwraeth honno yn ganolog i'w hunaniaeth a'i ddatblygiad fel un o academyddion mwyaf blaenllaw'r 'New Left'. Coleddodd y mudiad hwnnw safbwyntiau asgell chwith oedd yn pwysleisio achosion a phroblemau'n ymwneud gymaint â statws grwpiau ac â diddordebau traddodiadol megis dosbarth ac economi, ac fe adlewyrchir hyn gan ddiddordebau academaidd Williams. Cymhwysodd safbwyntiau Marcsaidd i'r astudiaeth o ddiwylliant, gan ddatblygu safbwynt 'materoliaeth ddiwylliannol' a ehangodd maes astudiaethau diwylliant y tu hwnt i'r uchel-ael i'r beunyddiol, gan bwysleisio natur orthrymedig a photensial rhyddfreiniol ein sefydliadau a'n harferion. Cwestiynai fudd y wladwriaeth yn benodol, gan ddisgrifio ei hun fel Ewropead Cymreig. Er na chafodd ei Gymreictod sylw teilwng, mae ei ysgrifau ar ei famwlad, ei diwylliant a'i hamryw weddau yn cynnig casgliad o rai o'r traethodau mwyaf difyr a chraff amdanom ni fel pobl.

Mynegai